2027 임용 전공물리 Master Key 시리즈

정승현
전공물리
기출문제집

Physics

정승현 편저

박문각 임용 동영상강의 www.pmg.co.kr 박문각

모든 것은 만남으로 시작됩니다. 과거와 현재와의 만남, 현재와 미래와의 만남의 선상에 우리는 살아가고 있습니다. 현재 존재하는 우리들도 하루 일상에 수 없는 만남을 탄생시키고 있습니다. 길거리에 모르는 사람을 만나든 친구를 만나든 간에, 우리가 자의든 타의든 간에 우리는 만남의 틀 안에서 벗어날 수 없습니다. 역사를 보면 인도의 불교 미술과 헬레니즘 문화와의 교류로 인해 간다라 미술이 탄생되는 큰 만남이 있겠고, 한 폭의 그림 같은 알프스 평원과 거대 산맥을 두고 이루어진 르네상스가 또 하나의 역사적인 만남의 사건일 것입니다.

제가 만남을 강조하고 거론하는 이유는 우연의 상황에서 필연을 가장하여 사람을 만나고 그 연장선에서 다른 누군가를 만나는 것도 저에게는 큰 의미이자 보람이기 때문입니다.

온고지신이라 했습니다. 오늘의 하루하루가 시대를 통해 계속 이뤄나가는 것이고 또한 역사에 비춰 비슷한 현상들이 반복된다는 사실입니다. 그러한 틀 속에서 한 편의 연극의 주인공처럼 희로애락의 배움 및 가르침 생활을 해왔고 이제 새로운 도약을 앞두고 나니 새삼 어깨가 무거워지고 기분이 새롭습니다.

전공을 공부하면서 깨우치고 알아가는 과정이 너무 흥미로웠습니다. 그리고 누군가에게 제가 해석하고 느꼈던 일련의 것들을 가르쳐보고 싶다는 소망을 간직하고 있었던 와중에 꿈을 이루게 되어 매우 기쁩니다. 제 작은 능력이 도움이 되었으면 하는 바람, 이로써 게을러지지 않게 스스로를 매일 되돌아보게 되는 일상이 즐겁습니다. 과거의 완료성에서 현재의 진행성으로 이어져, 더 나아가 미래의 가능성이 탄생되는 것이라면 뒤돌아보는 것 또한 큰 의미인 듯합니다.

물리학을 공부하면서 많은 것을 느꼈습니다. 그중 위대한 지식이란 미래, 즉 시대를 뛰어넘기보다 차라리 미래를 받아내는 산파적인 역할이며 그 연장선에서 또 다른 지식이 양육된다는 사실입니다. 이름만 들으면 알만한 무수한 사람들이 쌓아 올린 많은 돌 위에 또 하나의 돌을 더 올리는 일 역시 아주 큰 성과이겠지만, 이를 해석하고 알리는 일 역시 아주 큰 보람입니다. 제 작은 능력이 인연이 닿은 많은 이들에게 도약을 위한 하나의 디딤돌이 되었으면 좋겠습니다. 학습에 있어 최고란 흥미와 반복이지만 무엇보다 자신 스스로에게 기회를 주는 것이 필요합니다. 무엇을 공부하고 성과를 내기 위해서는 다이빙 선수가 물속에 자신의 몸을 던지듯 학업에 몰두해야 한다고 생각합니다.

관심을 가지면 생각을 하게 되고 직접 찾아보고 의문을 가지기 시작합니다. 그러면서 겨울철 소리 없이 눈이 쌓이듯 점차적으로 그에 대한 능력이 발전하는 것 같습니다. 이러한 여정 속에 조력자 입장에서 제가 존재하는 이유이고 항상 관계된 모든 이들이 저를 통해 인격적으로나 학업적으로 조금이나마 나아진다면 더욱 바랄 것이 없을 것 같습니다. 예측할 수 없지만 언제나 다가오는 미래가 여러분이 간절히 바라는 하루의 시작이길 진심으로 기원합니다. 감사합니다.

편저자 정승현

물리에 필요한 수학

1. 벡터 및 좌표계

(1) 두 벡터의 내적(Inner product, scalar product, dot product)

두 벡터 $\vec{a}$, $\vec{b}$의 내적은 다음과 같이 정의된다.

$$\vec{a} = (a_1, a_2)\,, \vec{b} = (b_1, b_2)$$
$$\vec{a} \cdot \vec{b} \equiv |\vec{a}||\vec{b}|\cos(\theta) = a_1 b_1 + a_2 b_2$$

벡터의 내적은 상대 벡터로 연직선을 그렸을 때 두 벡터의 수평 성분의 곱이다.

(2) 두 벡터의 외적(vector product, cross product)

두 벡터 $\vec{a}$, $\vec{b}$의 외적은 다음과 같이 정의된다.

$$\vec{a} \times \vec{b} \equiv |\vec{a}||\vec{b}|\sin(\theta)\vec{n}$$
$$\vec{a} \times \vec{b} = \begin{vmatrix} \hat{x} & \hat{y} & \hat{z} \\ a_x & a_y & a_z \\ b_x & b_y & b_z \end{vmatrix} = (a_y b_z - a_z b_y)\hat{x} + (a_z b_x - a_x b_z)\hat{y} + (a_x b_y - a_y b_x)\hat{z}$$

벡터의 외적은 두 벡터가 이루는 평행사변형의 넓이와 방향은 평행사변형과 수직한 방향이다. 회전 파트에서 주로 사용된다.

(3) 좌표계

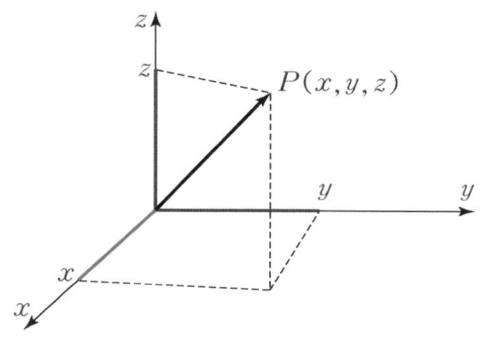

① **직교 좌표계**: x, y, z축 각 수직을 이루는 3차원 일반적인 좌표계이다. 평행이동 대칭성이 있어서 일반적인 병진운동에서 많이 활용된다.

직교 좌표계는 회전대칭성과는 별개로 평행이동 대칭성을 관계에 있으므로 단위 벡터를 시간에 대해 미분한 값 즉, $\dfrac{d\hat{x}}{dt} = \dfrac{d\hat{y}}{dt} = \dfrac{d\hat{z}}{dt} = 0$

• 단위 벡터: $\hat{x}$, $\hat{y}$, $\hat{z}$

• 위치, 속도, 가속도

$$\vec{s} = \overrightarrow{OP} = (x, y, z) = x\hat{x} + y\hat{y} + z\hat{z}$$
$$\vec{v} = \dfrac{d\vec{s}}{dt} = (v_x, v_y, v_z) = \dot{x}\hat{x} + \dot{y}\hat{y} + \dot{z}\hat{z}$$
$$\vec{a} = \dfrac{d^2\vec{s}}{dt^2} = (a_x, a_y, a_z) = \ddot{x}\hat{x} + \ddot{y}\hat{y} + \ddot{z}\hat{z}$$

• 미소 부피: $dV = dxdydz$

② **원통형 좌표계**: ρ, ϕ, z축 각 수직을 이루는 3차원 좌표계이다. x, y 평면 회전 대칭성 및 z축 평행이동 대칭성이 있다.

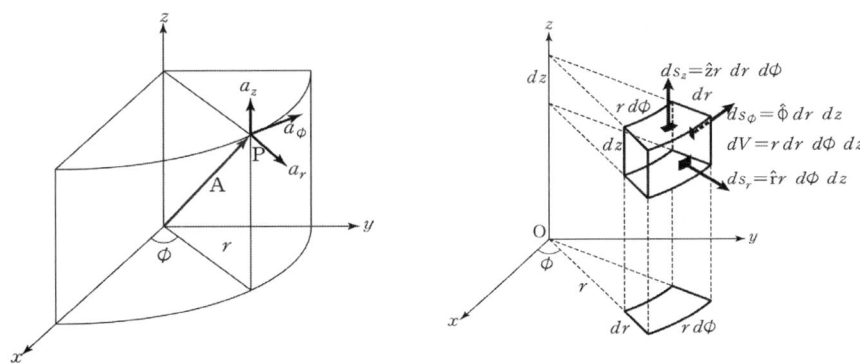

- 단위 벡터 ρ, ϕ, z: 원통형 좌표계에서 단위 벡터 $\hat{\rho}$, $\hat{\phi}$는 회전대칭성을 가지므로 회전하게 되면 시간에 따라 단위 벡터의 방향이 바뀌게 된다. 즉, 시간에 대한 상수가 아니다.

- 위치, 속도, 가속도

$$\vec{s} = \overrightarrow{OP} = (x, y, z) = (\rho\cos\phi, \rho\sin\phi, z) = \vec{\rho} + \vec{z} = \rho\,\hat{\rho} + z\,\hat{z}$$

$$\frac{d\vec{s}}{dt} = (\dot{\rho}\cos\phi - \rho\dot{\phi}\sin\phi, \dot{\rho}\sin\phi + \rho\dot{\phi}\cos\phi, \dot{z}) = \dot{\rho}\,\hat{\rho} + \rho\dot{\phi}(-\sin\phi, \cos\phi) + \dot{z}\,\hat{z}$$

$$\vec{v} = \frac{d\vec{s}}{dt} = \frac{d}{dt}(\vec{\rho} + \vec{z}) = \frac{d}{dt}(\rho\,\hat{\rho} + z\,\hat{z}) = \dot{\rho}\,\hat{\rho} + \rho\,\dot{\hat{\rho}} + \dot{z}\,\hat{z}$$

$$\vec{v} = \frac{d\vec{s}}{dt} = (v_\rho, v_\phi, v_z) = \dot{\rho}\,\hat{\rho} + \rho\dot{\phi}\,\hat{\phi} + \dot{z}\,\hat{z}$$

$$\therefore \dot{\hat{\rho}} = \dot{\phi}\,\hat{\phi}$$

$$\hat{\phi} = (-\sin\phi, \cos\phi)$$

$$\dot{\hat{\phi}} = \dot{\phi}(-\cos\phi, -\sin\phi) = -\dot{\phi}\,\hat{\rho}$$

$$\vec{a} = (a_\rho, a_\phi, a_z) = \frac{d}{dt}(\dot{\rho}\,\hat{\rho} + \rho\dot{\phi}\,\hat{\phi} + \dot{z}\,\hat{z})$$

$$= \ddot{\rho}\,\hat{\rho} + \dot{\rho}\,\dot{\hat{\rho}} + \dot{\rho}\dot{\phi}\,\hat{\phi} + \rho\ddot{\phi}\,\hat{\phi} + \rho\dot{\phi}\,\dot{\hat{\phi}} + \ddot{z}\,\hat{z}$$

$$= (\ddot{\rho} - \rho\dot{\phi}^2)\,\hat{\rho} + (\rho\ddot{\phi} + 2\dot{\rho}\dot{\phi})\,\hat{\phi} + \ddot{z}\,\hat{z}$$

- 미소 부피: $dV = d\rho(\rho d\phi)dz = \rho\,d\rho d\phi dz$

③ 구면 좌표계: r, θ, ϕ축 각 수직을 이루는 3차원 좌표계이다. ϕ, θ회전 대칭성이 있다.

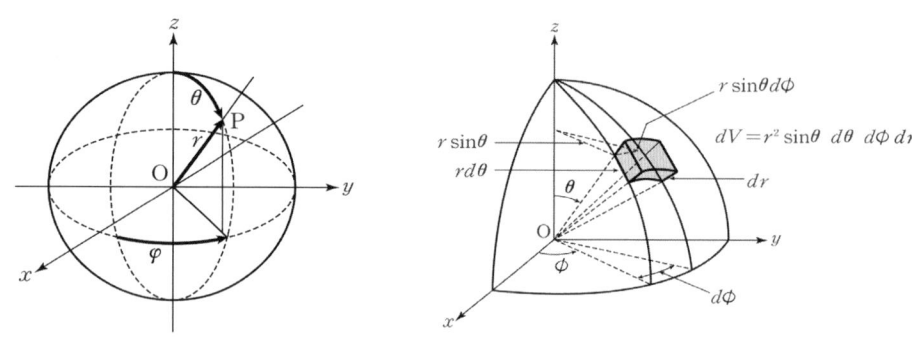

• 단위 벡터 $\hat{r}, \hat{\theta}, \hat{\phi}$: 구면 좌표계에서 $\hat{r}, \hat{\theta}, \hat{\phi}$ 는 회전대칭성을 가지므로 회전하게 되면 시간에 따라 단위 벡터의 방향이 바뀌게 된다. 즉, 시간에 대한 상수가 아니다.

• 위치, 속도

$$\vec{s} = \overrightarrow{OP} = (x, y, z) = (r\sin\theta\cos\phi, r\sin\theta\sin\phi, r\cos\theta) = r\hat{r}$$

$$\frac{d\vec{s}}{dt} = (\dot{r}\sin\theta\cos\phi + r\dot{\theta}\cos\theta\cos\phi - r\dot{\phi}\sin\theta\sin\phi,$$
$$\dot{r}\sin\theta\sin\phi + r\dot{\theta}\cos\theta\sin\phi + r\dot{\phi}\cos\phi, \dot{r}\cos\theta - r\dot{\theta}\sin\theta)$$

$$= \dot{r}\hat{r} + r\sin\theta\dot{\phi}(-\sin\phi, \cos\phi, 0) + r\dot{\theta}(\cos\theta\cos\phi, \cos\theta\sin\phi, -\sin\theta)$$

$$\vec{v} = \frac{d\vec{s}}{dt} = \dot{r}\hat{r} + r\dot{\hat{r}}$$

$$\vec{v} = \frac{d\vec{s}}{dt} = (v_r, v_\theta, v_\phi) = \dot{r}\hat{r} + r\dot{\theta}\hat{\theta} + r\sin\theta\dot{\phi}\hat{\phi}$$

$$\therefore \dot{\hat{r}} = \dot{\theta}\hat{\theta} + \sin\theta\dot{\phi}\hat{\phi}$$

• 미소 부피: $dV = dr(r\sin\theta d\phi)rd\theta = r^2\sin\theta\, drd\theta d\phi$

2. 미적분 공식

(1) 3차원 미분 연산자 ∇

① Gradient $\overrightarrow{\nabla}f$: 기하적 의미는 특정좌표에서 기울기를 의미한다.

• 직교좌표계(x, y, z): $\nabla f = \left(\dfrac{\partial f}{\partial x}, \dfrac{\partial f}{\partial y}, \dfrac{\partial f}{\partial z} \right)$

• 원통좌표계(ρ, ϕ, z): $\nabla f = \left(\dfrac{\partial f}{\partial \rho}, \dfrac{1}{\rho}\dfrac{\partial f}{\partial \phi}, \dfrac{\partial f}{\partial z} \right)$

• 구면좌표계(r, θ, ϕ): $\nabla f = \left(\dfrac{\partial f}{\partial r}, \dfrac{1}{r}\dfrac{\partial f}{\partial \theta}, \dfrac{1}{r\sin\theta}\dfrac{\partial f}{\partial \phi} \right)$

② Divergence $\overrightarrow{\nabla} \cdot \overrightarrow{F}$: 기하적 의미는 특정좌표계에서 각 좌표축 방향으로 이동 성분을 의미한다. 즉, 중심에 대해 퍼져나가는 성분을 말한다.

- 직교좌표계$(x,\, y,\, z)$: $\nabla \cdot F = \dfrac{\partial F_x}{\partial x} + \dfrac{\partial F_y}{\partial y} + \dfrac{\partial F_z}{\partial z}$

- 원통좌표계$(\rho,\, \phi,\, z)$: $\nabla \cdot F = \dfrac{1}{\rho}\dfrac{\partial}{\partial \rho}(\rho F_\rho) + \dfrac{1}{\rho}\dfrac{\partial F_\phi}{\partial \phi} + \dfrac{\partial F_z}{\partial z}$

- 구면좌표계$(r,\, \theta,\, \phi)$: $\nabla \cdot F = \dfrac{1}{r^2}\dfrac{\partial}{\partial r}(r^2 F_r) + \dfrac{1}{r\sin\theta}\dfrac{\partial}{\partial \theta}(\sin\theta F_\theta) + \dfrac{1}{r\sin\theta}\dfrac{\partial F_\phi}{\partial \phi}$

③ Curl $\overrightarrow{\nabla} \times \overrightarrow{F}$: 기하적 의미는 특정좌표계에서 각 좌표축을 회전축으로 회전 성분을 의미한다. 즉, 중심에 대해 회전 성분을 말한다.

- 직교좌표계$(x,\, y,\, z)$

$$\nabla \times F = \begin{vmatrix} \hat{x} & \hat{y} & \hat{z} \\ \dfrac{\partial}{\partial x} & \dfrac{\partial}{\partial y} & \dfrac{\partial}{\partial z} \\ F_x & F_y & F_z \end{vmatrix} = \left(\dfrac{\partial F_z}{\partial y} - \dfrac{\partial F_y}{\partial z},\ \dfrac{\partial F_x}{\partial z} - \dfrac{\partial F_z}{\partial x},\ \dfrac{\partial F_y}{\partial x} - \dfrac{\partial F_x}{\partial y} \right)$$

- 원통좌표계$(\rho,\, \phi,\, z)$

$$\nabla \times F = \dfrac{1}{\rho}\begin{vmatrix} \hat{\rho} & \rho\hat{\phi} & \hat{z} \\ \dfrac{\partial}{\partial \rho} & \dfrac{\partial}{\partial \phi} & \dfrac{\partial}{\partial z} \\ F_\rho & \rho F_\phi & F_z \end{vmatrix} = \left(\dfrac{1}{\rho}\dfrac{\partial F_z}{\partial \phi} - \dfrac{\partial F_\phi}{\partial z} \right)\hat{\rho} + \left(\dfrac{\partial F_\rho}{\partial z} - \dfrac{\partial F_z}{\partial \rho} \right)\hat{\phi} + \left(\dfrac{1}{\rho}\dfrac{\partial}{\partial \rho}(\rho F_\phi) - \dfrac{1}{\rho}\dfrac{\partial F_\rho}{\partial \phi} \right)\hat{z}$$

- 구면좌표계(r, θ, ϕ)

$$\nabla \times F = \dfrac{1}{r^2\sin\theta}\begin{vmatrix} \hat{r} & r\hat{\theta} & r\sin\theta\,\hat{\phi} \\ \dfrac{\partial}{\partial r} & \dfrac{\partial}{\partial \theta} & \dfrac{\partial}{\partial \phi} \\ F_r & rF_\theta & (r\sin\theta)F_\phi \end{vmatrix}$$

$$= \dfrac{1}{r\sin\theta}\left[\dfrac{\partial}{\partial \theta}(\sin\theta\, F_\phi) - \dfrac{\partial F_\theta}{\partial \phi} \right]\hat{r} + \dfrac{1}{r}\left[\dfrac{1}{\sin\theta}\dfrac{\partial F_r}{\partial \phi} - \dfrac{\partial}{\partial r}(rF_\phi) \right]\hat{\theta} + \dfrac{1}{r}\left[\dfrac{\partial}{\partial r}(rF_\theta) - \dfrac{\partial F_r}{\partial \theta} \right]\hat{\phi}$$

(2) 가우스 발산 법칙

$$\int \overrightarrow{\nabla} \cdot \overrightarrow{F} dV = \int \overrightarrow{F} \cdot d\overrightarrow{S}$$

가우스 발산 법칙은 벡터장 $\overrightarrow{F}$의 발산, 즉 뻗어나가는 성분을 알아내는 데 사용된다.

(3) 스토크스 법칙

$$\int (\overrightarrow{\nabla} \times \overrightarrow{F}) \cdot d\overrightarrow{S} = \int \overrightarrow{F} \cdot d\overrightarrow{l}$$

스토크스 법칙은 벡터장 $\overrightarrow{F}$의 회전성분을 알아내는 데 사용된다.

3. 행렬

1차식 $ax + by = m$, $cx + dy = n$ 일 때 행렬로 표현하면

$$\begin{pmatrix} a\ b \\ c\ d \end{pmatrix}\begin{pmatrix} x \\ y \end{pmatrix} = \begin{pmatrix} m \\ n \end{pmatrix} \longrightarrow \begin{pmatrix} x \\ y \end{pmatrix} = \begin{pmatrix} a\ b \\ c\ d \end{pmatrix}^{-1}\begin{pmatrix} m \\ n \end{pmatrix}$$

$$\begin{pmatrix} x \\ y \end{pmatrix} = \frac{1}{ad-bc}\begin{pmatrix} d\ -b \\ -c\ a \end{pmatrix}\begin{pmatrix} m \\ n \end{pmatrix}$$

복잡한 1차 방정식의 해를 동시에 구하거나 해의 존재성을 판명할 때 사용된다.

※ 회전 변환

$$\begin{pmatrix} x' \\ y' \end{pmatrix} = \begin{pmatrix} \cos\theta\ -\sin\theta \\ \sin\theta\ \cos\theta \end{pmatrix}\begin{pmatrix} x \\ y \end{pmatrix} \qquad \begin{pmatrix} x' \\ y' \end{pmatrix} = \begin{pmatrix} \cos\theta\ \sin\theta \\ -\sin\theta\ \cos\theta \end{pmatrix}\begin{pmatrix} x \\ y \end{pmatrix}$$

▲ 점의 회전 변환　　　　　　　　　　▲ 좌표축의 회전 변환

4. 삼각함수 공식

(1) 피타고라스 정리

- $\cos^2\theta + \sin^2\theta = 1$
- $1 + \tan^2\theta = \sec^2\theta$
- $1 + \cot^2\theta = \operatorname{cosec}^2\theta$

(2) 삼각함수 합차 공식

- $\sin(\alpha+\beta) = \sin\alpha\cos\beta + \cos\alpha\sin\beta$

- $\sin(\alpha-\beta) = \sin\alpha\cos\beta - \cos\alpha\sin\beta$

- $\cos(\alpha+\beta) = \cos\alpha\cos\beta - \sin\alpha\sin\beta$

- $\cos(\alpha-\beta) = \cos\alpha\cos\beta + \sin\alpha\sin\beta$

- $\tan(\alpha+\beta) = \dfrac{\tan\alpha + \tan\beta}{1 - \tan\alpha\tan\beta}$

- $\tan(\alpha-\beta) = \dfrac{\tan\alpha - \tan\beta}{1 + \tan\alpha\tan\beta}$

(3) 삼각함수 두배각 공식

- $\sin2\theta = 2\sin\theta\cos\theta$

- $\begin{aligned}\cos2\theta &= \cos^2\theta - \sin^2\theta \\ &= 2\cos^2\theta - 1 \\ &= 1 - 2\sin^2\theta\end{aligned}$

- $\tan2\theta = \dfrac{2\tan\theta}{1 - \tan^2\theta}$

(4) 삼각함수 반각 공식

- $\cos^2\theta = \dfrac{1 + \cos2\theta}{2}$

- $\sin^2\theta = \dfrac{1 - \cos2\theta}{2}$

(5) 삼각함수 합성 공식

- $\sin A + \sin B = 2\sin\left(\dfrac{A+B}{2}\right)\cos\left(\dfrac{A-B}{2}\right)$

- $\sin A - \sin B = 2\cos\left(\dfrac{A+B}{2}\right)\sin\left(\dfrac{A-B}{2}\right)$

- $\cos A + \cos B = 2\cos\left(\dfrac{A+B}{2}\right)\cos\left(\dfrac{A-B}{2}\right)$

- $\cos A - \cos B = -2\sin\left(\dfrac{A+B}{2}\right)\sin\left(\dfrac{A-B}{2}\right)$

CONTENTS
차례

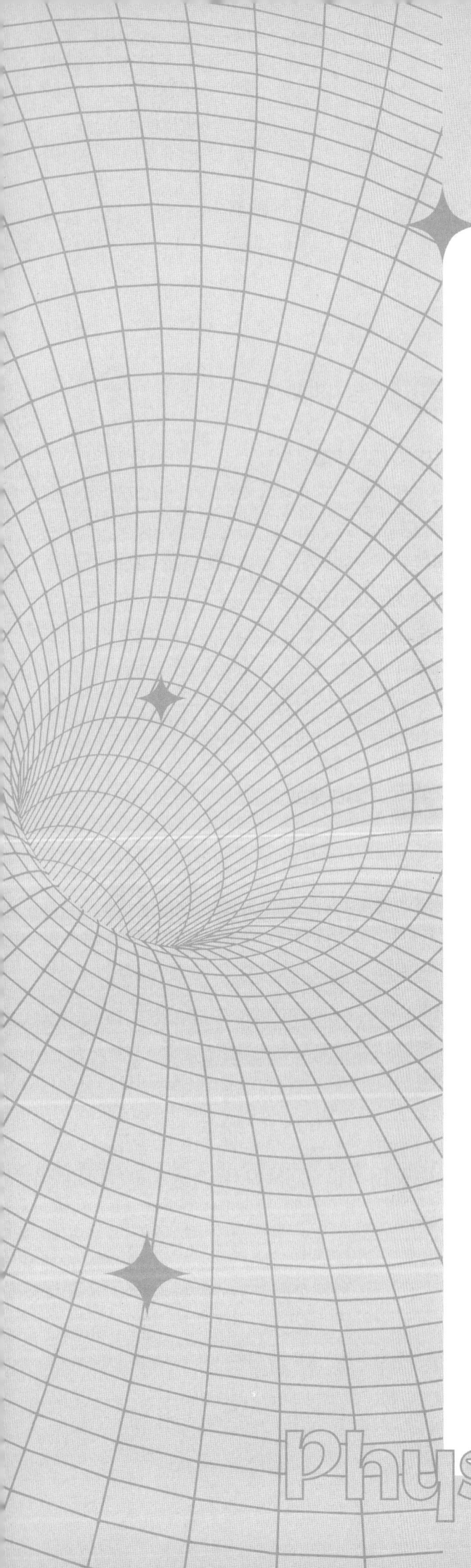

정승헌
전공물리 기출문제집

Physics

기본역학

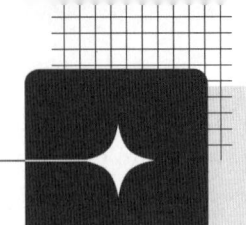

핵심 이론정리

1 1, 2차원 운동

(1) 1차원 등가속도 직선운동

$$v = v_0 + at, \quad s = v_0 t + \frac{1}{2}at^2, \quad v^2 - v_0^2 = 2as$$

(v_0 : 처음속도 v : 나중속도 s : 변위 a : 가속도 t : 시간)

(2) 2차원 포물선 운동

x축 방향 성분	y축 방향 성분
$a_x = 0$	$a_y = -g$
$v_x = v_{0x} + a_x t = v_0 \cos\theta$	$v_y = v_{0y} + a_y t = v_0 \sin\theta - gt$
$x = v_{0x}t + \frac{1}{2}a_x t^2 = v_0\cos\theta \cdot t$	$y = v_{0y}t + \frac{1}{2}a_y t^2 = v_0\sin\theta \cdot t - \frac{1}{2}gt^2$

① 최고점 도달 시간 t_H : $t_H = \dfrac{v_0\sin\theta}{g}$

② 수평 도달 시간 t_R : $t_R = \dfrac{2v_0\sin\theta}{g}$

③ 최고점 높이 H : $H = \dfrac{(v_0\sin\theta)^2}{2g}$

④ 수평 도달 거리 $R(=x_{\max})$: $R = \dfrac{2v_0^2\sin\theta\cos\theta}{g} = \dfrac{v_0^2\sin2\theta}{g}$

따라서 $\sin2\theta = 1$일 때, 즉 $\theta = 45°$일 때 최댓값 $R_{\max} = \dfrac{v_0^2}{g}$을 가진다.

⑤ 운동 경로의 식 : $x = v_0\cos\theta \cdot t$와 $y = v_0\sin\theta \cdot t - \dfrac{1}{2}gt^2$에서 시간 t를 소거하여 정리하면

$y = \tan\theta \cdot x - \dfrac{g}{2v_0^2\cos^2\theta}x^2$ (포물선 방정식)

$y = \tan\theta \cdot x - \dfrac{g}{2v_0^2}(\tan^2\theta + 1)x^2$ (포물선 방정식)

운동 방향의 기울기 : $\tan\phi = \dfrac{v_y}{v_x} = \dfrac{v_0\sin\theta - gt}{v_0\cos\theta}$ (최고점 전에는 양수값을, 최고점 후에는 음수값을 가짐)

2 운동법칙

(1) 1법칙(관성의 법칙)

물체에 힘이 작용하지 않거나 (작용해도) 그 합이 0이면, 정지하고 있던 물체는 계속 정지해 있고(=정지 관성), 운동하던 물체는 등속직선운동을 계속(= 운동 관성)한다.

① 관성(inertia) : 물체가 현재 가진 운동 상태를 계속 유지하려는 성질

　　　　　　　　물체의 질량이 클수록 관성도 크다.

　　㉠ 정지 관성 : 정지해 있는 물체가 계속 정지해 있으려는 성질

　　㉡ 운동 관성 : 운동하고 있는 물체가 속도의 변화 없이 그대로 계속 운동하려는 성질

② 관성 공간 vs 가속 공간

　　㉠ 관성 공간 : 정지 혹은 등속도운동 하는 물체 내부

　　㉡ 가속 공간 : 가속 운동하는 물체의 내부

③ 관성력 : 가속 운동하는 물체 내부에 작용하는 가상적인 힘

(2) 2법칙(가속도의 법칙)

$$a = \frac{F}{m} \quad ; \quad F = m\,a$$

물체에 힘이 작용할 때, 힘의 방향으로 가속도($a = \frac{\Delta v}{\Delta t} = \frac{F}{m}$)가 생기며, 가속도의 크기는 힘의 크기에 비례하고 질량의 크기에 반비례한다.

(3) 3법칙(작용－반작용의 법칙)

물체 A가 물체 B에 힘(작용)을 작용하면 B도 A에 반드시 크기가 같고 방향이 반대인 힘(반작용)을 작용한다.

(4) 마찰력

외력에 저항하거나 운동을 방해하는 힘 (정지~ / 운동~)

① 정지마찰력 : 정지된 상태에서 물체가 받는 마찰력 (=가해준 힘의 크기)

② 최대정지마찰력 : 정지해 있는 물체를 운동시키려면 최대정지마찰력보다 큰 힘을 가해야 한다.

> • 안 움직일 때 : $f = F_{외부}$
> • 막 움직일 때 : $f = \mu_s N \rightarrow$ 최대 정지 마찰력
> • 움직일 때 : $f = \mu_k N \rightarrow$ 운동 마찰력

3 운동량 보존과 충돌

(1) 충격량

$$\vec{I} = \int \vec{F} \cdot dt = \Delta \vec{p}$$

물체에 t 동안 힘을 가하면 충격량은 물체의 운동량 변화량과 동일하다.

(2) 운동량 보존 법칙

두 물체가 충돌 시 작용반작용 법칙에 의해서 운동량은 보존된다.

$$m_1 \vec{v_1} + m_2 \vec{v_2} = m_1 \vec{v_1}' + m_2 \vec{v_2}' \rightarrow 충돌\ 전\ 운동량 = 충돌\ 후\ 운동량$$

(3) 1차원 충돌의 정리

$e = \dfrac{\vec{v_2}' - \vec{v_1}'}{\vec{v_1} - \vec{v_2}} = \dfrac{충돌\ 후\ 상대속도}{충돌\ 전\ 상대속도}$: 반발 계수 정의

반발계수	충돌의 종류	운동량	역학적에너지	예
$e = 1$	완전 탄성 충돌	보존	보존	기체 분자의 충돌
$0 < e < 1$	비탄성 충돌	보존	보존되지 않음	대부분의 충돌
$e = 0$	완전 비탄성 충돌	보존	보존되지 않음	충돌 후 하나로 합쳐지는 운동

(4) 2차원 충돌

m_2가 정지 상태로 충돌한 후, x축에 대해 m_1이 α로 m_2가 β로 충돌 후 나아갈 때

충돌 공식 ✒️

$$\vec{v_1}' = \vec{v_1} - \frac{m_2(1+e)}{m_1+m_2}(\vec{v_1} - \vec{v_2})$$

$$\vec{v_2}' = \vec{v_2} + \frac{m_1(1+e)}{m_1+m_2}(\vec{v_1} - \vec{v_2})$$

① x축 운동량 보존

$m_1 v_1 + 0 = m_1 v_1' \cos\alpha + m_2 v_2' \cos\beta$

② y축 운동량 보존

$0 = m_1 v_1' \sin\alpha - m_2 v_2' \sin\beta$

4 원운동과 진동

(1) 원운동 기본

① 변위 $\vec{r} = (x, y) = (A\cos\theta, A\sin\theta) = (A\cos\omega t, A\sin\omega t)$ $(\because A = 진폭)$

② 속도 $\vec{v} = (-v\sin\omega t, v\cos\omega t) = (-\omega A\sin\omega t, \omega A\cos\omega t)$

각속도의 크기와 속도의 크기와의 관계식 $v = \omega A$

③ 가속도 $\vec{a} = (-a\cos\omega t, -a\sin\omega t) = (-\omega^2 A\cos\omega t, -\omega^2 A\sin\omega t)$

구심 가속도의 크기는 $a = \omega^2 A$

> **원운동 정리** ☞
>
> • 각속도: $\omega = \dfrac{\theta}{t} = \dfrac{v}{r}$ • 주기: $T = \dfrac{2\pi r}{v} = \dfrac{2\pi}{\omega}$ $\left(\because \omega = \dfrac{v}{r}\right)$
>
> • 속력: $v = \omega r$ • 구심 가속도의 크기: $a = \dfrac{v^2}{r} = \omega^2 r = \dfrac{4\pi^2 m r}{T^2}$ $\left(\because \omega = \dfrac{2\pi}{T}\right)$

(2) 단진동

원운동의 그림자 운동과 동일하다.

$x = A\cos\omega t,\ v_x = -A\omega\sin\omega t,\ a_x = -A\omega^2\cos\omega t$

$F_x = ma_x = -mA\omega^2\cos\omega t = -m\omega^2 x$ $[x = A\cos\omega t]$

$F_x = -kx = -m\omega^2 x$ 로부터

$k = m\omega^2 \to \omega = \sqrt{\dfrac{k}{m}},\ T = \dfrac{2\pi}{\omega} = 2\pi\sqrt{\dfrac{m}{k}}$: 용수철 진자의 주기

$\ddot{x} + \omega^2 x = 0$: 단진동 운동방정식

좌표 설정은 자유롭다는 가정하에 일반화된 단진동의 위치의 함수는 $x = A\cos(\omega t + \phi)$ 이다.

(3) 단진자

$F_x = -mg\sin\theta \simeq -\dfrac{mg}{l}x$

매우 작은 각으로 진동할 때, $\sin\theta \approx \tan\theta \approx \theta \simeq \dfrac{x}{l}$ $(\because 호의 길이 s = l\theta)$

$ma_x = -\dfrac{mg}{l}x = -kx = -m\omega^2 x$

따라서 단진자의 각진동수 $\omega = \sqrt{\dfrac{g}{l}}$

주기 $T = \dfrac{2\pi}{\omega} = 2\pi\sqrt{\dfrac{l}{g}}$

5 일과 에너지

$$W = \int \overrightarrow{F} \cdot d\overrightarrow{s} = \Delta E_k + \Delta E_p + fs$$

외부힘 $\overrightarrow{F}$가 한일은 운동 에너지 변화량 ΔE_k와 위치에너지 변화량 ΔE_p, 그리고 마찰력에 의해 소비된 에너지 fs와 같다.

6 유체역학

(1) 연속 방정식

$$Av = \text{일정} \; ; \; A = \text{단면적}, \; v = \text{속력}$$

(2) 베르누이 방정식

$$P + \rho gh + \frac{1}{2}\rho v^2 = \text{일정}$$

7 회전 운동

(1) 질량 중심

두 질량 m_1, m_2이 x_1, x_2에 위치해 있을 때, 질량 중심의 위치는 다음과 같다.

$$x_{cm} = \frac{m_1 x_1 + m_2 x_2}{m_1 + m_2}$$

(2) 회전 관성모멘트 계산

$I = \sum_i m_i r_i^2$ (입자가 불연속 분포일 때)

$I = \int r^2 dm$ (질량이 연속 분포일 때)

주요 물체의 질량 중심에 대한 회전 관성 ✍

- 길이 L인 막대 : $I = \dfrac{1}{12}ML^2$
- 고리(Loop나 반지) : $I = MR^2$
- 원판이나 원기둥 : $I = \dfrac{1}{2}MR^2$
- 속이 빈구의 회전 관성 : $I = \dfrac{2}{3}MR^2$
- 속이 꽉 찬 구의 회전 관성 : $I = \dfrac{2}{5}MR^2$

(3) 평행축 정리

질량 중심에서 회전 관성모멘트 I_0일 때, 질량 중심에서 d만큼 떨어진 위치에서 회전 관성모멘트 I'

$$I' = I_0 + Md^2$$

(4) 돌림힘

$$\vec{\tau}_{net} = I\,\vec{\alpha} = \vec{r} \times \vec{F}$$

(5) 각운동량 보존 법칙

물체에 돌림힘이 0이면 각운동량은 보존된다.

$$\vec{L} = m\,\vec{r} \times \vec{v}$$
$$\vec{\tau}_{net} = I\,\vec{\alpha} = I\frac{d\vec{\omega}}{dt} = \frac{d(I\vec{\omega})}{dt} = \frac{d\vec{L}}{dt}$$
$$\therefore \tau = 0 \rightarrow L = I\omega \ : \ 일정$$

(6) 물체의 총 운동 에너지(E_k) = 병진 운동 에너지 + 회전 운동 에너지

$$E_{k,total} = E_{k,\,병진} + E_{k,\,회전} = \frac{1}{2}mv^2 + \frac{1}{2}I\omega^2$$

(7) 등각가속도 회전 운동 공식

$$\omega = \omega_0 + \alpha t$$
$$\theta = \theta_0 + \omega_0 t + \frac{1}{2}\alpha t^2$$
$$2\alpha\theta = \omega^2 - \omega_0^2$$

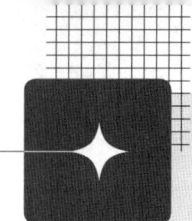

핵심 기출문제

● 정답 및 해설 2~18쪽

1 1, 2차원 운동

2006-10

01 중력 가속도 g인 수평면 위에서 물체를 초기 속도 $\vec{v_0}$로 발사하여 수평 거리 R인 지점에 떨어지게 하려고 한다. 이 경우, 초기 속도의 수평 성분과 연직 성분의 곱 $v_{0x} \times v_{0y}$를 구하시오. 또, 수평 거리 R에 도달하기 위해서 물체가 가져야 할 최소의 초기 속력 $v_{\min}$을 구하시오.

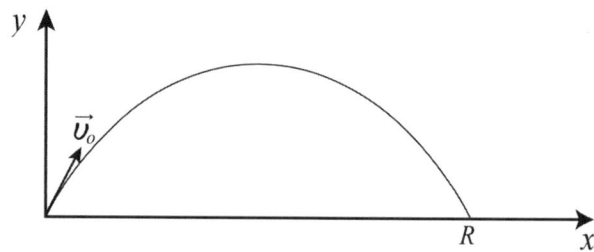

2007-09

02 그림 (가)는 어떤 높이에서 잡고 있던 농구공을 단단한 마루 바닥을 향해 가만히 놓은 것을 나타내고, 그림 (나)는 시간 t에 따른 이 농구공의 속도 v를 나타낸 것이다. 그림 (나)에서 $0 \sim t_1$구간과 $t_3 \sim t_5$구간의 그래프는 직선이고, $t_1 \sim t_3$구간의 그래프는 직선이 아니다.

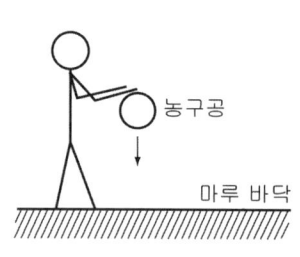

농구공

마루 바닥

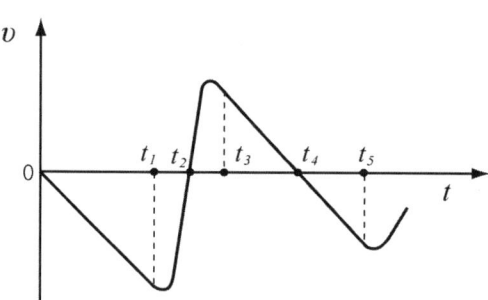

1) 이 농구공이 바닥에서 다시 튀어 오른 후 최고점에 도달한 시각을 찾으시오.

2) $t_3 \sim t_5$의 직선 구간에서 농구공의 가속도를 구하시오.

3) $t_3 \sim t_5$의 직선 구간에서 속도 $v(t)$를 g, t, t_4로 나타내시오. (단, 공기 저항은 무시하고, 중력 가속도는 g이다.)

03

그림 (가)와 같이 정지해 있는 장난감 자동차에 총알이 속력 v_0으로 발사되는 장난감 총을 수평면과 이루는 각이 θ가 되도록 고정시켰다. 이 자동차가 일정한 속력 v_0으로 직선운동 할 때 총알을 발사하였더니 그림 (나)와 같이 총알이 포물선 운동을 하여 수평 거리 s만큼 날아가 수평면에 대해 45° 기울어진 과녁에 수직으로 충돌하였다.

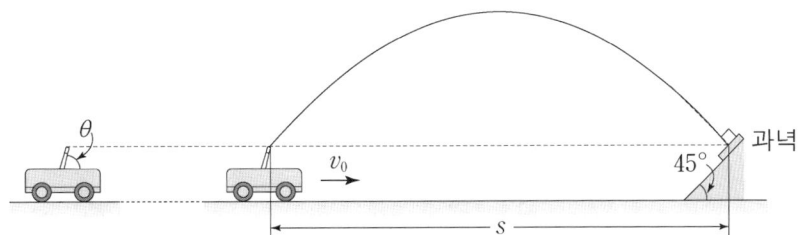

v_0와 θ를 각각 구하시오. (단, 중력 가속의 크기는 g이고, 총알의 질량은 자동차의 질량에 비해 매우 작고, 공기 저항은 무시한다.)

04

그림은 장난감 총을 사용하여 지면으로부터 높이 H에서 일정한 속력 v_0으로 수평으로 날아가는 물체를 맞히려는 것을 나타낸 것이다.

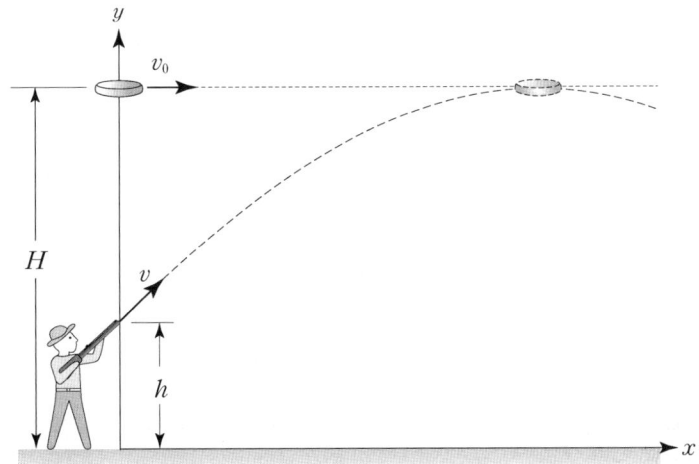

물체가 총구 끝 연직 위를 지나는 순간에 총알을 발사하여 총알 궤적의 최고점에서 물체를 맞히기 위한 발사 속력 v를 구하시오. (단, 공기 저항과 물체의 크기는 무시하고, 지면으로부터 총구 끝의 높이는 h, 중력 가속도는 g이다.)

05

그림과 같이 물체 A와 B가 동일한 속력 v_0으로 동시에 출발하여 각각 수평면에서 등속도 운동을 한다. 이후 두 물체는 수평면을 떠나 포물선 운동을 하다가 충돌한다. A와 B의 출발점은 수평면의 끝으로부터 각각 $2L$과 L만큼 떨어져 있다. 두 수평면의 끝 사이의 수평 거리는 $3L$이고, 높이차는 L이다.

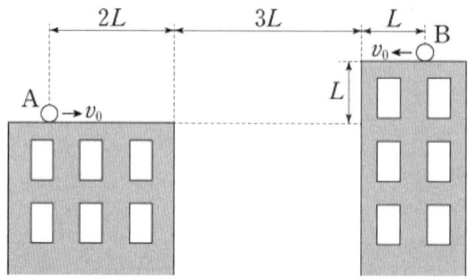

A와 B가 출발해서 충돌할 때까지 A가 이동한 수평 거리를 구하고, A가 출발한 후 B와 충돌할 때까지 걸린 시간 $\triangle t$를 풀이 과정과 함께 L, g로 구하시오. 또한 수평면에서의 속력 v_0을 L, g로 나타내시오. (단, 중력 가속도의 크기는 g이고, A와 B의 크기는 무시한다. A와 B는 동일 연직면에서 운동한다.)

06

그림은 $y = 0$인 지점에서 속력 v_0으로 연직 위로 던져진 물체 A와, $y = H(H > 0)$인 지점에서 연직 아래로 속력 v_0로 던져진 물체 B가 각각 속력 v_A, v_B로 운동하고 있는 것을 나타낸 것이다. A와 B는 동시에 던져졌다.

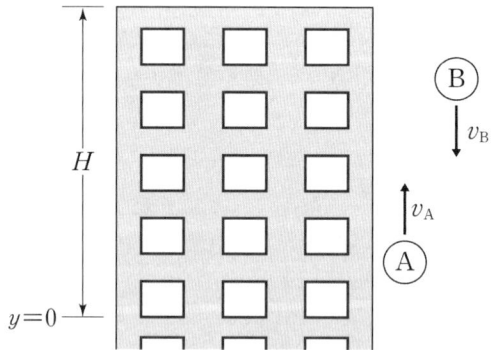

A가 $y = 0$으로부터 최고점에 도달하는 동안 B가 이동한 거리를 구하시오. B가 $y = 0$인 지점에 도달하는 순간의 속력을 구하시오. A와 B는 $y = h$인 지점을 각각 다른 시간에 지나고, $y = h$인 지점에서 속력은 A가 B의 $\frac{1}{2}$배이다. h를 풀이 과정과 함께 v_0, g, H로 나타내시오. (단, 중력 가속도는 g이다. A와 B는 동일한 연직면에서 운동하며 물체의 크기와 공기 저항은 무시한다.)

2 운동법칙

2008-09

07 그림과 같이 수평면에 정지해 있는 질량이 m인 물체에 수평면과 θ의 각도로 힘 T가 작용하고 있다.

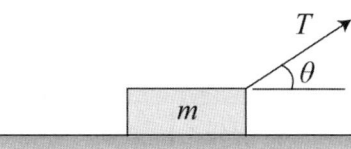

물체를 움직이기 위해 필요한 최소한의 힘의 크기는 각 θ에 따라 달라진다. 이 힘을 최소로 하는 각을 물체와 바닥 사이의 정지마찰계수 μ_s로 나타내시오. (단, 중력 가속도는 g이다.)

2009-13

08 그림은 초기($t=0$)에 직선 위에서 오른쪽으로 운동하고 있던 한 물체의 시간 t에 따른 가속도 a를 나타낸다. 오른쪽을 양($+$)의 방향으로 정한다.

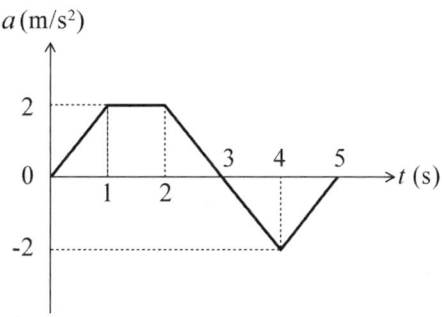

물체의 운동에 대한 설명으로 옳은 것을 〈보기〉에서 모두 고른 것은?

┤ 보기 ├
ㄱ. 이 그림만으로는 초기 속력을 알 수 없다.
ㄴ. 0~5s 사이에 물체의 운동 방향이 한 번 바뀐다.
ㄷ. 2~3s 사이에 이동한 거리는 3~4s 사이에 이동한 거리와 같다.

① ㄱ   ② ㄴ
③ ㄱ, ㄴ   ④ ㄱ, ㄷ
⑤ ㄴ, ㄷ

2009-08

09 그림은 버스가 지면에 대해 가속도 a로 등가속도 직선운동을 하고 있을 때 질량이 m인 버스 손잡이가 기울어져 있는 모습이다. 지면에 대해 정지한 사람의 관점에서 손잡이에 작용하는 힘을 모두 올바르게 나타내고, 합력의 크기와 방향을 바르게 나타낸 것을 고르시오. (단, 손잡이 끈의 질량은 무시한다.)

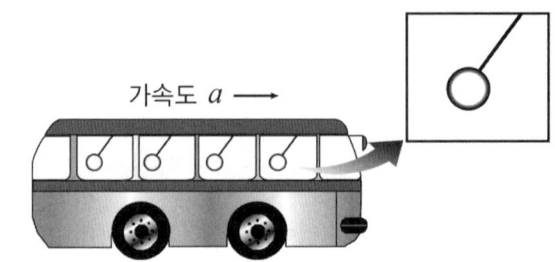

가속도 a ⟶

	작용하는 힘	합력의 크기	합력의 방향
①	중력	mg	중력방향
②	장력 / 중력	ma	버스의 가속도와 같은 방향
③	장력 / 중력	ma	버스의 가속도와 반대 방향
④	장력 / 관성력 / 중력	0	합력이 0이므로 방향이 없다
⑤	장력 / 관성력 / 중력	$mg + ma$	버스의 가속도와 반대 방향

2009-39

10 그림은 지표면으로부터 가속도 $3g$로 수직 상승하고 있는 우주선 속에 정지 상태로 놓여 있는 두 물체를 나타낸다. 중력 가속도 g는 일정하며 우주선의 속력은 광속에 비해서 극히 작아서 비상대론적으로 취급 하여도 된다고 가정한다. 두 물체의 질량은 각각 $m_1 = m$, $m_2 = 4m$이고, 바닥과 m_2 사이에는 마찰이 없다고 가정하고, m_1과 m_2 사이의 정지마찰계수와 운동마찰계수는 각각 0.4와 0.3이다.

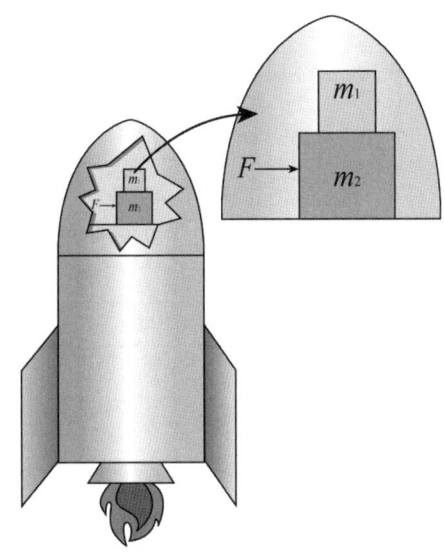

질량 m_2인 물체에 수평 방향으로 힘 F가 작용할 때 두 물체가 함께 운동할 수 있는 힘 F의 최댓값은?

① $10mg$

② $8mg$

③ $6mg$

④ $4mg$

⑤ $2mg$

2018-A03

11 그림과 같이 경사각이 θ이고 마찰이 있는 비탈면에서 질량 $2m$인 나무 도막이 줄에 매달린 질량 m인 추에 이끌려 크기 v_0인 등속도로 올라가고 있다. 나무 도막이 점 P를 지나는 순간 줄을 끊었더니 점 Q 에서 정지하였다.

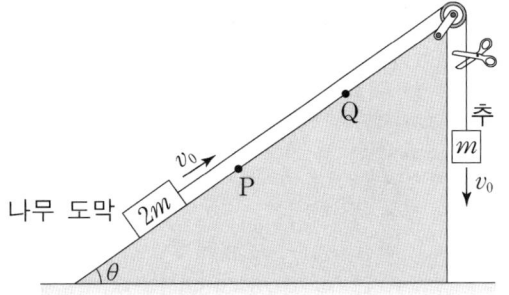

줄을 끊은 후 나무 도막의 가속도의 크기 a와 P에서 Q까지 이동하는 데 걸린 시간 Δt를 구하시오. (단, 중력 가속도의 크기는 g이고, 줄과 도르래의 질량, 도르래의 마찰과 공기 저항은 무시한다.)

12 **2011-12**

다음은 학생의 물리 개념을 조사하기 위한 장치와 운동 상황이다.

> 그림 (가)는 바닥에 연결된 고무줄에 탁구공을 연결하여 물이 가득 차 있는 투명 플라스틱 통에 넣어 밀봉한 '장치'이고, 그림 (나)는 이 장치를 이용하여 세 가지 상황에서 운동을 시켰을 때 탁구공의 위치를 예상한 것이다.

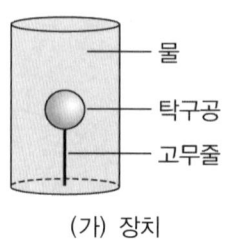

물
탁구공
고무줄

(가) 장치

운동상황	예상
장치 수레와 함께 운동방향으로 속도가 점점 증가하는 경우	A
장치 원판과 함께 등속원운동하는 경우	B
장치 수직으로 자유 낙하하는 경우	C

(나) 물체의 운동 상황별 탁구공의 위치

정지한 관찰자가 본 모습이 그림 (나)의 운동 상황과 같을 때, 탁구공의 위치를 옳게 예상한 것만을 모두 고른 것은? (단, 그림에서 화살표는 운동 방향을 나타낸다.)

① A
② C
③ A, B
④ B, C
⑤ A, B, C

13

2023-A01

그림 (가)는 물체가 책상면 위의 원형 트랙의 일부에서 등속원운동을 하다가 트랙을 떠나는 모습을 나타낸 것이고, 그림 (나)는 트랙의 일부를 확대한 것이다. 책상면은 수평이며, 트랙의 경사면이 책상면과 이루는 각은 45°이다. 물체의 질량은 2kg, 원 궤도의 반지름은 0.4m이다. 물체가 책상면의 트랙을 떠난 순간, 지면으로부터 물체까지의 높이는 1m, 지면에 닿을 때까지의 수평 이동 거리는 S이다.

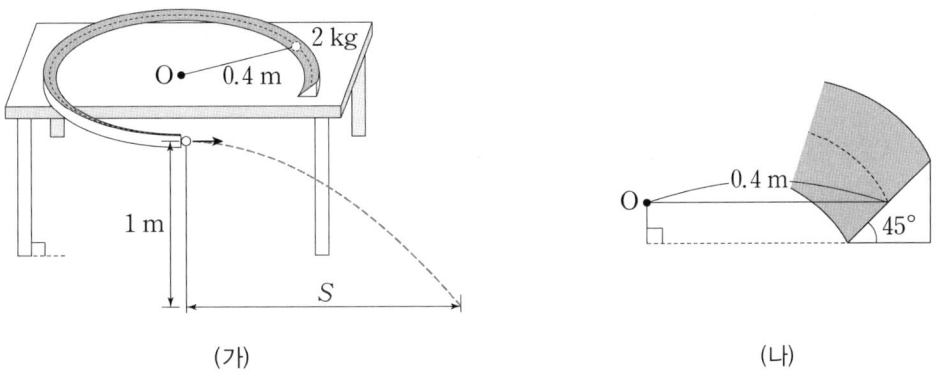

(가)   (나)

트랙이 물체에 작용하는 수직 항력의 크기와 S를 각각 구하시오. (단, 중력 가속도의 크기는 $10\text{m}/\text{s}^2$이고, 공기 저항과 물체의 크기는 무시한다.)

3 운동량 보존과 충돌

2004-09

14 그림과 같이 반지름(R)이 0.2m인 반원형 트랙 위에서만 움직일 수 있는 물체 m_1과 m_2가 있다. 물체 m_1이 점 a에서 운동을 시작하고 물체 m_2는 트랙 바닥인 점 b에 정지해 있다. 물체 m_1과 m_2가 충돌한 후, 두 물체는 한 덩어리로 트랙 위를 운동한다. 다음 물음에 답하시오. (단, 물체의 질량은 $m_1 = 0.2\text{kg}$, $m_2 = 0.05\text{kg}$이며, 중력 가속도는 $10\text{m}/\text{s}^2$이고, 모든 마찰은 무시한다.)

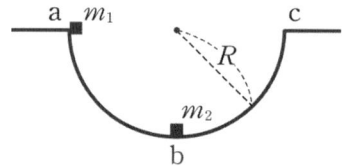

1) 물체 m_1이 정지상태에서 운동을 시작하였을 때, 충돌 전 두 물체의 총 역학적 에너지 E_i와 충돌 후 총 역학적 에너지 E_f의 차이를 구하시오.

2) 두 물체가 충돌 후 한 덩어리가 되어 점 c까지 도달하려면, 물체 m_1의 초기 속력 v_0은 최소한 얼마가 되어야 하는지 구하시오.

2005-09

15 질량 m인 물체가 정지상태에 있는 질량 M인 물체와 충돌한 후 두 물체가 붙어서 운동한다. 충돌 과정에서 발생한 열량이 충돌 전 운동 에너지의 $\frac{1}{4}$이라면, 질량 m은 질량 M의 몇 배인지 즉, $\frac{m}{M}$의 값을 구하시오.

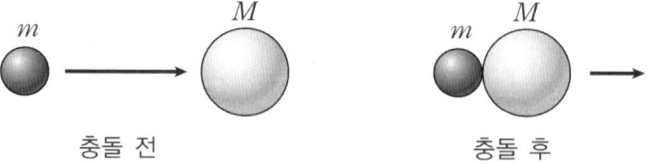

충돌 전   충돌 후

2009-15

16 그림 (가)는 실험실 좌표계에서 질량 m_1인 물체가 속도 $\vec{v_1}$로 입사하여 정지해 있는 질량 m_2인 물체에 탄성 충돌 하는 것을 나타낸다. 그림 (나)는 충돌 후 실험실 좌표계에서 두 물체의 속도 $\vec{v_1}'$, $\vec{v_2}'$와 질량 중심 좌표계에서의 속도 $\vec{u_1}'$, $\vec{u_2}'$ 및 질량 중심의 속도 $\vec{V_{CM}}$과의 관계를 나타낸다. 실험실 좌표계에서 질량 m_1의 산란각은 θ_1, 질량 m_2의 산란각은 θ_2이며, 질량 중심 좌표계에서 산란각은 각각 ϕ_1, ϕ_2이다.

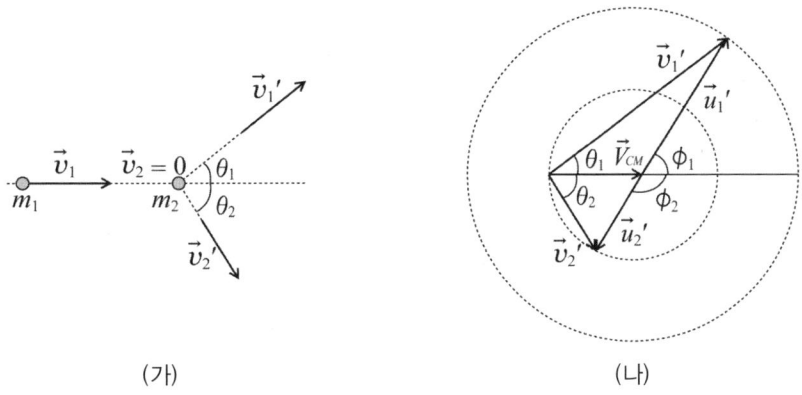

(가)   (나)

그림을 참고하여 〈보기〉의 설명 중 옳은 것을 모두 고른 것은?

┤ 보기 ├

ㄱ. 위 충돌에서 질량 m_1이 질량 m_2보다 크다.

ㄴ. 질량 중심 좌표계에서 질량 m_1의 운동량의 크기는 충돌 전후에 변하지 않는다.

ㄷ. 만약 $m_1 = m_2$라면 $\theta_1 = \dfrac{\phi_1}{2}$이다.

ㄹ. 위 충돌에서, 실험실 좌표계에서 총 운동 에너지는 질량 중심 좌표계에서 총 운동 에너지와 같다.

① ㄱ, ㄴ   ② ㄱ, ㄹ

③ ㄴ, ㄷ   ④ ㄷ, ㄹ

⑤ ㄴ, ㄷ, ㄹ

17
2010-33

그림과 같이 길이가 ℓ이고 질량을 무시할 수 있는 강체 막대의 양 끝에 각각 질량 m인 두 물체 A, B 가 붙어 마찰이 없는 수평면 위에 정지해 있다. 수평면을 따라 막대에 수직 방향으로 B에 크기가 J인 충격량을 주었다.

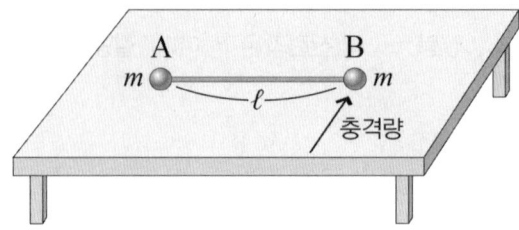

충격량이 주어진 직후 물체 B의 속력은? (단, 물체의 크기와 충격을 가하는 시간은 무시한다.)

① $\dfrac{J}{3m}$ ② $\dfrac{J}{2m}$

③ $\dfrac{2J}{3m}$ ④ $\dfrac{5J}{6m}$

⑤ $\dfrac{J}{m}$

18
2011-14

질량 M인 대포로 질량 m인 포탄을 수평 방향으로 발사했다. 대포가 자유로이 움직일 수 있는 마찰이 없는 수평 얼음판에서 포탄을 발사했을 때 포탄이 대포를 떠나는 순간 포탄의 속력은 $v_{얼음}$이었고, 대포를 지면에 고정시키고 포탄을 발사했을 때 포탄이 대포를 떠나는 순간 포탄의 속력은 $v_{고정}$이었다. 포탄을 발사하는 데 사용된 에너지는 같았다. 속력의 비 $\dfrac{v_{얼음}}{v_{고정}}$은? (단, $v_{얼음}$과 $v_{고정}$은 지면에 대한 속력이고, 포탄 발사 과정에서 에너지 손실 및 화약의 질량은 무시한다. 지구 질량과 비교했을 때 대포 질량과 포탄 질량은 무시된다.)

① $\dfrac{M}{M+m}$ ② $\sqrt{\dfrac{M}{M+m}}$

③ $\dfrac{M-m}{M+m}$ ④ $\sqrt{\dfrac{M^2}{M^2+m^2}}$

⑤ $\sqrt{\dfrac{M^2-m^2}{M^2+m^2}}$

19 2013-13 그림은 질량 $4m$인 물체가 지면에서 v_0의 속력으로 수평면과 이루는 각 45°로 발사되어 최고점에 도달하기 전에 높이 h인 곳에서 질량이 각각 $3m, m$인 물체 A, B로 분열된 직후의 상황을 나타낸 것이다. 분열 직후, A의 속도는 수평성분 V만 가진다.

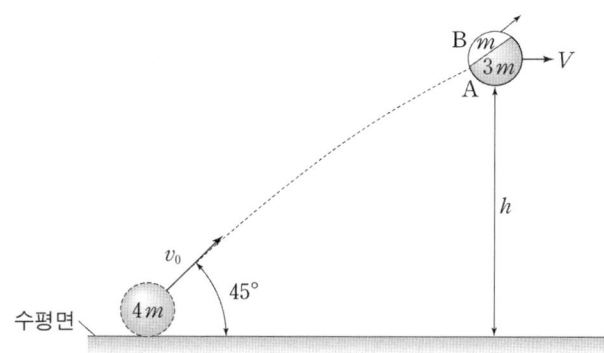

분열 직후, B의 속도의 수평성분과 연직성분의 크기로 알맞게 짝지은 것은? (단, 모든 물체는 같은 연직면상에서 운동하며, 중력 가속도는 g이고, 물체의 크기와 공기의 저항은 무시한다.)

	수평성분의 크기	연직성분의 크기
①	$\|\sqrt{2}\,v_0 - 3V\|$	$2\sqrt{2v_0^2 - 8gh}$
②	$\|2\sqrt{2}\,v_0 - 2V\|$	$2\sqrt{2v_0^2 - 8gh}$
③	$\|2\sqrt{2}\,v_0 - 3V\|$	$2\sqrt{2v_0^2 - 8gh}$
④	$\|2\sqrt{2}\,v_0 - 2V\|$	$2\sqrt{2v_0^2 - 4gh}$
⑤	$\|2\sqrt{2}\,v_0 - 3V\|$	$2\sqrt{2v_0^2 - 4gh}$

20 2015-A03 그림과 같이 길이가 l인 실에 매달린 물체 A가 연직선과 60° 각도를 이루고 있고, 물체 B는 동일한 길이의 실에 매달려 연직선 상에 정지해 있다. A와 B의 질량은 각각 m으로 같다. A를 가만히 놓아 A가 B와 비탄성 충돌을 한 직후, B의 속력은 A의 속력의 3배였다.

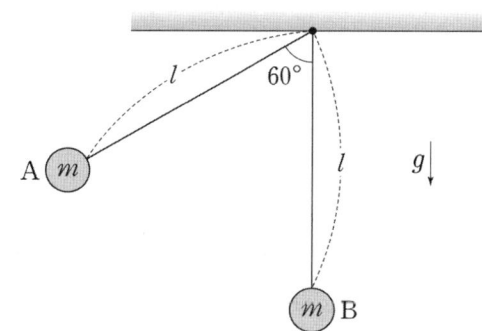

충돌 직전 A의 속력 v_A와 충돌 직후 A가 매달린 실에 걸리는 장력 T_A를 각각 구하시오. (단, 중력 가속도는 g이고, A와 B의 크기는 무시한다.)

21

2020-A02

그림과 같이 줄의 끝에 매달린 질량 m인 물체 A를 수평면으로부터 높이 h인 곳에서 가만히 놓았더니, A는 마찰이 없는 수평면 위에 정지해 있던 질량 $4m$인 물체 B와 최저점에서 탄성 충돌을 하였다.

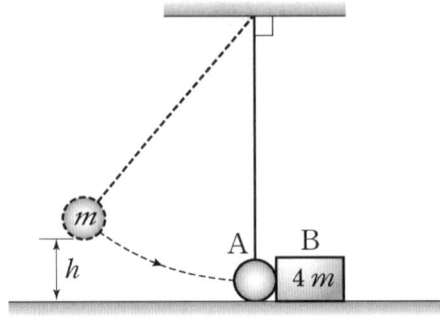

충돌 직전 A의 속력 v_A와 충돌 직후 B의 속력 v_B를 각각 구하시오. (단, 중력 가속도의 크기는 g이고, 줄의 질량과 A, B의 크기, 공기 저항은 무시한다. A, B는 동일 연직면에서 운동한다.)

22

2022-A01

그림과 같이 $+x$ 방향으로 이동하는 물체 A와 $+y$ 방향으로 이동하는 물체 B가 마찰이 없는 면을 따라 운동하다가 원점 O에서 충돌한다. 충돌 후 A와 B는 하나의 물체 C가 되어 마찰이 있는 면을 따라 x축과 $30°$ 방향으로 20m 이동한 후 멈추었다. A와 B의 질량은 각각 10kg, 2kg이고, C와 면 사이의 운동 마찰계수는 $\mu = 0.5$이다.

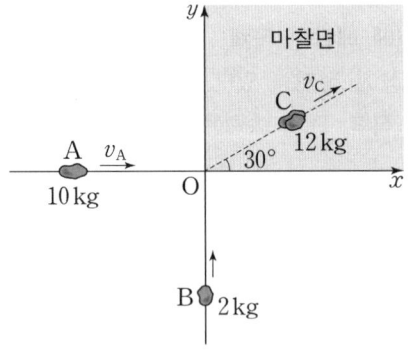

충돌 직후 C의 속력 v_C와 충돌 직전 A의 속력 v_A를 각각 구하시오. (단, 공기 저항과 물체의 크기는 무시하고, 중력 가속도의 크기는 $g = 10\text{m/s}^2$이다.)

2023-B06

23 그림은 xy평면상에서 $+x$축 방향과 $60°$를 이루면 20m/s의 속력으로 등속직선운동하던 질량 1kg인 물체에 일정한 충격력을 $5 \times 10^{-3}\text{s}$ 동안 가했더니, 물체가 $+x$축 방향으로 5m/s의 속력으로 운동하는 것을 나타낸 것이다. θ는 충격력과 x축 사이의 각이다.

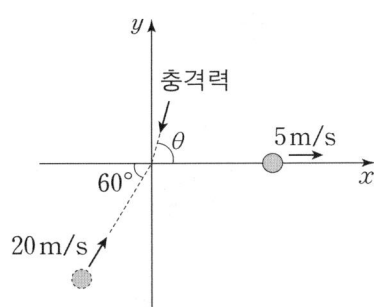

물체에 가해진 충격량의 크기를 풀이 과정과 함께 구하시오. 또한 $\tan\theta$와 충격력의 크기를 각각 구하시오.

2024-B09

24 그림 (가)는 물체 A가 정지해 있는 물체 B를 향해 속력 v_0으로 수평면상에서 운동하는 것을 나타낸 것이다. 그림 (나)와 같이 A와 B는 벽으로부터의 거리가 l_0인 지점에서 충돌한 후, A가 v_1, B가 u_1의 속력으로 서로 반대 방향으로 운동한다. 그림 (다)와 같이 A는 벽과 충돌하여 되돌아와 벽으로부터 거리가 l_1인 지점에서 B와 충돌한다. A와 B의 질량은 각각 m, $5m$이다.

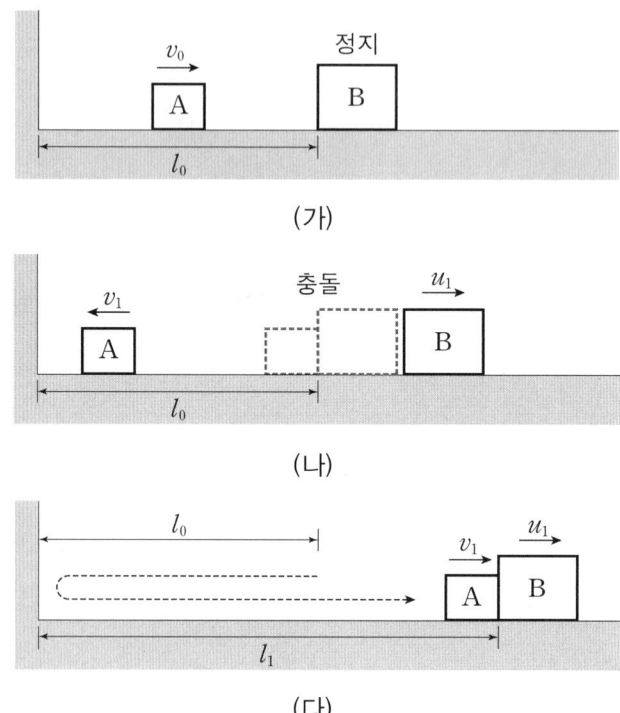

(가)

(나)

(다)

u_1을 v_0, v_1으로 나타내고, $\dfrac{v_1}{v_0}$을 풀이 과정과 함께 구하시오. 또한 $\dfrac{l_1}{l_0}$을 구하시오. (단, 모든 충돌은 탄성 충돌이고, 물체의 크기, 물체와 바닥 면 사이의 마찰은 무시한다.)

4 원운동과 진동

2002-09

25 수평면상에 원주 형태의 도로가 있다. 이 도로 위에서 자동차가 도로의 바깥쪽으로 미끄러지지 않고 돌 수 있는 최대 속력이 v이었다.

1) 이 도로의 곡률반경 R은 얼마인가? 이를 최대 속력 v와 중력 가속도 g, 그리고 자동차 바퀴와 도로 면 사이의 마찰계수 μ로 표현하시오.

2) 1)에 주어진 마찰계수는 운동 마찰계수인가, 정지 마찰계수인가? 또한 그 이유를 설명하시오.

2003-19

26 그림과 같이 질량 M, 반지를 R이며 균일한 질량 분포를 갖는 지구에 중심을 관통하는 터널을 지구의 자전축을 따라 건설하였다고 가정한다. 터널 입구에 질량이 같은 두 공 A, B가 있다. 공의 질량은 각각 m이다. 공 A는 정지 상태에서 자유낙하운동을 시작하고, 동시에 공 B는 지구 표면 근처에서 인공위성 처럼 일정한 속력 v로 원운동을 한다. 여기서 공기의 저항과 지구 표면에서 공 B까지의 높이는 무시한 다. 만유인력 상수는 G이다.

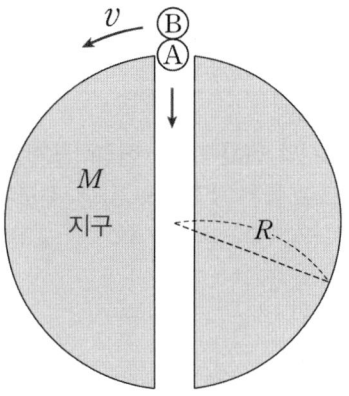

1) 지구 중심에서의 거리가 r인 지구 내부의 지점$(r < R)$에서 중력장의 세기(g)를 구하시오.

2) 위 1)의 결과를 이용하여 자유낙하 하는 공 A에 대하여 거리 r에 관한 운동방정식을 쓰시오.

3) 공 A의 왕복 주기 T_A와 공 B의 회전주기 T_B를 각각 구하시오.

4) 두 공 A, B가 운동을 시작한 후, 처음 만날 때까지 걸린 시간을 구하시오.

2005-18

27 그림과 같이 마찰이 없으며, 반지름이 R인 호 위의 높이 h_1인 점 A에서 질량 m인 물체를 가만히 놓았더니 호를 따라서 미끄러졌다. 다음 물음에 답하시오. (단, 중력 가속도는 g이고, 물체의 크기는 무시한다.)

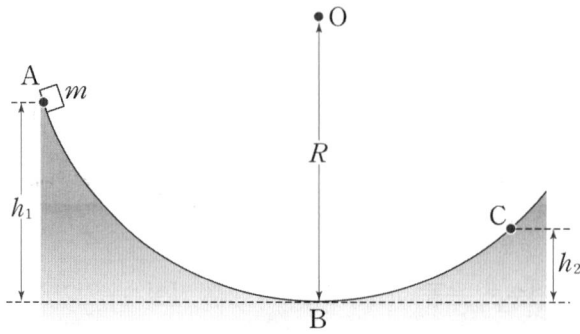

1) 점 B에서의 수직 항력을 구하시오.

2) 높이 h_2인 점 C에서 물체의 접선가속도와 구심가속도의 크기를 각각 구하시오. (단, $h_1 > h_2$이다.)

2010-13

28 관성계에서 시간 t일 때 한 입자의 위치벡터는 직각좌표계에서 $\vec{r}(t) = (x, y, z) = (\sin t, \cos t, 3t)$이다. 이 입자의 운동에 대한 설명으로 옳은 것을 〈보기〉에서 모두 고른 것은?

┤ 보기 ├

ㄱ. 입자의 궤적을 xy평면에 투영하면 원이 된다.

ㄴ. 입자의 속력은 일정하다.

ㄷ. 입자는 등가속도 운동을 한다.

① ㄴ 　　　　　　　　　　② ㄷ

③ ㄱ, ㄴ 　　　　　　　　④ ㄱ, ㄷ

⑤ ㄱ, ㄴ, ㄷ

2011-13

29 그림은 1차원에서 주기 T로 단진동하는 물체의 시간에 따른 속도를 나타낸 것이다. 최대 속력은 v_0이다.

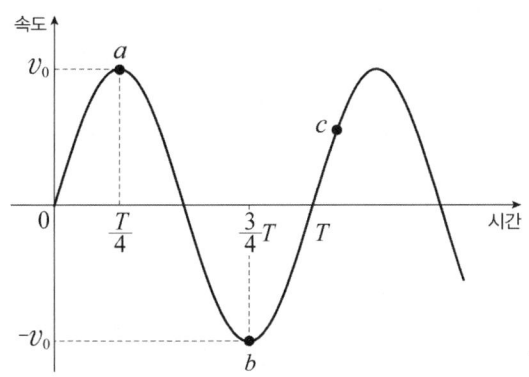

이 물체의 운동에 대한 설명으로 옳은 것만을 〈보기〉에서 모두 고른 것은?

┤ 보기 ├

ㄱ. a와 b에서 물체의 위치는 같다.

ㄴ. a와 c사이에서 물체의 운동 방향은 두 번 바뀐다.

ㄷ. c에서 물체의 속도와 가속도의 방향은 같다.

① ㄱ   ② ㄴ

③ ㄷ   ④ ㄱ, ㄴ

⑤ ㄱ, ㄴ, ㄷ

2011-15

30 그림과 같이 마찰이 없고 반지름이 R인 반원형 구조물의 내부 면상에 있는 A 지점에서 초기 속력 v_0으로 질량 m인 물체를 연직 상방으로 쏘아 올렸다. 이 물체는 반원형 궤도를 따라 원운동 하였다.

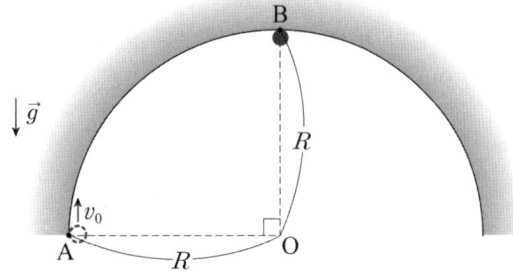

이 물체가 최고점 B를 지나는 순간, 물체가 구조물로부터 받는 수직항력의 크기는? (단, g는 중력 가속도이고, 공기 저항과 물체의 크기는 무시한다.)

① $\dfrac{mv_0^2}{R} - 3mg$ ② $\dfrac{mv_0^2}{R} - 2mg$

③ $\dfrac{mv_0^2}{R} - mg$ ④ $\dfrac{mv_0^2}{R} + mg$

⑤ $\dfrac{mv_0^2}{R} + 3mg$

2012-13

31 그림은 점 P에 한쪽 끝이 고정된, 길이 $2a$인 실의 다른 쪽 끝에 질량 m인 물체가 매달려 연직면상에서 운동하는 것을 나타낸 것이다. 물체는 P와 같은 높이에서 가만히 놓아졌다. 실이 P로부터 길이 a인 연직 모서리에 걸리기 직전의 장력의 크기는 T_1이고, 걸린 직후 장력의 크기는 T_2이다.

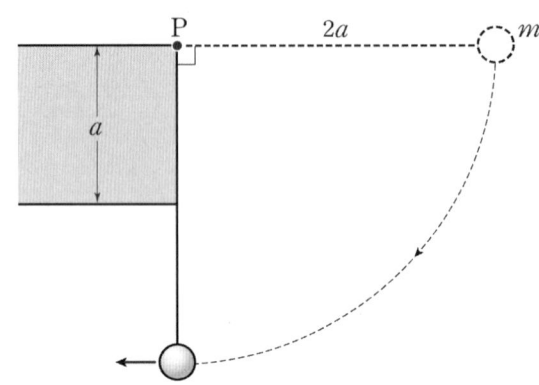

장력 크기의 차($T_2 - T_1$)는? (단, 중력 가속도는 g이고, 물체의 크기와 실의 질량 및 공기 저항은 무시한다.)

① 0

② mg

③ $2mg$

④ $3mg$

⑤ $4mg$

2019-A02

32 그림과 같이 수평면에 놓인 질량 m인 물체가 용수철 상수 k로 동일한 2개의 용수철에 연결되어 있다. 물체를 평형 위치로부터 L만큼 잡아당겨 $t = 0$에서 가만히 놓았더니 물체는 주기 T로 단진동 하였다.

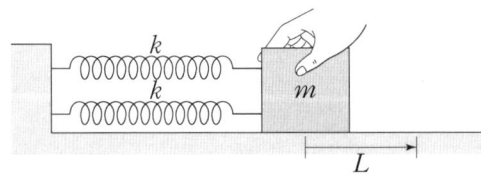

k를 m과 T로 나타내고, 탄성 퍼텐셜 에너지와 운동 에너지가 서로 같아지는 최초 시간을 구하시오.

33 2017–B06

그림은 일정한 가속도 a로 올라가는 승강기 내의 수조에 밀도 ρ_l인 액체가 담겨 있고, 밀도 ρ_r인 직육면체 물체의 일부가 잠겨 있는 것을 나타낸 것이다. 물체의 밑변 길이는 각각 L_1, L_2이고 높이는 H이다.

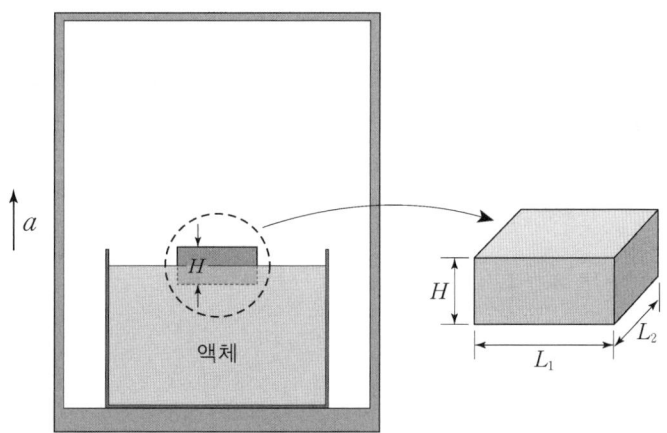

평형상태에서 물체의 잠긴 깊이 d_0을 풀이 과정과 함께 구하시오. 물체를 살짝 눌렀다가 놓았더니 윗면이 수평을 유지하며 상하 진동을 하였다. 평형 위치로부터 물체의 변위 h라 두고 이 물체의 운동방정식과 각진동수 ω를 풀이 과정과 함께 구하시오. (단, $a > 0$, 중력 가속도는 g이다. 또 액체는 이상 유체여서 점성에 의한 저항이 없으며, 수조가 충분히 커서 물체의 진동에 의한 액체면의 높이 변화는 무시할 수 있다고 가정한다.)

34 2014–A05

그림은 무중력 상태의 공간에서 등속원운동 하는 고리형 우주선의 일부를 나타낸 것이다. 회전축은 우주선의 중심 O를 지나고 종이면에 수직이다. 회전축으로부터 우주선의 내부 바닥까지의 거리는 어디에서나 R이다. 우주선에 대해 바닥에 정지해 있는 물체의 관성 가속도의 크기는 지구 표면에서의 중력 가속도 g와 같다. 우주선에 대해 바닥에 정지해 있는 우주인이 회전축으로부터 거리 r만큼 떨어진 위치에 물체 A를 가만히 놓았다.

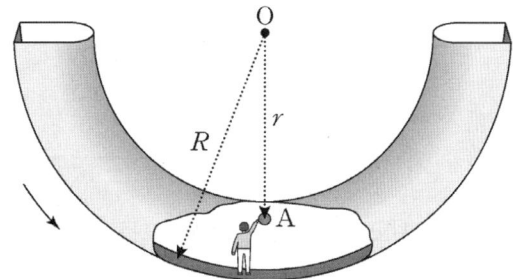

관성 기준계에서 보는 A의 운동을 고려하여 A가 바닥에 도달하는 데 걸리는 시간을 구하시오. (단, A의 크기는 무시한다.)

5 일과 에너지

2002-08

35 그림과 같이 수평면과 θ의 각도로 경사진 판 위에 놓인 질량 m인 물체가 용수철로부터 L만큼 떨어진 곳에서 정지 상태로부터 미끄러져 내려오기 시작하였다. 판의 맨 아래쪽 끝에는 용수철 상수 k인 용수철이 아래쪽에 장치된 멈추개에 고정되어 있다. 이 물체와 판 사이의 운동마찰계수는 μ이다.

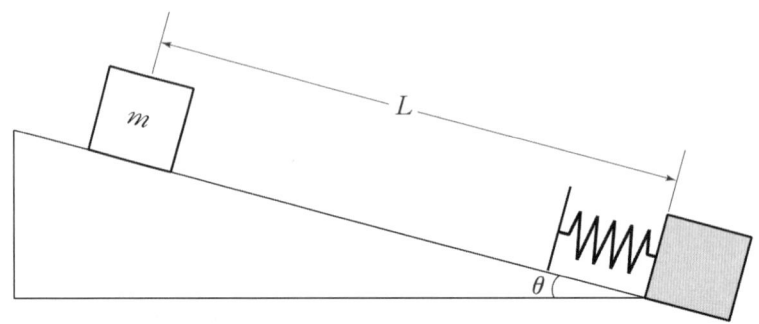

1) 물체가 경사면을 내려와 용수철을 압축시켰다. 용수철이 최대로 압축된 길이 x_0를 구하시오. (단, 용수철의 본래 길이가 L에 비하여 무시할 수 있을 정도로 작다고 가정한다.)

2) 물체가 용수철의 반동에 의해 다시 올라갔다. 올라간 최대 거리가 내려온 L과 같겠는가?

2008-08

36 그림과 같이 지면으로부터 높이 h인 곳에서 용수철 상수가 k인 용수철을 늘어나지 않은 상태로부터 x만큼 압축시킨 후, 수평 방향으로 질량이 m인 공을 발사시켰다.

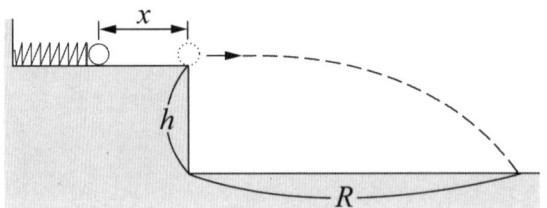

공의 수평도달거리 R을 구하시오. (단, 공의 크기, 모든 마찰 및 공기 저항은 무시하며, 중력 가속도는 g이다.)

37 `2011-16`

그림과 같이 수평인 지면에 대하여 경사각 θ_0인 마찰이 있는 경사면 꼭대기에 정지해 있던 질량 m인 물체에 순간적인 힘을 주었더니 등속도로 미끄러져 내려왔다. 이 물체를 지면상의 P 지점에서 경사면을 따라 초기 속력 v_0으로 쏘아 올렸더니 Q 지점에서 정지하였다.

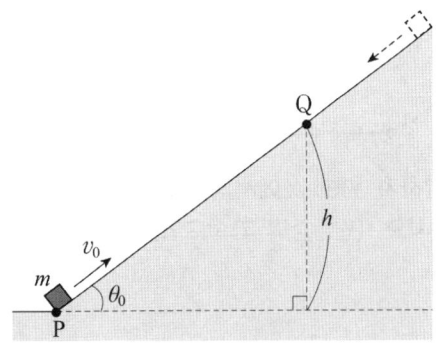

지면으로부터 Q 지점까지의 수직 높이 h는? (단, g는 중력 가속도이고, 공기 저항과 물체의 크기는 무시한다.)

① $\dfrac{v_0^2}{4g}$

② $\dfrac{v_0^2}{2g}$

③ $\dfrac{v_0^2}{g}$

④ $\dfrac{(v_0\sin\theta_0)^2}{4g}$

⑤ $\dfrac{(v_0\cos\theta_0)^2}{2g}$

38 `2013-14`

그림은 수평한 모래면으로부터 높이 H인 지점에서 질량 m인 물체가 정지 상태에서 자유낙하 하여, 모래면으로부터 모래면과 수직으로 h만큼 내려간 후 정지한 것을 나타낸 것이다. 물체는 모래 속에서 크기가 일정한 저항력을 받는다. 모래면에 닿는 순간의 물체 속력은 v_s이고, 모래면으로부터 $\dfrac{h}{3}$만큼 내려간 순간의 물체 속력은 v이다.

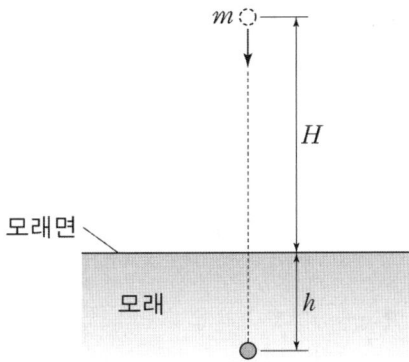

$\dfrac{v}{v_s}$는? (단, 물체의 크기와 공기의 저항은 무시한다.)

① $\sqrt{\dfrac{1}{3}}$

② $\dfrac{2}{3}$

③ $\sqrt{\dfrac{2}{3}}$

④ $\dfrac{\sqrt{3}}{2}$

⑤ $\dfrac{2\sqrt{2}}{3}$

2019-A03(문제 오류)

39 그림은 질량 m인 물체가 마찰이 없는 궤도면을 따라 운동하다가 점 A를 지나는 순간을 나타낸 것이다.

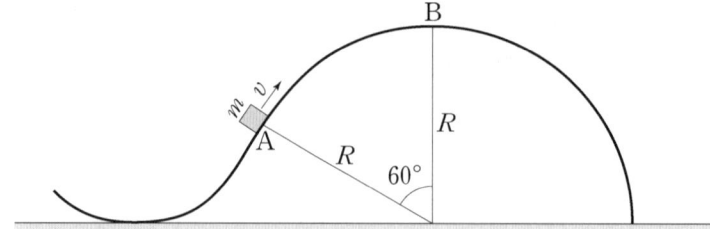

물체가 최고점 B에 도달하기 위한 A에서의 최소 속력 v를 구하고, A에서 B까지 운동하는 동안 수직 항력이 한 일 W를 구하시오. (단, 중력 가속도의 크기는 g이고, 물체의 크기는 무시한다.)

2024-A03

40 질량이 M, 반지름이 R인 지구의 탈출 속력은 v_0이다. 지표면에서 질량 m인 물체를 속력 $v = \alpha v_0$으로 연직상방으로 쏘아 올렸을 때, 물체가 도달할 수 있는 지표면으로부터 최대 높이를 α와 R로 나타내시오. 물체가 최대 높이에 도달했을 때, 중력 가속도가 지표면의 중력 가속도의 $\frac{1}{4}$이 되는 α를 구하시오.

6 유체역학

2005-19

41 속이 빈 원통에 유체를 서서히 채우면 유체와 원통의 전체 질량 중심은 원통의 중심보다 낮아졌다가 유체가 원통에 완전히 채워지면 다시 원통의 중심이 된다. 이 과정에서 전체 질량 중심이 가장 낮아질 때의 유체의 높이 H를 계산하시오. (단, 원통의 질량은 M, 높이는 L이며, 빈 원통의 질량 중심의 높이는 $\frac{L}{2}$이다. 원통에 유체를 가득 채웠을 때 유체의 질량은 m이고, 그림과 같이 유체의 높이가 x일 때 유체의 질량 중심의 높이는 $\frac{x}{2}$이다.)

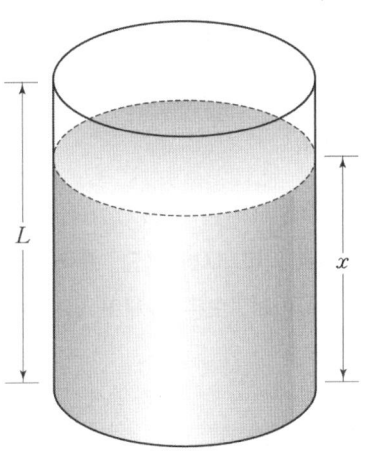

2022-B06

42 그림은 사이펀을 이용하여 유체 탱크에서 유체를 이동시키는 장치를 나타낸 것이다. 사이펀에는 유체의 흐름을 조절하는 밸브가 설치되어 있고, 관은 밸브까지 유체로 채워져 있다. 위치 A는 유체 탱크의 유체면 위의 한 점을 나타낸다.

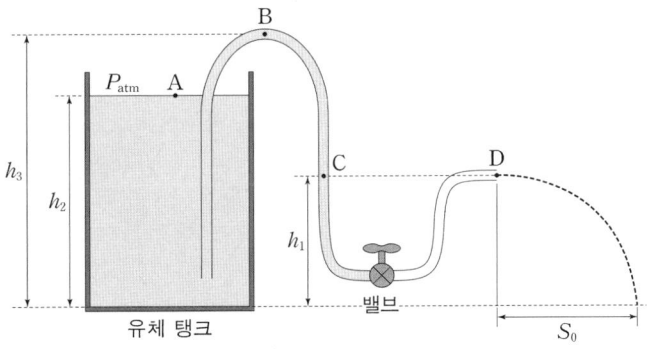

밸브가 잠겨 있을 때, 위치 B와 C 사이의 압력 차이($P_B - P_C$)를 구하시오. 밸브를 완전히 열어 정상류가 되었을 때, 위치 D에서 유체가 수평으로 빠져나와 수평 도달 거리 S_0만큼 이동하였다. S_0을 풀이 과정과 함께 구하고, 위치 B에서의 유체 속력 v_B를 구하시오. (단, 관의 마찰은 없고, 유체는 비압축, 비점성, 비회전적이며, 관을 빠져나온 후 유체는 퍼지지 않는다고 가정하고, 공기 저항은 무시한다. 유체 탱크는 충분히 커서 시간에 따른 유체면의 높이 변화는 무시한다. 관의 단면적은 일정하며, P_{atm}은 대기압이다.)

2026-B06

43 그림 (가)와 (나)는 동일한 양팔 저울에 실로 연결된 두 직육면체가 유체 안에서 수평으로 평형상태에 있는 것을 개략적으로 나타낸 것이다. 물체 A, B1, B2의 단면적은 S로 동일하고, A의 높이는 $5d$, B1과 B2의 높이차는 d이다. (가)에서 유체의 밀도는 ρ_1이고, (나)에서는 밀도가 각각 ρ_1, $\rho_2(\rho_1 > \rho_2)$인 유체가 그림과 같이 경계를 이루고 있으며 밀도 ρ_2인 유체 안에 잠긴 A의 높이는 $2d$이다. A의 밀도는 ρ_A, B1, B2의 밀도는 ρ_B이다.

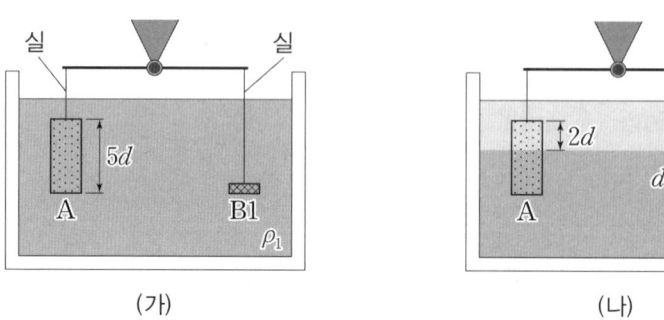

(가)   (나)

(가)에서 A에 연결된 실의 장력의 크기를 구하고, B1의 높이를 ρ_1, ρ_A, ρ_B, d로 나타내시오. (나)에서 ρ_B를 풀이 과정과 함께 ρ_1, ρ_2로 나타내시오. (단, 중력 가속도는 g이고, 모든 물체의 밑면의 연직 위치는 같으며, 실의 질량과 두께는 무시한다. 모든 물체의 밀도는 균일하고, 유체는 정지 상태의 이상유체이다.)

7 회전운동

2003-16

44 질량 M, 반지름 R인 원판이 중심축 주위로 회전할 수 있다. 그림과 같이 질량 m인 총알이 속력 v로 날아가서 정지 상태의 원판에 충돌하였다. 총알이 날아가는 경로의 연장선과 원판의 중심 사이의 최단 거리는 $\frac{R}{2}$이다. 총알이 원판의 가장자리에 박힌 후 원판은 일정한 회전각속력 ω로 회전한다. 원판의 질량 M은 총알의 질량 m의 30배이고, 중심축에 대한 원판의 관성모멘트는 $\frac{1}{2}MR^2$이다.

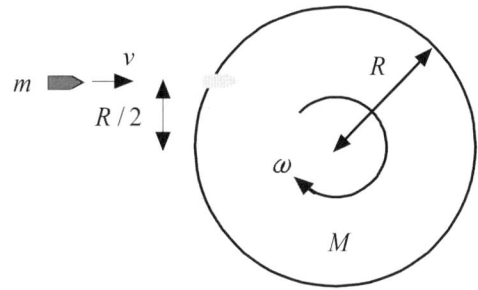

1) 주어진 기호만 사용하여 원판의 중심축에 대한 총알의 각운동량의 크기를 구하시오.

2) 총알이 원판에 충돌한 후, 원판의 중심축에 대한 원판과 총알의 전체 관성모멘트를 m과 R만 사용하여 표현하시오.

3) 원판의 각속력 ω를 구하시오.

4) 원판 가장자리에서의 접선 방향의 속력을 구하시오.

45 2004-10

질량이 M인 직사각형 모양의 판이 한 모서리인 점 A를 중심으로 그림과 같이 수직으로 매달려 진동한다. 여기서 h는 점 A에서 판의 질량 중심인 점 C까지의 거리이다. 다음 물음에 답하시오.

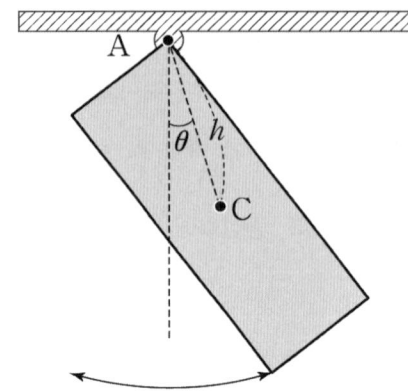

1) 점 A를 중심으로 한 관성모멘트를 I_A, 중력 가속도를 g라고 할 때, 이 물체의 운동방정식을 구하시오.

2) 직사각형의 변의 길이가 각각 a, $\sqrt{3}\,a$일 때 관성모멘트 I_A를 구하고, 진폭이 매우 작을 때 진동 주기 T를 구하시오. (단, 변의 길이가 각각 x, y인 직사각형에서 질량 중심에 수직인 축에 대한 관성모멘트 $I_c = \dfrac{M}{12}(x^2 + y^2)$이다.)

46 2005-21

원통을 수평 바닥에 던지면 미끄러지면서 구르다가 나중에는 미끄러지지 않고 구르기만 한다. 시각 $t = 0$에서 질량 M, 반지름 R인 속이 빈 얇은 원통이 질량 중심 속력 v_0, 각속력 ω_0로 미끄러지면서 구르고 있다. 원통과 바닥 사이의 운동 마찰계수는 μ이며, 중력 가속도는 g라 할 때, 다음 물음에 답하시오.

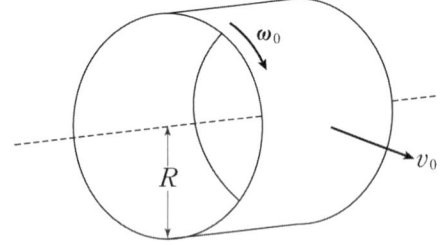

1) 원통이 미끄러지지 않고 구르기 시작하는 시각 T를 구하시오.

2) 시각 $t = 0$부터 시각 $t = T$까지 원통의 질량 중심이 이동한 수평 거리 S를 구하시오.

2006-11

47 그림과 같이 질량 m, 반지름 r인 속이 찬 구슬을 곡면상의 위치 A에서 살며시 놓았을 때 구슬은 미끄러지지 않고 굴러서 내려온다. 위치 A와 위치 B 사이의 연직 높이를 H라 할 때, 위치 B에서 구슬의 선속력을 구하시오. (단, 구의 관성모멘트는 $I = \dfrac{2}{5}mr^2$ 이다.)

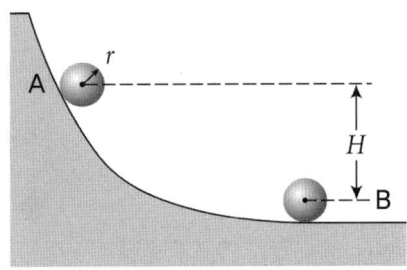

2006-15

48 길이 L이고 질량 M인 균질한 막대가 그림과 같이 연직선과 θ의 각도로 기울어져 줄과 경첩으로 지지되어 있다. 줄을 끊는 순간, 막대 위 끝점 P의 선가속도의 크기를 구하시오. (단, 경첩은 마찰 없이 회전하며, 막대의 두께와 실의 질량은 무시한다.)

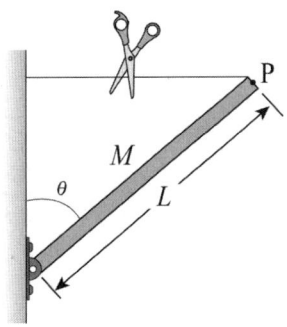

2008-11

49 그림과 같이 마찰이 없는 수평면상에 정지해 있던 가느다란 막대의 한쪽 끝을 향해 물체가 일정한 속력 v로 막대에 수직으로 충돌하였다. 물체와 막대의 질량은 각각 m과 M이고, 막대의 길이는 a이다.

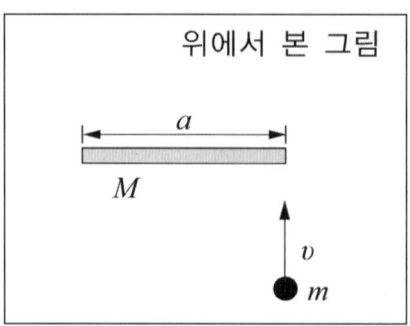

위에서 본 그림

물체는 막대와 탄성 충돌 후 정지하였다. 막대와 물체의 질량비 $\dfrac{M}{m}$을 구하시오. (단, 막대는 균일하며, 질량 중심을 지나는 축에 대한 막대의 관성모멘트는 $I = \dfrac{1}{12}Ma^2$이다.)

2009-14

50 그림은 반지름 R, 질량 $3m$인 균일한 원판형 도르래에 질량 $m, 2m$인 두 물체가 늘어나지 않는 줄로 연결된 것을 나타낸다. 줄의 질량은 무시할 수 있고, 줄은 도르래에서 미끄러지지 않으며, 도르래와 회전축 사이의 마찰은 무시한다. 중력 가속도는 g이다.

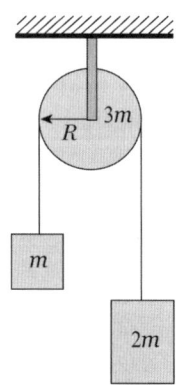

도르래에 작용하는 알짜 토크의 크기는?

① $\dfrac{1}{5}mgR$
② $\dfrac{1}{4}mgR$

③ $\dfrac{1}{3}mgR$
④ $\dfrac{1}{2}mgR$

⑤ mgR

2009-17

51

그림은 질량 m, 반지름 R인 균일한 원판이 중심(CM)에서 거리 $\dfrac{2}{3}R$만큼 떨어진 점 O를 축으로 하여 작은 각도로 진동하는 것을 나타낸다. 중력 가속도는 g이다.

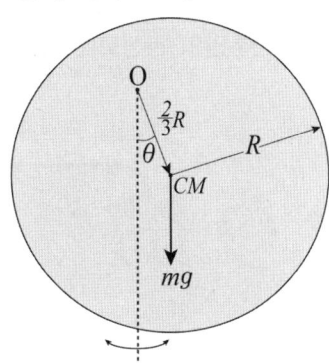

원판의 각진동수는?

① $\sqrt{\dfrac{10g}{27R}}$

② $\sqrt{\dfrac{6g}{11R}}$

③ $\sqrt{\dfrac{2g}{3R}}$

④ $\sqrt{\dfrac{12g}{17R}}$

⑤ $\sqrt{\dfrac{g}{R}}$

52 그림과 같이 질량 m, 반지름 r인 균일하게 속이 찬 원통의 표면에 질량 $\frac{1}{2}m$인 균일한 막대가 원통의 중심축에 평행하게 고정되어 가장 높은 위치에 정지해 있다. 원통－막대 계는 원통의 중심축을 회전축으로 하여 회전하며, 회전축에 대한 원통만의 관성모멘트는 $\frac{1}{2}mr^2$이다.

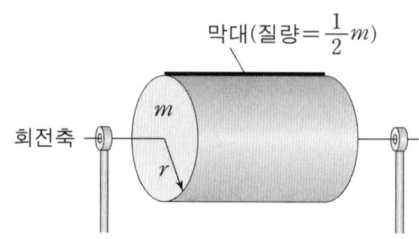

막대(질량＝$\frac{1}{2}m$)

회전축

m

r

초기 각속도의 크기 ω_0으로 계를 회전시킨 후, 계의 각속도의 최대 크기는? (단, 중력 가속도는 g이고, 회전축은 중력 방향과 수직이며, 회전축과 막대의 굵기, 공기의 저항 및 모든 마찰은 무시한다.)

① $\sqrt{\omega_0^2 + \dfrac{g}{2r}}$ ② $\sqrt{\omega_0^2 + \dfrac{g}{r}}$

③ $\sqrt{\omega_0^2 + \dfrac{4g}{3r}}$ ④ $\sqrt{\omega_0^2 + \dfrac{2g}{r}}$

⑤ $\sqrt{\omega_0^2 + \dfrac{4g}{r}}$

53 2015-A04

그림은 막대 위의 두 점 A와 B가 고정된 홈을 따라 각각 수평과 수직으로 움직이는 것을 나타낸 것이다. A와 B 사이의 거리는 2m로 일정하고, A는 왼쪽으로 5m/s의 일정한 속력으로 움직인다.

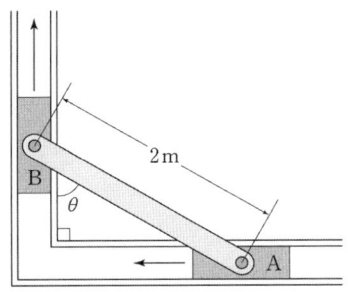

변 AB와 수직 방향의 홈이 $\theta = 60°$의 각도를 이루는 순간, B의 속력 v_{B}와 A에 대한 B의 각속도 ω를 각각 구하시오.

54 2014-A06

그림과 같이 가느다란 막대와 원판이 결합된 강체가 막대의 중심을 수직으로 지나는 직선을 회전축으로 하여 연직면 상에서 단진동($\theta \ll 1$)한다. 막대의 질량은 M, 길이는 $2R$이고, 원판의 질량은 M, 반지름은 R이다.

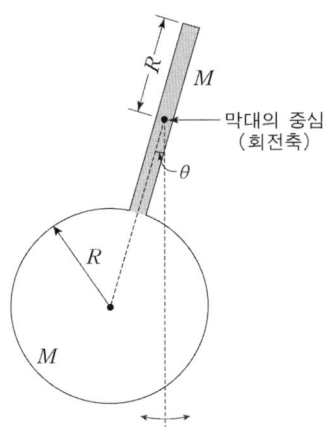

회전축에 대한 강체의 관성모멘트와 단진동 주기를 각각 구하시오. (단, 막대와 원판의 밀도는 각각 균일하다. 질량 M, 반지름 R인 원판의 중심을 원판 면에 수직으로 지나는 회전축에 대한 관성모멘트는 $I_{\text{원판}} = \frac{1}{2}MR^2$이고, 질량 M, 길이 L인 막대의 중심을 지나고 막대에 수직인 회전축에 대한 관성모멘트는 $I_{\text{막대}} = \frac{1}{12}ML^2$이다.)

55 그림과 같이 질량 M, 반지름 R인 바퀴가 수평 방향으로 크기가 F로 일정한 힘을 받으며 수평면에서 오른쪽으로 미끄러짐 없이 구르다가 정지하였다. 바퀴의 질량 중심 O의 속력이 v_0인 순간부터 바퀴가 정지할 때까지 이동한 거리는 L이다.

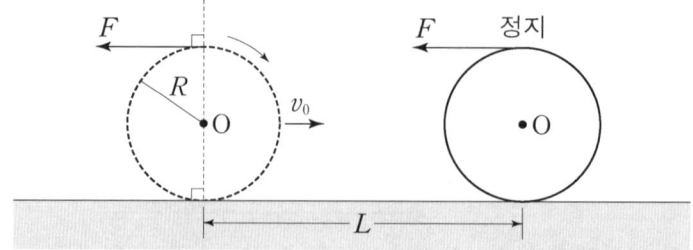

바퀴와 수평면 사이의 마찰력 f의 크기를 풀이 과정과 함께 구하시오. 또한 거리 L을 구하시오. (단, 바퀴의 중심 회전축에 대한 관성모멘트는 $I = \dfrac{1}{2}MR^2$이고, 중심 회전축과 힘의 방향은 서로 수직이다.)

56 그림과 같이 반지름 R인 원기둥이 경사각 θ인 도막의 비탈면을 미끄러짐 없이 올라가 최고점 h에 도달하였다. 도막은 처음에 정지 상태였으며, 원기둥이 비탈면을 올라가는 순간 비탈면 방향으로의 선속력은 v_0이고 각속력은 $\dfrac{v_0}{R}$이다. 원기둥과 도막의 질량은 각각 m, $5m$이다. 도막과 수평면 사이의 마찰은 없다.

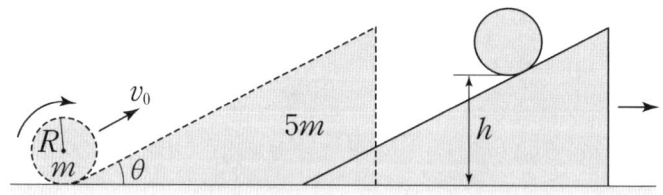

원기둥이 h에 도달했을 때, 원기둥과 도막으로 이루어진 계의 역학적 에너지와 수평 방향의 선운동량을 각각 구하시오. 또한 h를 풀이 과정과 함께 구하시오. (단, 중력 가속도의 크기는 g이고, 원기둥의 중심축을 회전축으로 하는 관성모멘트는 $\dfrac{1}{2}mR^2$이다. 도막과 원기둥의 질량 중심은 동일 연직면에서 운동한다.)

57

그림은 질량 m인 물체가 원판에 수직인 방향으로 원판 위의 점 P를 향해 일정한 속력 v로 운동하는 모습을 나타낸 것이다. 원판의 고정된 회전축을 포함한 평면 위에 정지해 있고, 밀도는 균일하며, 질량은 M, 반지름은 R이다. 원판 중심 C에서 회전축 사이의 거리와 C에서 P까지 거리는 각각 $\dfrac{R}{2}$이다.

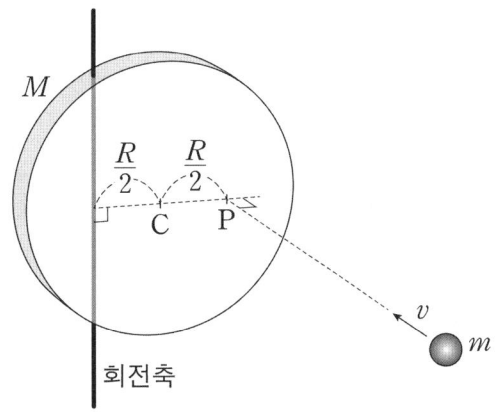

회전축에 대한 원판의 관성모멘트를 구하고, 물체가 충돌하는 동안 회전축이 원판에 준 충격량의 크기를 구하시오. 물체가 P에서 탄성 충돌 후, 물체는 정지하고 원판은 회전축을 중심으로 회전할 때, $\dfrac{M}{m}$을 풀이 과정과 함께 구하시오. (단, 원판의 두께, 충돌하는 데 걸리는 시간, 마찰, 공기 저항, 중력은 무시한다.)

┤ **자료** ├─────────────────────────────

질량이 μ이고 반지름이 r이며 밀도가 균일한 원판의 질량 중심을 지나고 원판에 수직인 회전축에 대한 관성모멘트는 $\dfrac{1}{2}\mu r^2$이다.

2025-A01

58 그림 (가)와 (나)는 구와 막대로 연결된 물체가 z축을 회전축으로 각속력 ω로 각각 스핀 운동과 궤도 운동하는 모습을 나타낸 것이다. 구의 질량은 M, 반지름은 r이고, 막대의 질량은 m, 길이는 L이다. (가)에서 물체의 운동 에너지는 K_s이고, (나)에서 물체의 운동 에너지는 K_o이다.

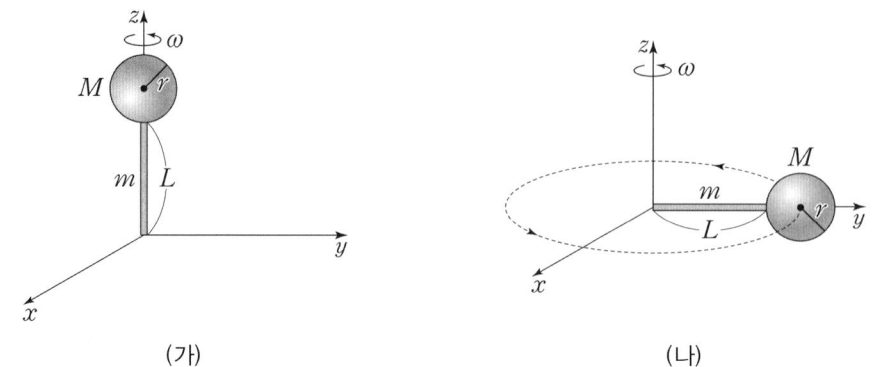

| (가) | (나) |

〈자료〉를 이용하여 K_s와 K_o를 각각 구하시오. (단, 구와 막대의 밀도는 균일하고, 막대의 두께는 무시한다.)

┤ 자료 ├

• 구의 중심에 대한 회전 관성모멘트: $\dfrac{2}{5}Mr^2$

• 막대의 끝에 대한 회전 관성모멘트: $\dfrac{1}{3}mL^2$

2026-A03

59 그림 (가)는 z축을 회전축으로 각속력 ω_0으로 회전하는 속이 꽉 찬 원통의 중심에 질량 m인 물체 A가 놓여있는 모습을 나타낸 것이다. 원통의 밀도는 균일하며, 질량은 M이고 반지름은 R이다. 그림 (나)는 (가)에서 A가 반지름이 r인 균일한 밀도의 얇은 원판이 되어, 원판과 원통이 함께 각속력 ω로 회전하고 있는 모습을 나타낸 것이다.

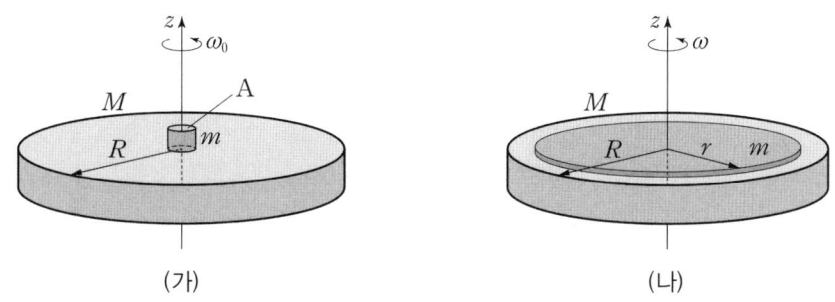

(가)   (나)

계의 회전 관성모멘트와 운동 에너지를 각각 (가)에서 I_0, K_0, (나)에서 I, K라고 할 때, 〈자료〉를 이용하여 $\dfrac{I}{I_0}$와 $\dfrac{K}{K_0}$를 M, m, R, r로 나타내시오. (단, (가)에서 (나)로 변하는 동안 외부에서 작용하는 알짜 토크는 0이고, (가)에서 물체 A의 크기는 무시한다.) [2점]

┤ 자료 ├

질량 μ이고, 반지름이 a인 밀도가 균일한 원판이 있을 때, 이 원판의 질량 중심을 지나면서 원판에 수직인 회전축에 대한 관성모멘트는 $\dfrac{1}{2}\mu a^2$이다.

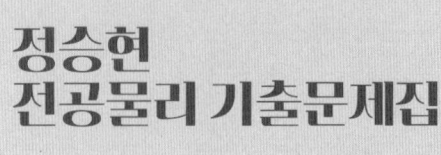

정승헌
전공물리 기출문제집

Physics

02

심화역학

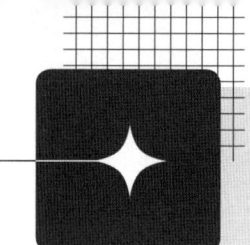

핵심 이론정리

1 심화 운동방정식 및 회전 관성

(1) 저항력에서 운동

마찰력 $f = kv$ 존재 시 초기 속력 v_0로 발사되었을 때 속력 v가 될 때까지 걸린 시간과 이동 거리를 구하시오.

→ 운동방정식을 세우면 $ma = -kv$이다.

역학적 조건 $v_0 \to v$; 속도 변수가 조건으로 주어짐

① 걸린 시간 t : 이때 v, s, t중 s가 불필요하므로 운동방정식을 오직 v, t함수로 나타내면 쉬워진다.

$$v = v_0 e^{-\frac{k}{m}t} \text{ or } t = \frac{m}{k} \ln \frac{v_0}{v}$$

② 이동 거리 s : v, s, t 중 t가 불필요하므로 운동방정식을 오직 v, s함수로 나타내보자.

$$\to s = \frac{m}{k}(v_0 - v)$$

(2) 로켓 운동

로켓 공식은 로켓이 연료분사 속력 u일 때

$$Mdv = -udM \quad (F = 0) \text{ 무중력일 때}$$
$$Mdv = -udM - Mgdt \quad (F = -Mg) \text{ 균일한 중력일 때}$$

(3) 회전 관성 텐서

$$I_{ij} = \begin{bmatrix} I_{xx} & I_{xy} & I_{xz} \\ I_{yx} & I_{yy} & I_{yz} \\ I_{zx} & I_{zy} & I_{zz} \end{bmatrix}$$

$$I_{ii} = \int (r^2 - x_i^2)dm$$
$$I_{ij} = -\int x_i x_j dm \quad (i \neq j)$$

2 중심력 운동 및 유효퍼텐셜

⑴ 회전 좌표계에서 관성력

① 코리올리 효과

$$\vec{a} = \vec{a}' + \frac{d\vec{\omega}}{dt} \times \vec{r} + \vec{\omega} \times \vec{v}' + \vec{\omega} \times (\vec{v}' + \vec{\omega} \times \vec{r})$$

$$= \vec{a}' + 2(\vec{\omega} \times \vec{v}') + \frac{d\vec{\omega}}{dt} \times \vec{r} + \vec{\omega} \times (\vec{\omega} \times \vec{r})$$

→ 회전하는 지구 안에서 코리올리 가속도 : $a_{코리올리} = -2\omega \times v'$

② 세차운동의 회전 좌표계의 이해

$$\vec{\tau} = \frac{d\vec{L}}{dt}\Big|_{지면} = \frac{d\vec{L}}{dt}\Big|_{내부} + \vec{\omega_p} \times \vec{L_{내부}}$$

⑵ 중심력 $F = -\nabla U$일 때 퍼텐셜 에너지 U로 정의된다.

$$E_{전체} = E_k + E_p = \frac{1}{2}m\dot{r}^2 + \frac{1}{2}\frac{L^2}{mr^2} + U = \frac{1}{2}m\dot{r}^2 + U_{유효}$$

유효퍼텐셜 $U_{eff} = \frac{1}{2}\frac{L^2}{mr^2} + U(r)$

원운동 조건 $\frac{d}{dr}U_{eff} = 0$ → 원운동 시 $\dot{r} = 0$이므로 유효퍼텐셜의 극값을 만족하는 r이 원운동 반경이다.

유효퍼텐셜이 아래로 볼록인 경우 $\frac{d^2}{dr^2}U_{eff} > 0$; 안정적 원운동

유효퍼텐셜이 위로 볼록인 경우 $\frac{d^2}{dr^2}U_{eff} < 0$; 불안정한 원운동

---

3 라그랑지안 역학

운동 에너지 T, 퍼텐셜 에너지 V일 때

뉴턴역학의 운동방정식 : $\frac{d}{dt}\left(\frac{\partial L}{\partial \dot{q}}\right) - \frac{\partial L}{\partial q} = 0$; $L = T - V$

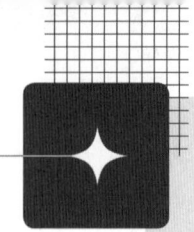

핵심 기출문제

◐ 정답 및 해설 19~40쪽

1 심화 운동방정식 및 회전 관성

2005-15

01 그림은 마찰이 있는 수평면에서 용수철에 매달린 물체를 강제 진동시키는 모습이다. 용수철 상수는 k, 물체의 질량은 m, 작용한 힘은 $F(t) = F_0 \cos 2\pi\nu t$($\nu$는 진동수)이다.

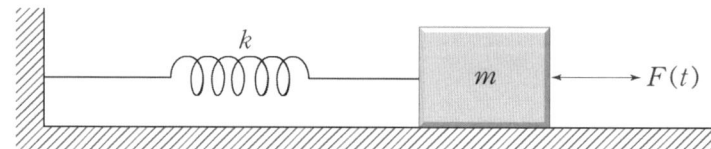

정상 상태에서 외력의 진동수에 대한 물체의 변위 진폭은 그림 (가)와 같고, 외력에 대한 변위의 위상차는 그림 (나)와 같이 나타났다. (단, F_0는 일정하게 유지하고, 물체와 수평면 사이의 마찰은 무시하고, 물체는 속력에 비례하는 공기 저항력을 받는다.)

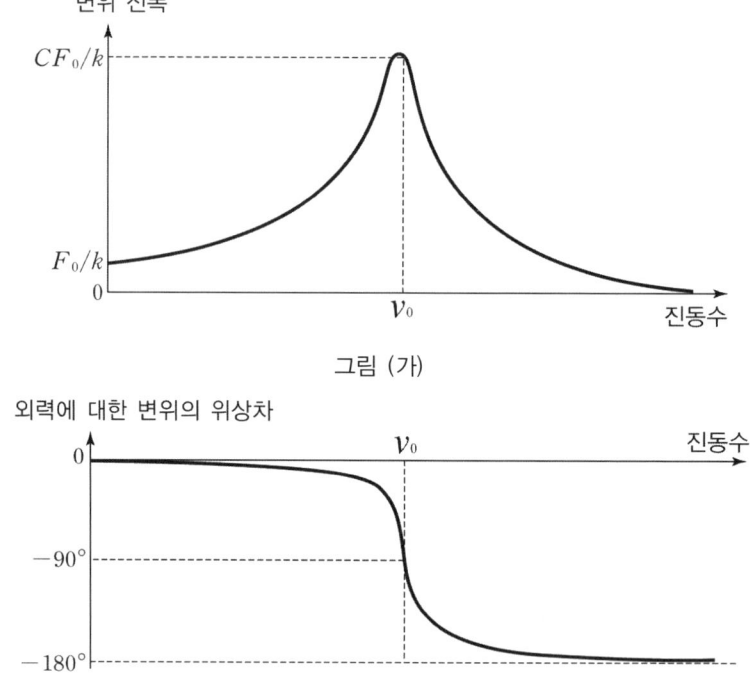

그림 (가)

그림 (나)

1) 외력의 진동수 ν가 고유진동수 ν_0일 때의 최대 변위를 A_1, 진동하지 않는 힘 (즉, $F(t) = F_0$)을 가할 때의 최대 변위를 A_2라 할 때, $\dfrac{A_1}{A_2}$을 구하시오.

2) 외력의 진동수 ν가 고유진동수 ν_0일 때, 외력의 위상과 진동하는 물체의 속도 위상의 차를 구하시오. (단, 변위와 속도 사이에는 위상차가 있음에 유의하시오.)

02 2025–B07

그림은 마찰이 없는 수평면에 놓인 질량 m인 물체가 용수철 상수 k인 용수철에 연결되어 1차원에서 진동하는 물체의 어느 순간의 모습을 나타낸 것이다. 물체는 속력 $v(t)$에 비례하는 감쇠력 $F_f(t) = -bv(t)$와 외력 $F_d(t) = F_0\cos(\omega t)$를 받아 진동한다. b는 감쇠계수이고 F_0는 외력의 진폭이다. 평형 위치로부터 물체의 변위 $x(t) = A\cos(\omega t - \phi)$이다.

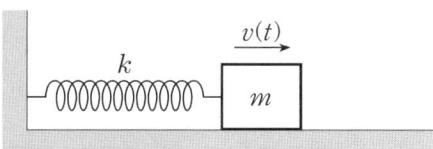

물체의 운동방정식을 구하시오. 또한 $\tan\phi$를 풀이 과정과 함께 구하고, $\omega = \sqrt{\dfrac{k}{m}}$ 일 때 진폭 A를 구하시오. (단, 물체의 크기와 용수철의 질량은 무시한다.)

03 2026–A11

그림은 마찰이 없는 수평면에서 용수철 상수 k인 용수철에 연결된 질량 m인 물체가 외부 힘 $F_x(t) = m\omega^2 A\sin(\omega t)$에 의해 x방향으로 진동하는 것을 나타낸 것이다. A와 ω는 양의 상수이고, $k = 9m\omega^2$이다.

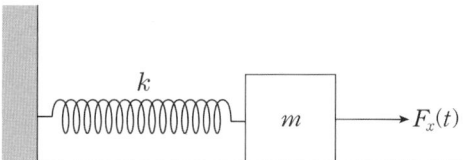

시간 t에서 물체의 평형 위치로부터 변위를 $x(t)$, 물체의 속도를 $v(t)$라고 할 때, 초기 조건은 $x(0) = A$, $v(0) = \dfrac{A\omega}{8}$ 이다. 〈자료〉를 이용하여, 초기 조건을 만족하는 물체의 운동방정식의 해 $x(t)$를 풀이 과정과 함께 구하시오. 시간 $t_1 = \dfrac{\pi}{2\omega}$ 에서 $x(t_1)$과 $v(t_1)$를 각각 구하시오.

04

2007-13

그림과 같이 질량 m인 물체가 긴 관(pipe) 속에서 미끄러지며 운동하고 있다. 관은 원점 O를 중심으로 일정한 각속도 ω로 수평면(xy평면)에서 회전하고 있으며, 시간 $t=0$일 때 물체는 v_0의 속력으로 원점을 지난다.

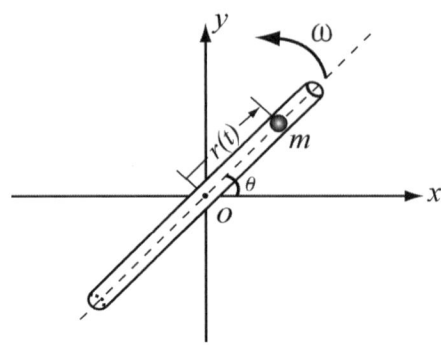

시간 $t(>0)$에서 원점으로부터 물체의 거리 $r(t)$에 대한 운동방정식과 관 속에서의 $r(t)$를 구하시오. (단, 물체와 관 사이의 마찰은 무시한다.)

1) 운동방정식 :

2) 물체의 거리 $r(t)$:

2012-14

05 그림은 수평인 탁자에 놓인, 속이 차고 밀도가 균일한 원통이 가느다란 실로 도르래를 통해 추와 연결되어 운동하는 모습을 나타낸 것이다. 원통과 추의 질량은 각각 $2m$, m이다. 추가 연직 아래로 운동하는 동안 원통에 감긴 실이 수평면과 평행하게 풀리면서 원통은 수평면을 따라 오른쪽으로 미끄러짐 없이 구른다. 두 물체가 운동하는 동안 실의 장력의 크기는 $T = \dfrac{3}{7}mg$이다.

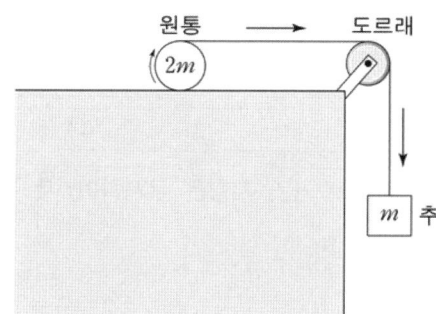

이에 대한 설명으로 옳은 것만을 〈보기〉에서 있는 대로 고른 것은? (단, 실의 질량 및 도르래와 실 사이의 마찰은 무시한다. 실과 원통 중심축은 수직이며, 중력 가속도는 g이다.)

┤ 보기 ├───
ㄱ. 추의 이동 거리는 원통 질량 중심의 이동 거리의 2배이다.
ㄴ. 수평면이 원통에 작용하는 마찰력의 방향은 오른쪽이다.
ㄷ. 원통 질량 중심의 가속도의 크기는 $\dfrac{2}{7}g$이다.
───

① ㄱ   ② ㄷ

③ ㄱ, ㄴ   ④ ㄴ, ㄷ

⑤ ㄱ, ㄴ, ㄷ

2012-15

06 그림은 길이가 L이고 밀도가 균일한 직육면체 강체가 마찰이 없는 수평면에서 일정한 속력 v로 오른쪽으로 미끄러지다가, 마찰이 있는 수평면에서 정지한 것을 나타낸 것이다. 마찰이 있는 수평면과 강체 사이의 운동마찰계수는 μ_k이다. 강체의 왼쪽 모서리는 두 수평면의 경계선과 일치하였다.

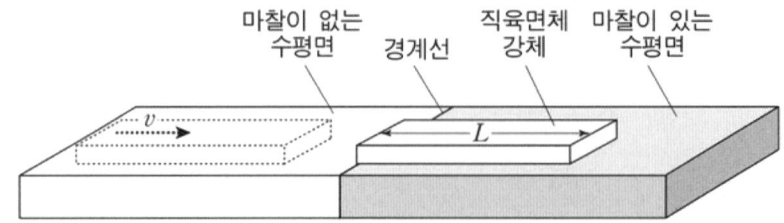

μ_k는? (단, 중력 가속도는 g이고, 공기 저항은 무시하며, 두 수평면의 높이는 같고, 강체는 직선운동을 한다.)

① $\dfrac{v^2}{gL}$ ② $\dfrac{v^2}{2gL}$

③ $\dfrac{v^2}{3gL}$ ④ $\dfrac{v^2}{4gL}$

⑤ $\dfrac{v^2}{5gL}$

2012-16

07 그림은 질량이 m, 각 변의 길이가 a와 $2a$이고 밀도가 균일한 직사각형 강체 판이 y축에 대해 일정한 각속도 $\vec{\omega} = \omega\hat{y}$로 회전하는 것을 나타낸 것이다. 회전하는 동안 길이가 a인 변은 y축상에, $2a$인 변은 xz평면상에 있다.

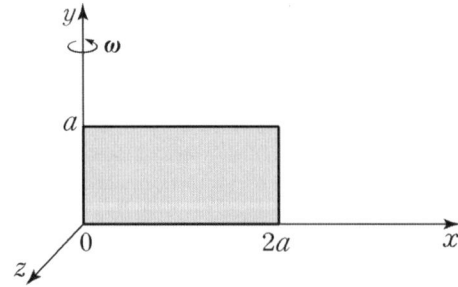

그림과 같이 강체 판이 xy평면(1사분면)에 있는 순간, 원점에 대한 강체 판의 각운동량 $\vec{L}$은? (단, 강체 판의 두께는 무시한다.)

① $ma^2\omega\left(-\dfrac{1}{2}\hat{x} + \dfrac{4}{3}\hat{y}\right)$ ② $ma^2\omega\left(-\dfrac{1}{3}\hat{x} + \dfrac{4}{3}\hat{y}\right)$

③ $\dfrac{4}{3}ma^2\omega\hat{y}$ ④ $ma^2\omega\left(\dfrac{1}{3}\hat{x} + \dfrac{4}{3}\hat{y}\right)$

⑤ $ma^2\omega\left(\dfrac{1}{2}\hat{x} + \dfrac{4}{3}\hat{y}\right)$

2016-A02

08 그림과 같이 수평면에 놓인 질량 m인 물체가 시간 $t=0$일 때 속력 v_0으로 직선운동을 시작하여 $t=t_{정지}$에 정지하였다. 물체는 운동하는 동안 속력 v에 비례하는 크기가 kv인 공기에 의한 저항력과 수평면으로부터 크기가 f인 운동 마찰력을 받는다.

$t=0$ $t=t_{정지}$

m v_0 m $v=0$

수평면

이 물체의 운동방정식을 쓰고 $t_{정지}$를 구하시오. (단, k와 f는 상수이다.)

2018-B03

09 그림과 같이 일정한 각속력 ω로 회전하는 질량 m인 바퀴가 세차운동을 하고 있다. z축과 바퀴 축의 사잇각이 $120\,^{\circ}$로 일정하게 유지된다. 바퀴 축의 왼쪽 끝은 원통좌표계 (ρ, ϕ, z)의 원점 O에 연결되어 있고, 아래쪽 끝의 방위각은 ϕ이다. O부터 질량 중심까지의 거리는 D이다.

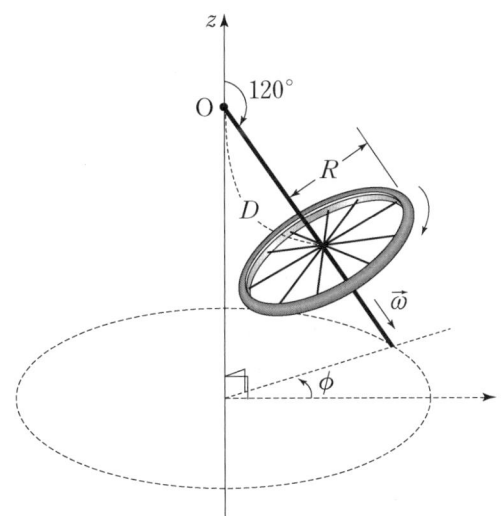

O에 대하여, 총 각운동량의 시간 변화율 $\dfrac{d\vec{L}}{dt}$의 크기와 방향을 구하고, 세차운동의 각속도 $\vec{\omega_p}$의 크기와 방향을 구하시오. (단, 중력 가속도는 $\vec{g}=-g\hat{z}$, 바퀴 축에 대한 바퀴의 관성모멘트는 mR^2이고, 바퀴살과 축의 질량, 마찰과 공기 저항은 무시한다.)

10 기체의 압축에 의한 물체의 진동은 공기식 충격 흡수 장치(air shock absorber)에 이용되고 있다. 그 원리를 이해하고 진동 현상을 관찰하기 위하여 기체로 채워진 관 속에서 진동하는 물체의 운동을 세 단계로 나누어 생각해 본다.

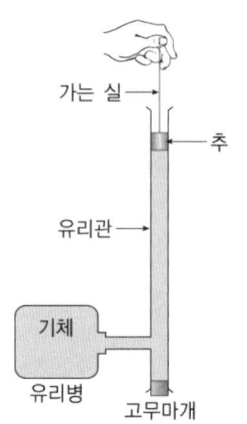

그림은 유리병과 연결된 반지름 r인 유리관 속에 공기보다 무거운 기체를 가득 채우고, 가는 실이 연결된 질량 m인 작은 원통형 추를 유리관 속에 넣고 실을 잡고 있는 것이다.

유리병과 유리관 속의 기체의 압력이 대기압과 같은 P_0이고, 부피가 V_0인 상태에서 실을 놓을 때 추의 운동방정식은 $m\dfrac{d^2y}{dt^2} = F_{\text{ext}} + (P_0 - P)\pi r^2$이다. 여기서 P는 추가 진동하는 동안 관 속 기체의 압력이고, F_{ext}는 대기압과 관 속 기체의 압력 차에 의한 힘을 제외한 모든 외력의 합이다. 추가 진동하는 동안 기체는 준정적 단열과정($PV^\gamma =$일정, 여기서 γ는 정압 비열과 정적 비열의 비이다.)을 유지한다.

1) 상황을 단순화시켜 용수철 진자의 운동을 비교한다.

   기체의 압력 P를 처음 부피 V_0와 기체가 압축된 길이 y의 함수로 바꾸고, 위 운동방정식에 F_{ext}는 중력뿐이라고 할 때, 운동방정식을 단순화시켜서 정리하면 수직으로 세워진 용수철 위에 연결되어 있는 물체의 운동방정식 $m\dfrac{d^2y}{dt^2} = mg - Ky$와 같은 형태의 방정식이 얻어진다.

2) 실제 운동을 관찰한다.

   이 실험을 실행하였더니 진동하는 동안 유리관 속의 기체는 빠지지 않았으며, 감쇠진동이 관찰되었다. 그러므로 추에는 중력 외에 속도에 의존하는 감쇠력이 작용했다.

3) 다른 상황에서 일어나는 유사한 현상을 찾아 진동 현상을 관찰한다.

   추의 운동과 유사한 단진동과 감쇠진동을 관찰할 수 있는 전기회로를 각각 만들어 특정 회로요소 양단에 오실로스코프를 연결하여 전위차를 관찰함으로써 시간에 따른 추의 변위를 유추해 본다.

추의 운동을 단진동으로 단순화시킬 조건, 단진동의 각진동수의 값과 풀이 과정, 실제 운동에서 추에 작용하는 감쇠력이 $-bv$라고 할 때 감쇠상수 b의 범위와 풀이 과정을 쓰시오. 또 단진동과 감쇠진동을 관찰할 수 있는 각 전기회로의 개략도와 오실로스코프로 관찰되는 전위차의 그래프를 그리시오. (단, 필요한 경우 $(1+x)^{-a} \simeq 1 - ax\,(x \ll 1)$의 근사식을 사용하시오.)

2 중심력 운동 및 유효퍼텐셜

2009-16

11 중심력 $\vec{F}$가 작용하는 공간에서 중심력의 중심을 지나지 않는 경로 C를 따라 물체가 운동할 때, 다음 설명 중 옳지 <u>않은</u> 것은?

① 역학적 에너지는 보존된다.

② 항상 $\vec{\nabla} \times \vec{F} = 0$이 성립한다.

③ 항상 $\oint_C \vec{F} \cdot d\vec{l} = 0$이 성립한다.

④ 중심력의 중심에 대한 각운동량은 보존된다.

⑤ 항상 $\vec{F} = \vec{\nabla} \times \vec{A}$인 벡터 함수 $\vec{A}$가 존재한다.

2010-15

12 원점으로부터 거리 r만큼 떨어진 곳에 질량 m인 입자가 중심력을 받아 운동하고 있다. 그림은 입자의 각 운동량의 크기가 L일 때, 입자의 유효퍼텐셜 $V_{\mathrm{eff}}(r) = \dfrac{L^2}{2mr^2} - \dfrac{k}{r}$를 r에 따라 나타낸 것이며, $V_{\mathrm{eff}}(r_1) = V_{\min}$, $V_{\mathrm{eff}}(r_2) = E_0$이다.

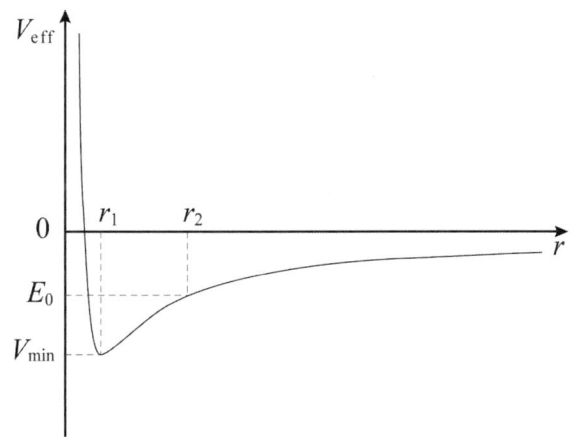

입자의 에너지가 E_0일 때, 이에 대한 설명으로 옳은 것을 〈보기〉에서 모두 고른 것은? (단, k는 양의 상수이다.)

보기
ㄱ. 위치 r_2에서 속력은 $\dfrac{L}{mr_2}$이다.
ㄴ. 위치 r_1에서 운동 에너지는 $(E_0 - V_{\min})$보다 크다.
ㄷ. 중심력의 크기는 $\dfrac{1}{r^2}$에 비례한다.

① ㄱ   ② ㄷ

③ ㄱ, ㄴ   ④ ㄴ, ㄷ

⑤ ㄱ, ㄴ, ㄷ

13 2019-A10

그림과 같이 질량이 각각 $m, 2m$인 두 별 A, B가 질량 중심 O를 중심으로 원운동 한다. A와 B사이의 거리는 d로 일정하다. A와 B의 원운동 주기는 T로 같고, B에 대한 A의 속력은 v_{AB}이다.

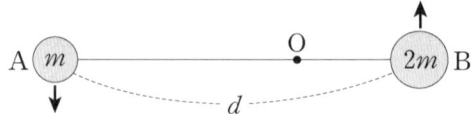

O와 A 사이의 거리를 d로 나타내고, v_{AB}와 T를 풀이 과정과 함께 각각 구하시오. (단, A, B의 크기는 무시하고, G는 만유인력 상수이다.)

14 2012-17

그림은 질량 m인 입자가 원점 O로부터 거리 r에 따른 중심 퍼텐셜 에너지(central potential energy) $V(r) = kr^3 (k > 0)$에 의한 중심력을 받고 반지름 R인 원 궤도를 따라 일정한 속력으로 운동하는 것을 나타낸 것이다.

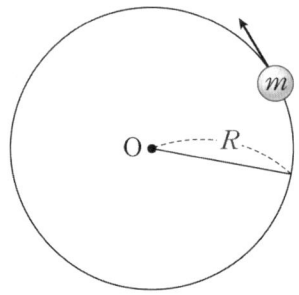

이에 대한 설명으로 옳은 것만을 〈보기〉에서 있는 대로 고른 것은?

| 보기 |

ㄱ. 입자에 작용하는 중심력의 크기는 $3kR^2$이다.

ㄴ. 입자의 회전주기는 $2\pi \sqrt{\dfrac{m}{kR}}$ 이다.

ㄷ. 입자의 유효퍼텐셜 에너지(effective potential energy)는 $\dfrac{3}{2}kR^3$이다.

① ㄱ   ② ㄷ

③ ㄱ, ㄴ   ④ ㄱ, ㄷ

⑤ ㄴ, ㄷ

2017-A11

15 질량 m인 입자가 다음과 같은 1차원 퍼텐셜 에너지 영향 아래에 있다.

$$U(x) = U_0 \left[\frac{x-a}{a} - 3\left(\frac{x-a}{a} \right)^3 \right]$$

여기서 U_0와 a는 양의 상수이다. 입자가 받는 힘 $F(x)$와 이 퍼텐셜의 안정 평형점 x_0을 구하시오. 이 입자가 $+x$방향으로 무한히 운동하기 위해 x_0에서 입자의 속력은 최소한 v_m보다 커야 한다. v_m을 풀이 과정과 함께 구하시오.

2025-A08

16 그림은 질량 m인 입자의 1차원 퍼텐셜 에너지 $U(x)$와 두 안정 평형점 x_A, x_B를 나타낸 것이다.

$$U(x) = U_0 \left(\frac{x^4}{2a^4} - \frac{x^2}{a^2} + \frac{1}{2} \right)$$

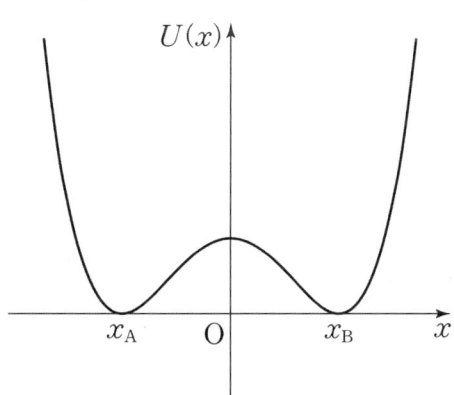

입자가 받은 힘 $F(x)$와 x_A를 각각 구하시오. 이 입자가 x_A, x_B를 지나 왕복 운동하기 위한 안정 평형점에서의 최소 속력을 풀이 과정과 함께 구하시오. (단, U_0과 a는 양의 상수이다.)

2013-18

17 그림은 질량 M인 행성으로부터 중력을 받으며 움직이는 질량 $m(\ll M)$인 위성의 유효퍼텐셜 $U_{\mathrm{eff}}(=V(r)+\dfrac{L^2}{2mr^2})$를 행성 중심으로부터 위성 중심까지의 거리 r에 따라 나타낸 것이다. r_1, r_2는 타원 궤도를 따라 운동하는 위성의 총 에너지가 E일 때, 각각 행성의 중심으로부터 위성의 중심까지 가장 가까운 거리 및 가장 먼 거리이다. $V(r)$, L은 각각 위성의 중력퍼텐셜 에너지와 각운동량의 크기이며, $-U_0$은 U_{eff}의 최솟값이다.

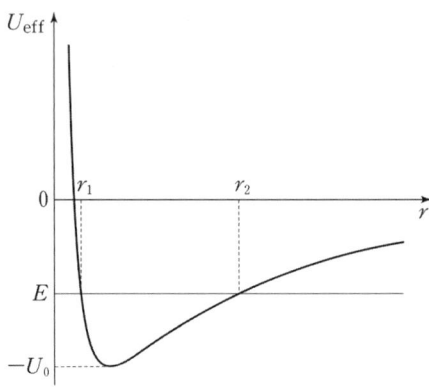

위성의 총 에너지가 E일 때, 이에 대한 설명으로 옳은 것만을 〈보기〉에서 있는 대로 고른 것은? (단, $-U_0<E<0$이다.)

┤ 보기 ├

ㄱ. r_1, r_2에서 위성의 속력이 각각 v_1, v_2일 때, $\dfrac{v_1}{v_2}=\dfrac{r_2}{r_1}$이다.

ㄴ. r_1, r_2에서 위성의 가속도의 크기가 각각 a_1, a_2일 때, $\dfrac{a_1}{a_2}=\dfrac{r_1^2}{r_2^2}$이다.

ㄷ. $L=\sqrt{-2mEr_1r_2}$이다.

① ㄱ   ② ㄴ

③ ㄱ, ㄴ   ④ ㄱ, ㄷ

⑤ ㄱ, ㄴ, ㄷ

18 2016–A11
질량 m인 어떤 입자가 원점 O로부터 거리 r에 따른 퍼텐셜 에너지 $V(r) = kr$에 의한 중심력을 받으며 한 평면에서 운동한다. 입자의 각운동량은 L이다. 입자의 유효퍼텐셜 에너지 $U_{\text{eff}}(r)$를 쓰고, $U_{\text{eff}}(r)$가 최소가 되는 원점으로부터의 거리 r_0을 쓰시오. 또한 입자가 원운동 할 때 회전주기 T를 풀이 과정과 함께 구하시오. (단, k는 양의 상수이다.)

19 2020–B08
2차원 평면에서 질량 m인 입자가 $\vec{F} = -k\dfrac{1}{r^4}\hat{r}$인 중심력을 받아 운동하고 있다. 입자의 각운동량의 크기는 L이고, $r = \infty$에서 퍼텐셜 에너지는 0이다. 입자의 유효퍼텐셜 에너지 $U_{\text{eff}}(r)$를 구하시오. 또한 입자가 원운동을 할 때, 회전 반지름 r_0을 풀이 과정과 함께 구하고, 운동 에너지를 m, k, L로 쓰시오. (단, k는 양의 상수이다.)

2021-A07

20 그림은 질량 M인 항성 주변을 질량 m인 행성이 공전할 때 ($M \gg m$), 뉴턴의 만유인력에 아인슈타인의 일반 상대론적 보정을 고려한 유효퍼텐셜 U_{eff}를 개략적으로 나타낸 것이다.

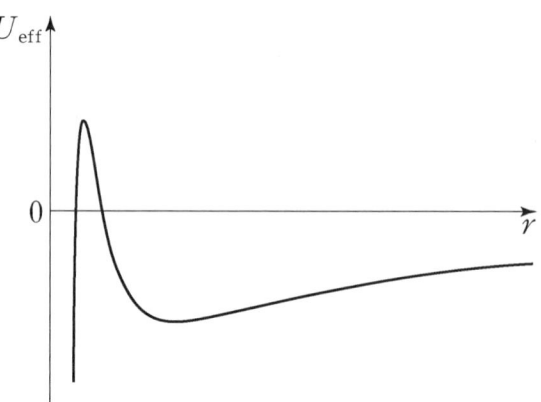

U_{eff}는 $U_{\mathrm{eff}}(r) = \dfrac{L^2}{2mr^2} - \dfrac{GMm}{r} - \dfrac{GML^2}{mc^2r^3} = \dfrac{\alpha}{r^2} - \dfrac{\beta}{r} - \dfrac{\gamma}{r^3}$ 이고, L은 행성의 각운동량, r은 행성과 항성 사이의 거리, G는 만유인력 상수, c는 빛의 속력이다. 행성에 허용되는 안정한 원 궤도의 반지름 r_s를 풀이 과정과 함께 α, β, γ로 나타내시오. 또한 $\gamma = 0$인 경우 원 궤도 반지름 r_0를 구하고, r_s와의 크기를 비교하시오.

2022-A08

21 질량 m인 입자의 위치벡터는 $\vec{r}(t) = \sin\omega t\,\hat{x} + 2\cos\omega t\,\hat{y} + \sin(\omega t + \phi)\,\hat{z}$로 주어진다($\omega,\ \phi$는 상수). 이 입자에 작용하는 힘을 구하고, 원점을 기준으로 하는 토크(torque)를 구하시오. 또한 원점을 기준으로 하는 각운동량의 x성분이 0이 되는 $\phi(0 \leq \phi \leq \pi)$를 풀이 과정과 함께 구하시오.

┤ 자료 ├
$$\cos(\alpha \pm \beta) = \cos\alpha\cos\beta \mp \sin\alpha\sin\beta$$
$$\sin(\alpha \pm \beta) = \sin\alpha\cos\beta \pm \cos\alpha\sin\beta$$

2023-A04

22 그림은 구면 대칭의 질량 분포를 가지는 은하와 은하 주위를 운동하는 물체를 나타낸 것이다. 은하의 질량 분포는 은하 중심으로부터의 거리 r에 따라 변하고, 물체는 은하 중심을 지나는 평면상에서 등속원운동 한다.

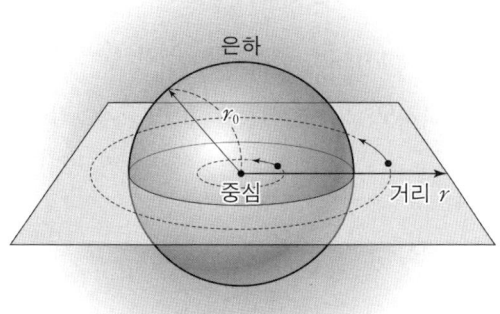

은하 중심으로부터 거리 r만큼 떨어진 물체의 속력 v는

$$v(r) = \begin{cases} \dfrac{v_0}{r_o}r, & r < r_0 \\ v_0, & r \geq r_0 \end{cases}$$

이다. $M(r)$가 반지름 r인 구면 내부의 질량일 때, 은하의 질량 밀도는 $\rho(r) = \dfrac{1}{4\pi r^2}\dfrac{dM(r)}{dr}$ 이다. 〈자료〉를 참고하여 $r < r_0$과 $r \geq r_0$에 대한 은하의 질량 밀도 $\rho(r)$를 각각 구하시오. (단, v_0, r_0은 상수이다.)

┤ 자료 ├─

은하 중심으로부터 r만큼 떨어진 물체의 등속원운동 관계식은 $\dfrac{v^2(r)}{r} = \dfrac{GM(r)}{r^2}$ 이고, G는 중력 상수이다.

3 라그랑지안 역학

2006-19

23 질량 m_1과 m_2인 두 물체가 용수철 상수 k인 용수철의 양 끝에 연결되어 직선 위에서 진동하고 있다. 질량 m_1과 m_2인 물체가 각각 평형상태로부터 변위 $x_1(t)$, $x_2(t)$의 위치에 있을 때, 이 물리계의 라그랑지안(Lagrangian)은 $L = \frac{1}{2}m_1\dot{x}_1^2 + \frac{1}{2}m_2\dot{x}_2^2 - \frac{1}{2}k(x_1 - x_2)^2$으로 주어진다. 변위 $x_1(t)$와 $x_2(t)$가 만족하는 운동방정식을 구하시오. 또, $y(t) = x_1(t) - x_2(t)$라 할 때, $y(t)$가 만족하는 운동방정식을 구하시오.

1) $x_1(t)$, $x_2(t)$의 운동방정식 :

2) $y(t)$의 운동방정식 :

2007-12

24 그림과 같이 질량이 m_1인 물체와 질량이 m_2인 물체가 일정한 길이 l의 줄로 원점(O)에 있는 작은 구멍을 통하여 연결되어 운동하고 있다. 질량 m_1인 물체는 무한 수평면(xy평면) 위의 위치 (r, θ)인 곳에서 운동하고 있고, 질량 m_2인 물체는 아래 방향으로 일정한 중력 가속도 g를 받으며 상하 운동하고 있다 $(0 < r < l)$.

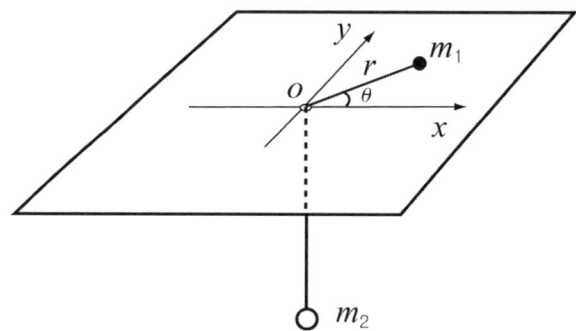

두 물체의 운동을 기술하는 라그랑지안 $L(r, \theta, \dot{r}, \dot{\theta})$을 구하고, 운동방정식을 유도하시오. (단, $\dot{r} = \dfrac{dr}{dt}$, $\dot{\theta} = \dfrac{d\theta}{dt}$ 이고, 줄의 질량과 모든 마찰은 무시한다.)

1) 라그랑지안 :

2) 운동방정식 :

25 2008-10

그림과 같이 질량이 m인 물체가 움직도르래와 고정도르래에 의해 연결되어 있다. 움직도르래에는 용수철 상수가 k인 용수철이 연결되어 있다. 물체가 바닥으로부터의 높이 h_0를 중심으로 상하 방향으로 1차원 단진동을 할 때, 이 물체의 라그랑지안을 구하고, 이로부터 물체의 운동방정식과 진동 주기를 구하시오. (단, 용수철, 줄, 도르래의 질량과 마찰은 무시하며, 용수철은 탄성한계 내에서 진동한다. 중력 가속도는 g이다.)

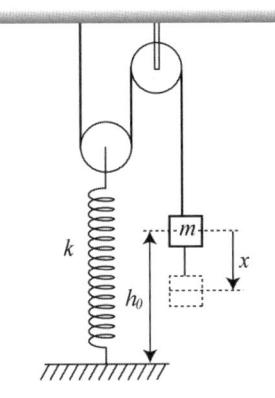

1) 라그랑지안 :

2) 운동방정식 :

3) 진동 주기 :

26 2010-40

그림과 같이 길이 ℓ, 질량 m인 균일한 강체 막대가 마찰이 없는 수평면과 각 θ_0을 이루며 천장에 연결된 실에 매달려 정지해 있다. 왼쪽 끝은 수평면에 닿아 있다. 막대의 질량 중심을 지나고 막대에 수직인 회전축에 대한 관성모멘트는 $\dfrac{1}{12}m\ell^2$이다.

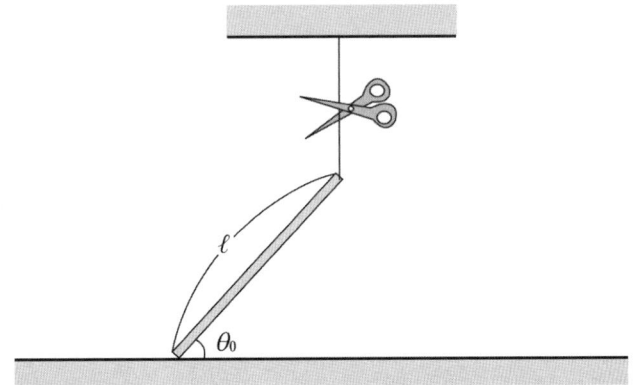

실을 끊었더니, 막대의 왼쪽 끝이 미끄러지면서 바닥으로 넘어졌다. 막대의 오른쪽 끝이 바닥에 닿는 순간, 막대의 질량 중심의 속력은? (단, g는 중력 가속도이고, 실의 질량은 무시한다.)

① $\sqrt{\dfrac{1}{2}g\ell\sin\theta_0}$　　　　　　　② $\sqrt{\dfrac{3}{4}g\ell\sin\theta_0}$

③ $\sqrt{g\ell\sin\theta_0}$　　　　　　　　　④ $\sqrt{\dfrac{5}{4}g\ell\sin\theta_0}$

⑤ $\sqrt{\dfrac{3}{2}g\ell\sin\theta_0}$

27

2010-25

어느 계의 라그랑지안(Lagrangian)이 $L = a\dot{q}_1^2 + F(q_1)\dot{q}_2^2 - bq_1^2$에 의해 표현된다. a와 b는 양의 상수이고, q_1과 q_2는 일반화좌표이며, $F(q_1)$은 q_1의 함수이다. 이 계의 운동에 대한 설명으로 옳은 것을 〈보기〉에서 모두 고른 것은? (단, $\dot{q}_1$와 $\dot{q}_2$는 각각 q_1과 q_2의 시간 미분을 나타낸다.)

┤ 보기 ├

ㄱ. $\dfrac{a}{b}$는 시간의 차원을 갖는다.

ㄴ. $F(q_1)\dot{q}_2$는 시간에 따라 변하지 않는다.

ㄷ. $F(q_1)$이 상수일 때, q_1은 단진동에 의해 기술된다.

① ㄱ
② ㄷ
③ ㄱ, ㄴ
④ ㄴ, ㄷ
⑤ ㄱ, ㄴ, ㄷ

28

2009-19

그림은 용수철 상수 k인 용수철에 질량 M인 물체가 연결되어 마찰 없는 수평면에서 진동하고 있는 것을 나타낸다. 질량 m인 진자는 질량 M에 연결된 줄에 매달려 진동한다. x는 벽으로부터 질량 M의 변위, x_0는 용수철이 늘어나지 않았을 때의 M의 변위, l은 줄의 길이, θ는 연직선으로부터 질량 m의 각 변위를 나타낸다. 중력 가속도는 g이며, 줄은 팽팽한 상태를 유지한다.

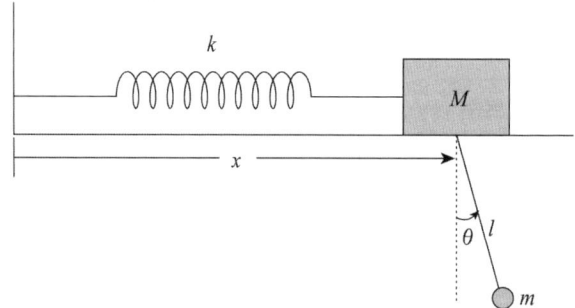

두 물체가 같은 평면에서 운동할 때, 이 운동계에 대한 라그랑지안(Lagrangian) L은? (단, $\dot{x}$과 $\dot{\theta}$는 각각 x와 θ의 시간 미분을 나타낸다.)

① $L = \dfrac{1}{2}(M+m)\dot{x}^2 + \dfrac{1}{2}ml^2\dot{\theta}^2 + ml\cos\theta\,\dot{x}\dot{\theta} - \dfrac{1}{2}k(x-x_0)^2 + mgl\cos\theta$

② $L = \dfrac{1}{2}(M+m)\dot{x}^2 + \dfrac{1}{2}ml^2\dot{\theta}^2 - ml\cos\theta\,\dot{x}\dot{\theta} + \dfrac{1}{2}k(x-x_0)^2 + mgl\cos\theta$

③ $L = \dfrac{1}{2}(M+m)\dot{x}^2 + \dfrac{1}{2}ml^2\dot{\theta}^2 + ml\cos\theta\,\dot{x}\dot{\theta} - \dfrac{1}{2}k(x-x_0)^2 - mgl\cos\theta$

④ $L = \dfrac{1}{2}(M+m)\dot{x}^2 + \dfrac{1}{2}ml^2\dot{\theta}^2 - ml\sin\theta\,\dot{x}\dot{\theta} + \dfrac{1}{2}k(x-x_0)^2 - mgl\cos\theta$

⑤ $L = \dfrac{1}{2}(M+m)\dot{x}^2 + \dfrac{1}{2}ml^2\dot{\theta}^2 + ml\sin\theta\,\dot{x}\dot{\theta} - \dfrac{1}{2}k(x-x_0)^2 + mgl\cos\theta$

29 2011-17

그림과 같이 질량 m, 반지름 R인 원판의 중심에 용수철 상수가 각각 k와 $2k$인 두 개의 용수철이 수평으로 연결되어 있다. 두 용수철은 각각 벽에 고정되어 평형상태에 있으며, 원판은 정지해 있다. 원판의 중심을 원판면에 수직으로 통과하는 축에 대한 원판의 관성모멘트는 $I = \frac{1}{2}mR^2$이다.

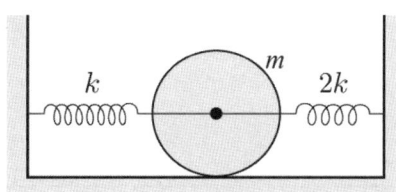

원판이 수평면 위를 미끄러지지 않고 구르면서 직선상에서 단진동 하게 하였을 때, 단진동의 주기는? (단, 용수철의 질량은 무시한다.)

① $2\pi\sqrt{\dfrac{m}{3k}}$

② $2\pi\sqrt{\dfrac{m}{2k}}$

③ $2\pi\sqrt{\dfrac{2m}{3k}}$

④ $2\pi\sqrt{\dfrac{3m}{2k}}$

⑤ $2\pi\sqrt{\dfrac{2m}{k}}$

30 2011-18

질량 m인 입자가 $y = bx^2$으로 주어지는 포물선 궤도를 따라 운동하도록 구속되어 있다. b는 양의 상수이고, $-y$방향으로 중력이 작용하고 있다. 이 입자의 운동에 대한 설명으로 옳은 것만을 〈보기〉에서 모두 고른 것은? (단, g는 중력 가속도이고, $y = 0$에서 중력퍼텐셜 에너지는 0이다.)

┤ 보기 ├

ㄱ. 라그랑지안은 $L = \dfrac{1}{2}m\dot{x}^2 + 2m(bx\dot{x})^2 - mgbx^2$이다.

ㄴ. x에 대한 일반화운동량은 시간에 따라 변하지 않는다.

ㄷ. 운동방정식은 $(1 + 4b^2x^2)\ddot{x} + 4b^2x\dot{x}^2 + 2gbx = 0$이다.

① ㄴ

② ㄱ, ㄴ

③ ㄱ, ㄷ

④ ㄴ, ㄷ

⑤ ㄱ, ㄴ, ㄷ

2012-19

31 그림은 xy 수평면에서 질량이 m인 질점이 용수철의 한쪽 끝에 연결되어 원점 O를 중심으로 회전운동 하고 있는 것을 나타낸 것이다. 용수철 상수는 k이며, (r, θ)는 질점 위치의 극좌표이다.

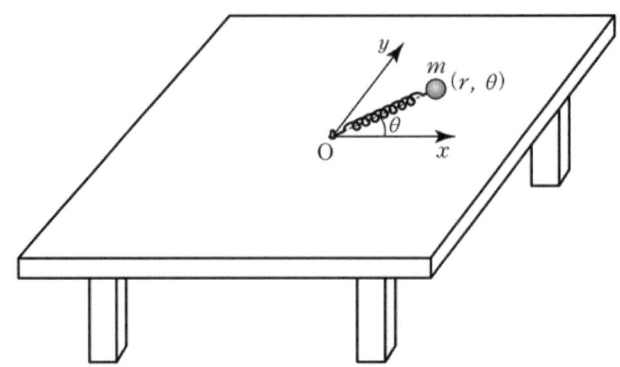

이에 대한 설명으로 옳은 것만을 〈보기〉에서 있는 대로 고른 것은? (단, 용수철의 질량과 모든 마찰은 무시하고, 질점을 매달지 않았을 때 용수철의 길이는 a이다. xy 수평면에서 질점의 중력퍼텐셜 에너지 는 0이다.)

┤ 보기 ├

ㄱ. 라그랑지안 $L = \dfrac{1}{2}m\dot{r}^2 + \dfrac{1}{2}mr^2\dot{\theta}^2 - \dfrac{1}{2}k(r-a)^2$이다.

ㄴ. θ에 대한 일반화 운동량은 시간에 따라 변하지 않는다.

ㄷ. r에 대한 운동방정식은 $m\ddot{r} = -k(r-a) + \dfrac{l^2}{mr^3}$이다. ($l$은 θ에 대한 일반화 운동량이다.)

① ㄴ
② ㄷ
③ ㄱ, ㄴ
④ ㄱ, ㄷ
⑤ ㄱ, ㄴ, ㄷ

2013-15

32 그림과 같이 질량이 M, m인 두 물체가 용수철 상수 k인 용수철에 연결되어 수평면에서 일차원 운동을 하고 있다. 이 계의 고유진동수(normal mode frequency)는 0, ω이다.

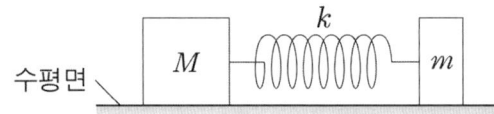

ω는? (단, 물체와 수평면 사이의 마찰, 용수철의 질량, 공기의 저항은 무시한다.)

① $\sqrt{\dfrac{k}{m+M}}$
② $\sqrt{\dfrac{2k}{m+M}}$

③ $\sqrt{\dfrac{k(m+M)}{2mM}}$
④ $\sqrt{\dfrac{k(m+M)}{mM}}$

⑤ $\sqrt{\dfrac{2k(m+M)}{mM}}$

2013-17

33 그림은 천장에 고정된 용수철 상수 k, 길이 x_0인 용수철의 한끝에 연결된 길이 ℓ인 실에 질량 m인 물체가 매달려 같은 연직면 상에서 운동하는 것을 나타낸 것이다. 실은 운동하는 동안 팽팽하게 유지된다. x는 용수철이 늘어난 길이이고, θ는 물체를 매단 실과 연직선 사이의 각도이다. 용수철은 연직 방향으로만 움직인다. $x = 0$, $\theta = \dfrac{\pi}{2}$에서 용수철-진자 계의 퍼텐셜 에너지는 0이다.

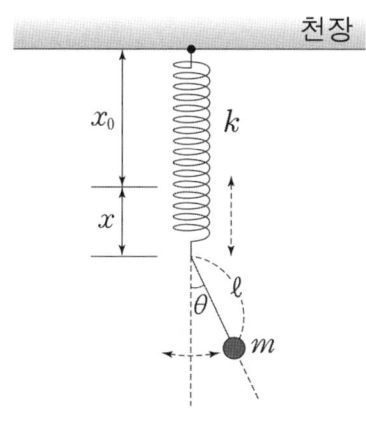

계의 라그랑지안 L은? (단, 중력 가속도는 g이고, 물체의 크기, 실의 질량, 용수철의 질량, 공기의 저항 및 모든 마찰은 무시한다.)

① $\dfrac{1}{2}m\dot{x}^2 + \dfrac{1}{2}m\ell^2\dot{\theta}^2 - m\ell\dot{x}\dot{\theta}\cos\theta + mg(x + \ell\cos\theta) - \dfrac{1}{2}kx^2$

② $\dfrac{1}{2}m\dot{x}^2 + \dfrac{1}{2}m\ell^2\dot{\theta}^2 + mg(x + \ell\sin\theta) - \dfrac{1}{2}kx^2$

③ $\dfrac{1}{2}m\dot{x}^2 + \dfrac{1}{2}m\ell^2\dot{\theta}^2 - m\ell\dot{x}\dot{\theta}\cos\theta + mg(x + \ell\sin\theta) - \dfrac{1}{2}kx^2$

④ $\dfrac{1}{2}m\dot{x}^2 + \dfrac{1}{2}m\ell^2\dot{\theta}^2 + mg(x + \ell\cos\theta) - \dfrac{1}{2}kx^2$

⑤ $\dfrac{1}{2}m\dot{x}^2 + \dfrac{1}{2}m\ell^2\dot{\theta}^2 - m\ell\dot{x}\dot{\theta}\sin\theta + mg(x + \ell\cos\theta) - \dfrac{1}{2}kx^2$

34

2019-B07

그림과 같이 크기가 a인 등가속도 연직 위로 운동하는 엘리베이터 천장의 점 P에 실로 매달려 진동하는 추를 엘리베이터 밖에 정지한 학생이 관찰한다. θ는 연직선과 실이 이루는 각이고, 실의 길이는 l, 추의 질량은 m이다. 추의 운동에 대한 구속 조건은 $f(y, t) = y - \frac{1}{2}at^2 = 0$이다. $y = 0$이고 $\theta = 0$일 때, 추의 퍼텐셜 에너지는 $-mgl$이다.

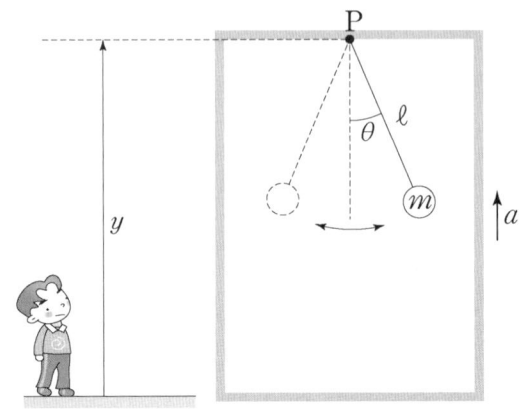

학생이 관찰한 추의 라그랑지안 $L(\theta, \dot{\theta}, y, \dot{y})$을 쓰고, 라그랑주 방정식을 이용하여 θ에 대한 운동방정식을 풀이 과정과 함께 구하시오. 또한 실의 장력의 y성분 $Q_y(\theta, \dot{\theta})$를 구하시오. (단, 중력 가속도의 크기는 g이다.)

35

2018-B06

그림과 같이 지면에 고정되고 반지름이 R인 사분원 궤도의 최고점($\theta = 0$)에 정지해 있던 질량 m, 반지름 r인 원반이 사분원 궤도를 따라 미끄러짐 없이 굴러 내려오고 있다. θ와 ϕ는 각각 사분원 궤도와 원반에서의 각변위이다. 원반의 운동에 대한 구속 조건은 $(R - r)\dot{\theta} = r\dot{\phi}$이다.

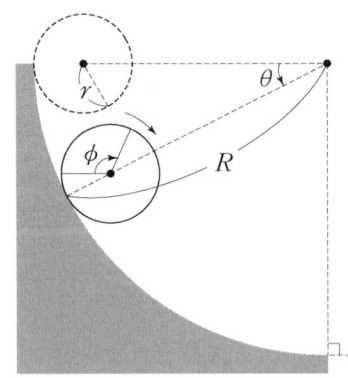

$\theta = 0$을 중심으로 중력퍼텐셜 에너지가 0인 기준으로 할 때, 이 원반에 대한 라그랑지안(Lagrangian)을 쓰고, 라그랑주 방정식을 이용하여 θ에 대한 원반의 운동방정식을 구하시오. 〈자료〉를 참고하여 $\dot{\theta}$을 구하고, 이를 이용하여 $\theta = \frac{\pi}{2}$에서 원반의 질량 중심 속력을 구하시오. (단, 원반의 자전 중심에 대한 관성모멘트는 $I = \frac{1}{2}mr^2$, 중력 가속도의 크기는 g이고, 공기 저항은 무시한다.)

┌─| 자료 |───┐
$\ddot{\theta} = A\cos\theta$일 때, $\dot{\theta}d\dot{\theta} = A\cos\theta d\theta$이다.
└──┘

36 2016-B03

그림 (가)는 질량 m, 반지름 R인 균일한 두 원판이 용수철 상수가 k로 동일한 세 용수철에 수평으로 연결되어 수평면에서 평형상태에 있는 모습을 나타낸 것이다. 그림 (나)는 두 원판이 평형상태로부터 각각의 변위 x_1, x_2만큼 이동한 모습을 나타낸 것이다.

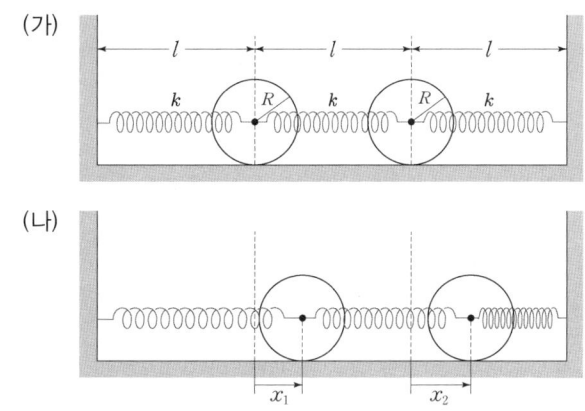

원판이 수평면에서 미끄러짐 없이 구르며 운동할 때, 이 계의 라그랑지안 L을 x_1, x_2와 각각의 속도 $\dot{x}_1$, $\dot{x}_2$로 풀이 과정과 함께 구하시오. 또한 이 계의 정상 모드 진동수(normal mode frequency) ω_1, ω_2를 쓰시오. (단, l은 용수철이 늘어나지도 줄어들지도 않은 상태의 길이이다. 원판의 중심을 지나고 원판면에 수직으로 통과하는 축에 대한 원판의 관성모멘트는 $I = \frac{1}{2}mR^2$이고 용수철의 질량은 무시한다.)

37 2015-B04

그림 (가)는 원반에 감긴 끈의 끝에 용수철 상수 k인 용수철을 연결하여 천장에 매단 것을 나타낸 것이다. 이때 용수철은 늘어나지도 줄어들지도 않은 상태이고 원반은 정지해 있다. 그림 (나)는 시간 $t = 0$에서 원반을 가만히 놓아 끈이 풀리면서 용수철과 원반이 운동하는 모습을 나타낸 것이다. 원반의 질량은 m, 반지름은 R이고, 원반의 중심 O와 용수철은 연직 방향으로만 움직인다. 용수철의 변위 x, 원반의 변위 y, 원반의 각변위 θ는 $y = x + R\theta + y_0$의 관계식을 만족하며, y_0은 상수이다.

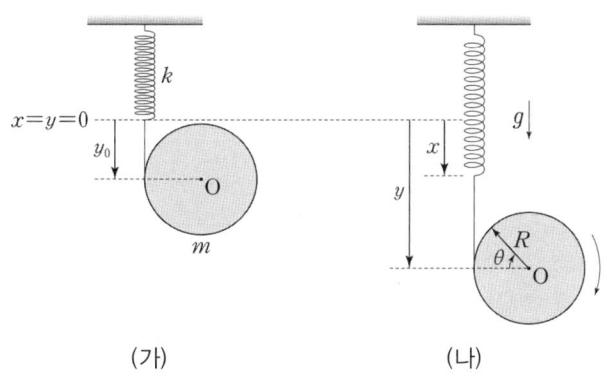

(가)   (나)

이 계의 라그랑지안 L을 쓰고, 끈에 걸리는 장력의 최댓값 $kx_{\max}$를 풀이 과정과 함께 구하시오. 또한 원반의 병진 가속도를 시간 t의 함수로 풀이 과정과 함께 나타내시오. (단, 용수철의 질량은 무시하고, 원반의 중심을 원반 면에 수직으로 지나는 회전축에 대한 원반의 관성모멘트는 $\frac{1}{2}mR^2$이며, 중력 퍼텐셜에너지가 0인 기준점은 $y = 0$이다.)

2020-A12

38 그림은 가느다란 막대가 연직면 상에 반지름 R인 고정된 원 궤도를 따라 연직선을 중심으로 진동하는 모습을 나타낸 것이다. 막대의 질량은 m, 길이는 $\sqrt{3}\,R$이고, 막대와 원 궤도 사이에 마찰은 없다. 막대가 진동하는 동안 원 궤도의 중심 O와 막대의 질량 중심 C 사이의 거리는 $\dfrac{R}{2}$로 일정하고, θ는 연직선과 선분 $\overline{OC}$가 이루는 각이다. $\theta = 0$에서 막대의 중력퍼텐셜 에너지는 0이다.

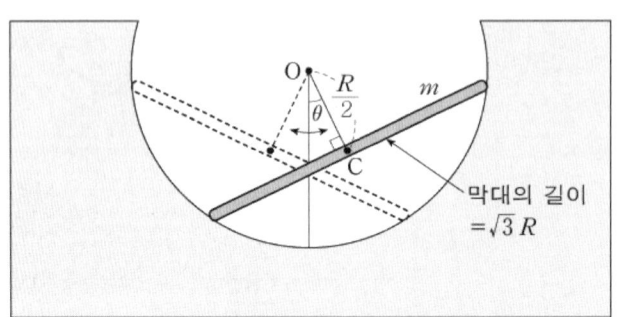

연직면에 수직하고 O를 지나는 축에 대한 막대의 관성모멘트 I_O를 구하시오. 또한 진동하는 막대의 라그랑지안 $L(\theta,\ \dot{\theta})$을 쓰고, θ에 대한 운동방정식을 풀이 과정과 함께 구하시오. (단, 막대의 밀도는 균일하고, 중력 가속도의 크기는 g이다.)

┤ 자료 ├
질량이 m이고 길이가 l이며 밀도가 균일한 가느다란 막대의 질량 중심을 지나고 막대에 수직인 회전축에 대한 관성모멘트는 $\dfrac{1}{12}ml^2$이다.

2021-B06

39 그림과 같이 고정된 회전축을 중심으로 회전하는 지지대의 O 점에 가느다란 막대의 한쪽 끝이 연결되어 있다. 지지대와 막대가 만드는 평면 A 는 회전축을 중심으로 일정한 각속력 ω 로 회전하며, 막대는 평면 A 상에서 O 점을 중심으로 θ 방향으로 운동한다. 막대의 질량은 m, 길이는 l 이고, $\theta = \dfrac{\pi}{2}$ 에서 막대의 중력에 의한 퍼텐셜 에너지는 0이다.

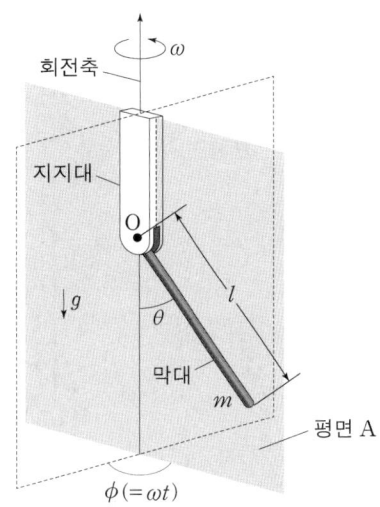

평면 A 상에서 운동하는 막대의 라그랑지안 $L(\theta, \dot{\theta})$ 을 쓰고, θ 에 대한 운동방정식을 풀이 과정과 함께 구하시오. 또한 $\omega > \sqrt{\dfrac{3g}{2l}}$ 일 때, 평형점 $\theta_0 (0 < \theta_0 < \dfrac{\pi}{2})$ 을 구하시오. (단, 회전축은 연직 방향이며, 막대는 균일하고, 모든 마찰은 무시한다. 중력 가속도의 크기는 g 이다.)

┤ 자료 ├

- 회전축에 대한 막대의 관성모멘트: $I_\phi = \dfrac{1}{3}ml^2\sin^2\theta$

- O를 지나고 평면 A 에 수직인 관성모멘트: $I_\theta = \dfrac{1}{3}ml^2$

2022-B10

40 그림은 길이 l인 줄의 양 끝에 질량이 각각 m, M인 물체 A, B가 연결되어 운동하고 있는 것을 나타낸 것이다. A는 z축과 일정한 각도 $\theta_0 (0 < \theta_0 < \frac{\pi}{2})$을 이루는 원뿔면상에서 운동하고, B는 원뿔의 꼭짓점 O에 있는 구멍을 통과한 줄에 매달려 연직 상하 방향으로 운동한다. r는 선분 $\overline{\mathrm{OA}}$의 길이이고, $\overline{\mathrm{OA}}$를 xy평면에 투영한 선분은 $\overline{\mathrm{OA}'}$이며, ϕ는 x축과 $\overline{\mathrm{OA}'}$가 이루는 각이다. xy평면에서의 중력 퍼텐셜 에너지는 0이고, 중력 가속도는 $\vec{g} = -g\hat{z}$이다.

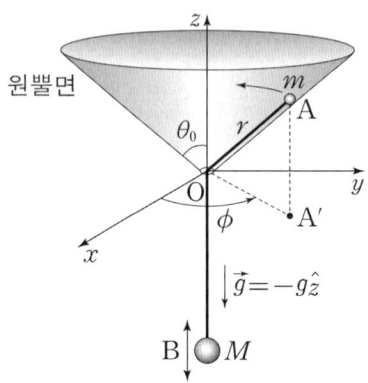

이 계의 라그랑지안 $L(r, \dot{r}, \phi, \dot{\phi})$을 쓰고, r에 대한 운동방정식을 풀이 과정과 함께 구하시오. 또한 A가 $r = r_0$으로 등속원운동을 할 때, O를 중심으로 한 A의 각운동량의 z성분을 구하시오. (단, 줄의 길이는 일정하고, 물체의 크기, 줄의 질량, 모든 마찰은 무시한다.)

41 2023-B11

그림은 천장에 매달린 용수철에 연결된 질량 $2m$인 원반과 원반을 통해 실로 연결된, 질량이 각각 $2m$, m인 두 물체를 나타낸 것이다. y는 천장에 대한 원반 중심 O의 변위이고, y_1, y_2은 O를 지나는 수평면에 대한 두 물체의 변위이다. 용수철 상수는 k이고, 용수철이 늘어나거나 줄어들지 않았을 때, $y = y_0$이다. 이 계는 연직 방향으로만 움직이며, 원반과 실 사이의 마찰은 없다. 이 계의 중력 퍼텐셜 에너지는 $-5mgy - mgy_1 + c$이고, c는 상수이다.

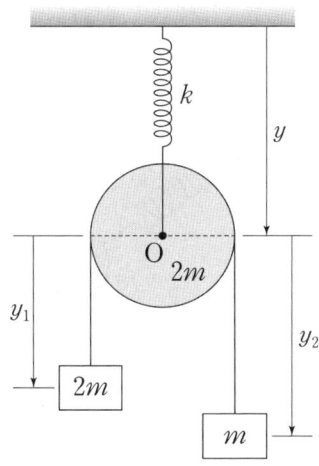

이 계의 라그랑지안 $L(y, \dot{y}, y_1, \dot{y}_1)$을 쓰고, y에 대한 운동방정식을 풀이 과정과 함께 구하시오. 또한 단진동 하는 원반의 진동 주기를 구하시오. (단, 실의 길이는 일정하고, 원반은 회전하지 않는다. 중력 가속도의 크기는 g이다.)

42

그림은 용수철로 연결된 세 물체가 가는 막대를 따라 진동하는 모습을 나타낸 것이다. 물체의 질량은 m으로 모두 같고, 막대는 한 면에 간격 d로 서로 평행하게 고정되어 놓여있다. y_1, y_2, y_3은 세 물체의 질량 중심 O를 지나며 막대에 수직인 선에 대한 물체의 변위이고, $y_1 + y_2 + y_3 = 0$이다. 이 계의 퍼텐셜 에너지는 $\frac{\alpha}{2}(y_2 - y_1)^2 + \frac{\alpha}{2}(y_2 - y_3)^2$이고, α는 양의 상수이다.

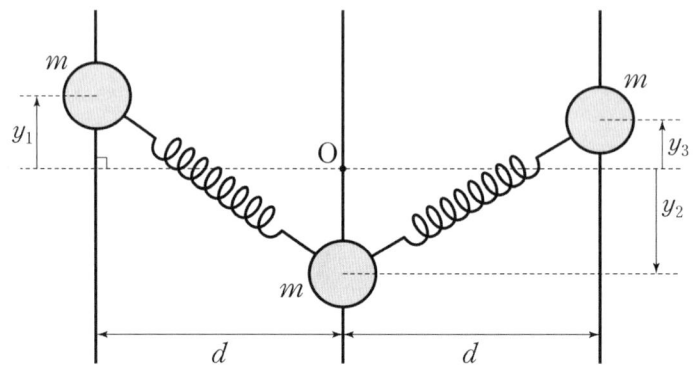

이 계의 라그랑지안 $L(y_1, y_3, \dot{y_1}, \dot{y_3})$를 쓰고, y_1에 대한 운동방정식을 풀이 과정과 함께 구하시오. $y_3 = y_1$일 때, y_1 운동의 고유진동수를 구하시오. (단, 물체의 크기, 용수철의 질량, 마찰, 중력은 무시한다.)

43

그림은 z축을 회전축으로 회전하는 관의 양 끝에 두 용수철로 연결된 질량 m인 물체가 회전축에서 r만큼 변위된 것을 나타낸 것이다. 회전축은 관의 중심 O를 통과한다. 두 용수철 상수는 각각 k_1, k_2이다. O는 두 용수철에 의한 힘의 평형 위치이며, θ는 관의 각변위이다.

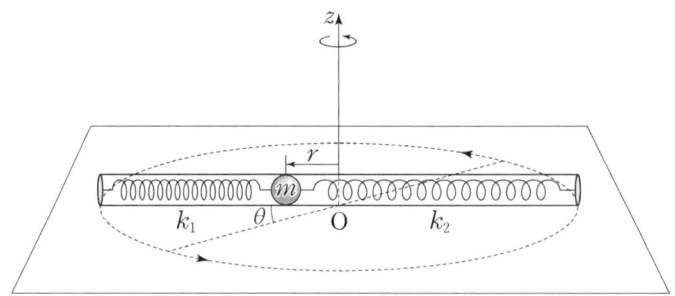

이 계의 운동 에너지 $T(r, \dot{r}, \dot{\theta})$와 라그랑지안 $L(r, \dot{r}, \dot{\theta})$를 각각 구하시오. 또한 r에 대한 운동방정식을 풀이 과정과 함께 구하시오. (단, 용수철과 관의 질량, 물체의 크기, 모든 마찰은 무시한다.)

44 2013-1차-3교시-논술형-02

그림은 질량 m, 길이 l이 서로 같은 두 진자가 용수철 상수 k인 용수철에 서로 연결되어 연직면 상에서 운동하고 있는 것을 나타낸 것이다. $\theta_1 = \theta_2 = 0$인 평형상태에서 용수철은 원래의 길이를 가지며, 계의 중력퍼텐셜 에너지는 0이다. 고정점으로부터 연직 성분에 대한 두 진자의 각변위는 각각 θ_1, θ_2이고, 수평 방향 변위는 각각 x_1, x_2이다.

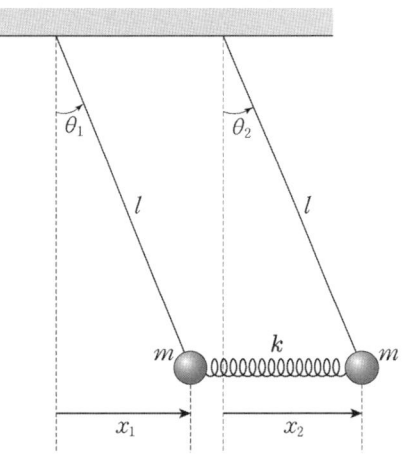

진동이 작을 때 〈작은 진동〉의 관계식이 만족되고, 이 경우 계는 〈정상 모드〉의 두 가지 단진동 모드를 갖는다. 더불어 k가 매우 작을 때 두 각진동수 사이에는 〈약한 결합〉의 관계식이 만족된다.

┤ 작은 진동 ├

$$\theta_i \ll 1, \ \sin\theta_i \simeq \theta_i, \ \cos\theta_i \simeq 1 - \frac{\theta_i^2}{2}, \ x_i \simeq \ell\theta_i, \ i = 1, \ 2$$

용수철이 고유 길이로부터 늘어난 길이 $\simeq x_2 - x_1$

┤ 정상 모드 ├

$$x_1 = + x_2 : \text{각진동수 } \omega_1$$
$$x_1 = - x_2 : \text{각진동수 } \omega_2$$

┤ 약한 결합 ├

$$k \ll \frac{mg}{l}, \ (\omega_2 - \omega_1) \ll \omega_1, \ \omega_1 \simeq \omega_2$$

〈작은 진동〉의 경우 계의 라그랑지안 x_1, x_2로 나타내고, 그로부터 운동방정식을 쓰고, 〈정상 모드〉의 각진동수 ω_1, ω_2를 구하시오. 또한 왼쪽 진자의 수평 방향의 변위가 두 정상 모드의 중첩에 의해

$$x_1(t) = \frac{A}{2}\left(\cos\omega_1 t + \cos\omega_2 t\right), \ A\text{는 상수}$$

로 주어질 때, 이 식과 운동방정식으로부터 오른쪽 진자의 수평 방향 변위 $x_2(t)$를 풀이 과정과 함께 구하고, 〈약한 결합〉의 경우 〈참고 수식〉을 이용하여 $x_1(t)$와 $x_2(t)$의 그래프를 $t = 0$부터 $\dfrac{2\pi}{\omega_2 - \omega_1}$까지 각각 개략적으로 그리시오.

┤ 참고 수식 ├

$$\cos\alpha + \cos\beta = 2\cos\left(\frac{\beta - \alpha}{2}\right)\cos\left(\frac{\alpha + \beta}{2}\right)$$

$$\cos\alpha - \cos\beta = 2\sin\left(\frac{\beta - \alpha}{2}\right)\sin\left(\frac{\alpha + \beta}{2}\right)$$

2010-2차-2교시-04-1

45 철수는 그림과 같이 길이가 l_1, l_2인 줄에 질량 m인 쇠구슬을 달아 진자 실험을 하였다. 왼쪽에서 평행 광선을 비추었더니 스크린에 비친 두 쇠구슬의 그림자가 동일한 수직선상에서 각각 위아래로 진동하였다. 두 쇠구슬의 그림자 위치 y_1과 y_2를 MBL(Micro-computer Based Laboratory) 장치와 센서로 측정하여 시간에 대한 두 그림자 위치의 차이($y_2 - y_1$) 그래프를 얻었다.

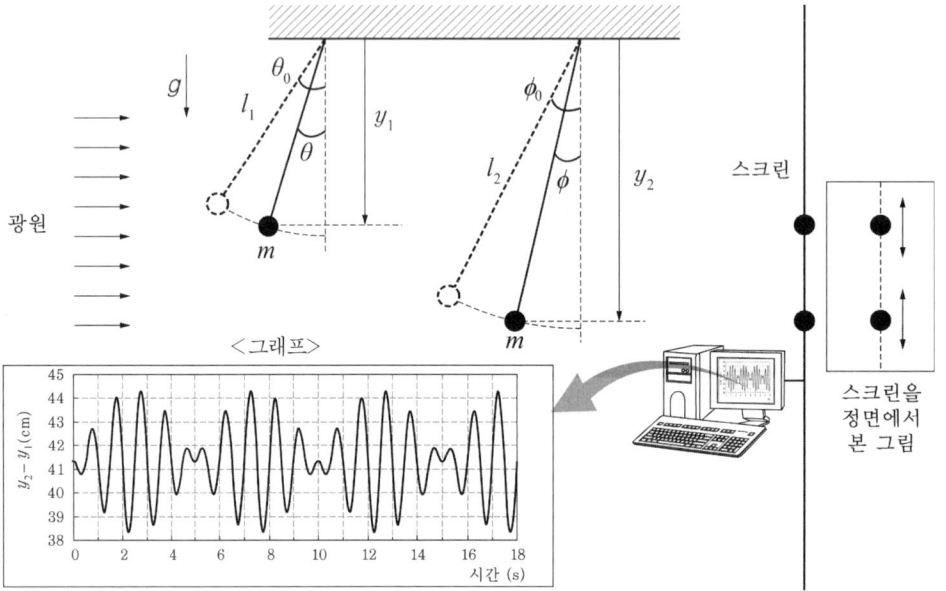

철수는 그래프에서 파형이 주기적으로 나타나는 것을 관찰하고, 이러한 특성을 다음과 같은 과정으로 알아보았다.

---

① 라그랑지안 방정식을 이용하여 두 진자의 운동을 분석한다.

줄의 질량과 공기 저항을 무시할 때, 라그랑지안은 $L = T - V = $ _____㉠_____ 이다.

라그랑지안 방정식을 적용하면 두 진자의 각도에 대한 방정식이 아래와 같다.

$$\ddot{\theta} + \frac{g}{l_1}\sin\theta = 0, \quad \ddot{\phi} + \frac{g}{l_2}\sin\phi = 0$$

초기값 θ_0와 ϕ_0가 작으면, $\theta = \theta_0\cos\omega_1 t$, $\phi = \phi_0\cos\omega_2 t$이다.

② 두 쇠구슬의 그림자 위치의 차이 $(y_2 - y_1)$를 구한다. 천장을 기준으로 하고, 아래 방향을 양(+)의 방향으로 하면, $y_1 = l_1\cos\theta$, $y_2 = l_2\cos\phi$이므로

$$
\begin{aligned}
y_2 - y_1 &= l_2\cos\phi - l_1\cos\theta \\
&\approx l_2\left(1 - \frac{1}{2}\phi^2\right) - l_1\left(1 - \frac{1}{2}\theta^2\right) \quad (\theta_0\text{가 작으므로 } \cos\theta \approx 1 - \frac{1}{2}\theta^2) \\
&= (l_2 - l_1) + \frac{1}{2}(l_1\theta^2 - l_2\phi^2) \\
&= (l_2 - l_1) + \frac{1}{2}(l_1\theta_0^2\cos^2\omega_1 t - l_2\phi_0^2\cos^2\omega_2 t)
\end{aligned}
$$

파형을 보면 _____㉡_____ 이므로, $A = \frac{1}{2}l_1\theta_0^2 = \frac{1}{2}l_2\phi_0^2$으로 두면,

$$
\begin{aligned}
y_2 - y_1 &= (l_2 - l_1) + A(\cos^2\omega_1 t - \cos^2\omega_2 t) = (l_2 - l_1) + \frac{A}{2}(\cos 2\omega_1 t - \cos 2\omega_2 t) \\
&= (l_2 - l_1) - A\sin(\omega_1 + \omega_2)t\sin(\omega_1 - \omega_2)t \\
&= (l_2 - l_1) - A\sin 2\pi(f_1 + f_2)t\sin 2\pi(f_1 - f_2)t
\end{aligned}
$$

③ 수학적으로 유도한 결과와 그래프의 파형을 비교하여, 두 진자의 진동수를 각각 구한다.

$f_1 = $ _____㉢_____ , $f_2 = $ _____㉣_____

위 과정에서 ㉠~㉣의 빈칸에 들어갈 내용을 쓰고, 만일 위 실험에서 평행광선을 위에서 아래로 비추어 바닥에 비친 두 진자의 그림자 위치 차이를 측정한다면 결과가 어떻게 달라질지 정성적으로 설명하시오.

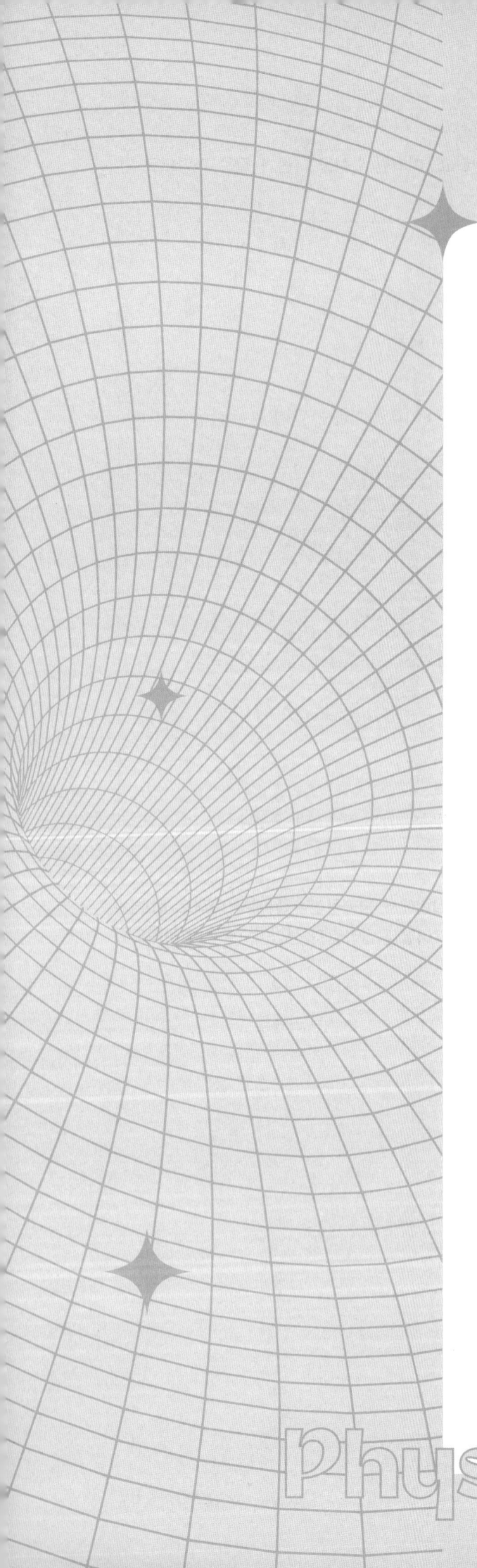

정승현
전공물리 기출문제집

Physics

CHAPTER

03

열역학

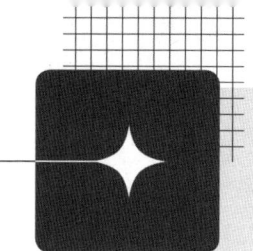

핵심 이론정리

---

1 열역학적 과정

⑴ 이상기체의 상태방정식

$$PV = nRT = Nk_BT$$

⑵ 기체의 부피 변화와 일

기체가 팽창할 때 외부에 일을 한다.

$$W = F\Delta l = PA\Delta l = P\Delta V$$

① $W > 0$: 기체가 외부에 일을 하였다.　(→ 부피 증가)

② $W < 0$: 기체가 외부에서 일을 받았다. (→ 부피 감소)

⑶ 열역학 제1법칙

기체에 가해준 열에너지(Q)는 내부에너지의 증가(ΔU)와 외부에 한 일(W)의 합과 같다.

즉, 열에너지와 역학적 에너지를 포함한 에너지 보존 법칙이다.

(공급한 열에너지(Q)) = (내부에너지의 증가(ΔU)) + (외부에 하는 일(W))

$$Q = \Delta U + W$$

⑷ 열역학 과정

① 등압과정 : 압력이 일정한 열역학 과정

$$\Delta Q = \frac{3}{2}nR\Delta T + nR\Delta T$$

등압과정에서 열량 ΔQ와 내부에너지 변화량 ΔE_k, 그리고 한 일 W의 비는

$\Delta Q : \Delta E_k : W = 5 : 3 : 2$이다.

② 등적과정 : 부피가 일정한 열역학 과정

$$\Delta Q = \Delta U$$

• 부피가 일정하게 유지되는 상태에서 기체에 열을 가하면 기체의 온도가 증가하고 압력이 커진다.

• 기체의 부피 변화가 없으므로 기체가 외부에 하는 일은 없다($W = 0$).

• 기체에 공급된 열은 모두 내부에너지의 증가에 쓰인다.

③ 등온과정: 온도가 일정한 열역학 과정

$$\Delta Q = P \Delta V$$

④ 단열과정: 기체가 외부와의 열 출입이 없는 상태($Q = 0$)에서 부피가 변하는 과정

단열과정에서 '$PV^\gamma = $ 일정', '$TV^{\gamma-1} = $ 일정'을 만족한다. ($\gamma = \dfrac{C_P}{C_V} = \dfrac{5}{3}$: 이상기체 비열비)

- 단열 팽창: 외부와의 열 출입이 없는 상태에서 기체의 부피가 팽창하는 변화이다.
  기체의 부피가 팽창하면서 하는 일($W = P \Delta V > 0$) 만큼 내부에너지($\Delta U < 0$)가 감소한다.

$$P \Delta V = -\Delta U > 0$$
(내부에너지 감소, 기체 온도 하강)

- 단열 압축: 외부와의 열 출입이 없는 상태에서 기체의 부피가 감소하는 변화이다.
  기체의 부피가 감소하면서 하는 일($W = P \Delta V < 0$) 만큼 내부에너지($\Delta U > 0$)가 증가한다.

$$P \Delta V = -\Delta U < 0$$
(내부에너지 증가, 기체 온도 상승)

2 열기관 및 열역학적 엔트로피

(1) 엔트로피(S, entropy)

① 계를 구성하는 분자들의 무질서한 척도

② 고립계가 자발적 변화를 일으키면 엔트로피는 증가함
$$\Delta S_{total} > 0 \ (\Delta S_{total} = \Delta S_{system} + \Delta S_{surroundings})$$

③ 자발적 변화의 기준
- $\Delta S_{total} > 0$: 반응이 자발적임
- $\Delta S_{total} = 0$: 반응 혼합물은 평형상태에 있음(예: 단열과정)
- $\Delta S_{total} < 0$: 반응이 비자발적임(자연적으로 일어나지 않음)

④ 엔트로피의 열역학적 정의: $\Delta S = \dfrac{\Delta Q}{T}$

(2) 열기관 효율

$e = \dfrac{W}{Q_H}$ 로 정의한다. 열효율 $e = \dfrac{Q_H - Q_C}{Q_H} = 1 - \dfrac{Q_C}{Q_H}$

(3) 카르노 기관

카르노가 제안한 이상적인 열기관이다. 고열원(T_H)에서 저열원(T_C)으로 열이 이동하는 과정에서 최대 효율을 낸다.

$$e_{카} = \frac{T_H - T_C}{T_H} = 1 - \frac{T_C}{T_H} \ (<1)$$

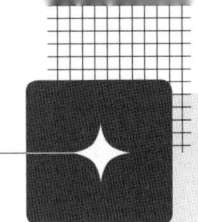

핵심 기출문제

❂ 정답 및 해설 41~48쪽

1 열역학적 과정

2002-16

01 그림은 1몰의 단원자 이상기체로 작동하는 카르노 기관의 압력(P)-부피(V) 그래프이다. 기체는 단열 팽창 과정을 거쳐 상태 A(온도 T_H, 압력 P_i, 부피 V_i)에서 상태 B(온도 T_L, 압력 P_f, 부피 V_f)로 된다. 기체 상수는 R, 내부에너지는 E로 표시하라.

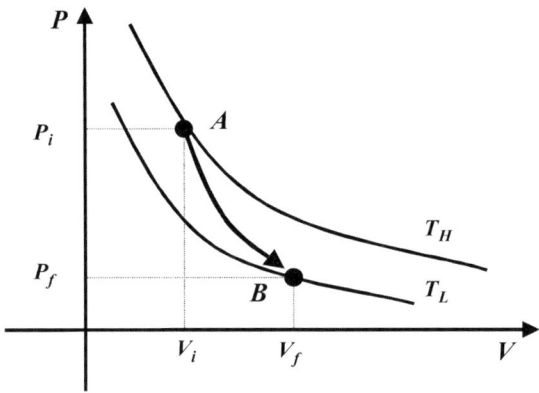

1) 단열과정($dQ = 0$)에서 열역학 제 1법칙과 단원자 기체 1몰의 상태방정식을 수식으로 표현하시오.

2) 위의 그림에서 상태 A에서 상태 B로 단열 팽창하는 동안 1몰의 기체가 한 일을 온도 T_H, T_L로 구하시오.

3) 문항 1)의 결과를 이용하여 $P_i V_i^{5/3} = P_f V_f^{5/3}$임을 증명하시오.

2004-18

02 단원자 이상기체 1몰이 그림과 같은 순환과정을 거친다. $b \to c$와 $c \to d$ 경로에서 한 일과 유입 또는 방출되는 열을 각각 V_0와 P_0로 나타내시오.

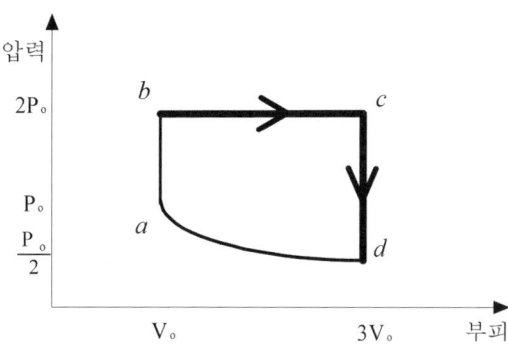

1) $b \to c$ 과정 일 :

2) $b \to c$ 과정 열 :

3) $c \to d$ 과정 일 :

4) $c \to d$ 과정 열 :

2005-11

03 그림은 1몰의 단원자 분자로 이루어진 이상기체가 처음 상태(P_0, V_0, T_0)에서 각각 등압과정(경로 1), 등온과정(경로 2), 단열과정(경로 3)을 거쳐서 부피가 V_1으로 팽창되는 과정을 나타낸 것이다. 각 경로에서, 부피가 V_1일 때의 온도 T_1, T_2, T_3와 이상기체가 한 일 W_1, W_2, W_3을 구하여 아래 표를 완성하시오.

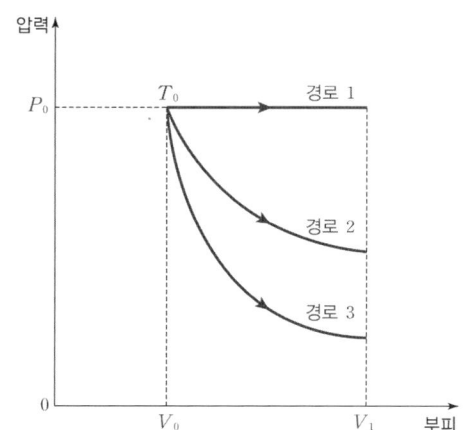

구분	온도	일
경로 1	$T_1 = ($ $)$	$W_1 = P_0(V_1 - V_0)$
경로 2	$T_2 = T_0$	$W_2 = ($ $)$
경로 3	$T_3 = ($ $)$	$W_3 = \dfrac{3}{2}P_0V_0\left[1 - \left(\dfrac{V_0}{V_1}\right)^{2/3}\right]$

2009-36

04 그림은 열적으로 고립된 실린더 속에서 같은 종류의 기체가 얇은 벽으로 나누어진 것을 나타낸다. 초기에 왼쪽 부분의 압력, 부피, 온도는 각각 $3P,\ 2V,\ T_1$이고, 오른쪽은 $P,\ V,\ T_2$이다.

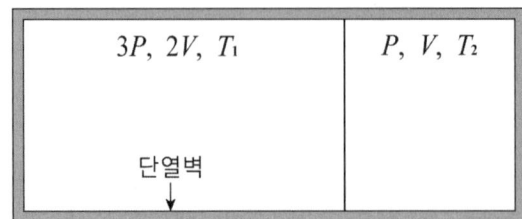

기체 분자는 단원자 분자이고 이상기체처럼 행동한다고 할 때, 얇은 벽을 제거한 후 평형상태에 도달하였을 때 온도와 압력은?

	온도	압력
①	$\dfrac{\varepsilon\,T_1 T_2}{T_1 + 5\,T_2}$	$\dfrac{5}{3}P$
②	$\dfrac{7\,T_1 T_2}{T_1 + 6\,T_2}$	$\dfrac{7}{3}P$
③	$\dfrac{8\,T_1 T_2}{T_1 + 7\,T_2}$	$\dfrac{5}{3}P$
④	$\dfrac{6\,T_1 T_2}{5\,T_1 + T_2}$	$\dfrac{7}{4}P$
⑤	$\dfrac{7\,T_1 T_2}{6\,T_1 + T_2}$	$\dfrac{9}{4}P$

2012-28

05 그림은 비열비가 $\dfrac{c_P}{c_V} = \gamma$인 같은 종류의 단원자 이상기체가 각각 1몰(mol)씩 들어 있는 두 실린더에 대해, 부피 V에 따른 압력 P를 나타낸 것이다. 기체의 부피가 V_1일 때 압력은 P_1로 서로 같고, 각 실린더의 기체는 과정 A 혹은 과정 B를 통해 V_1에서 V_2로 증가한다. A와 B 중 하나는 단열과정이고 다른 하나는 등온과정이다. A, B에서 부피가 V_0일 때, 압력은 각각 $2P_0$, P_0이다.

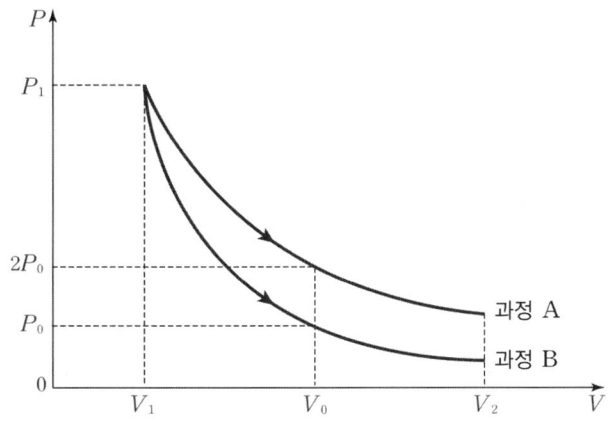

이에 대한 설명으로 옳은 것만을 〈보기〉에서 있는 대로 고른 것은?

| 보기 |

ㄱ. A는 등온과정이다.

ㄴ. B에서 기체의 내부에너지는 감소한다.

ㄷ. V_0에서 접선의 기울기의 크기는 B가 A의 $\dfrac{\gamma}{2}$배이다.

① ㄴ   ② ㄷ

③ ㄱ, ㄴ   ④ ㄱ, ㄷ

⑤ ㄱ, ㄴ, ㄷ

2013-31

06 그림 (가)는 직육면체 상자를 좌우로 분리하는 피스톤이 고정되어 있고 양쪽에 이상기체가 채워져 있는 것을 나타낸 것이다. 왼쪽 부분의 부피와 압력은 각각 V_1, p_1이고 오른쪽 부분은 V_2, p_2이다. 그림 (나)는 (가)의 피스톤이 마찰 없이 좌우로 자유롭게 이동할 수 있게 되어 평형을 이룬 상태를 나타낸 것이며, 이때 압력은 p이다. (가), (나)에서 기체의 온도는 T로 일정하게 유지된다.

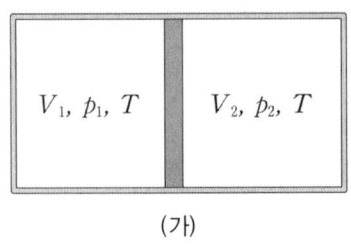 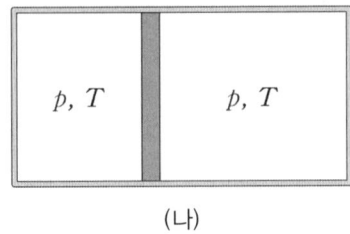

(가)   (나)

압력 p는?

① $\dfrac{2V_1V_2}{(V_1+V_2)^2}(p_1+p_2)$ ② $\dfrac{1}{2}\left(\dfrac{V_1}{V_2}p_1+\dfrac{V_2}{V_1}p_2\right)$

③ $\dfrac{1}{2}\left(\dfrac{V_2}{V_1}p_1+\dfrac{V_1}{V_2}p_2\right)$ ④ $\dfrac{p_1V_2+p_2V_1}{V_1+V_2}$

⑤ $\dfrac{p_1V_1+p_2V_2}{V_1+V_2}$

2016-A13

07 그림은 1몰의 단원자 분자 이상기체가 압력 p_0, 부피 V_0인 상태에서 $a \rightarrow b \rightarrow c$의 경로를 따라 변할 때, 기체의 압력 p와 부피 V의 관계를 나타낸 그래프이다. $a \rightarrow b$는 정적 과정, $b \rightarrow c$는 단열과정이다.

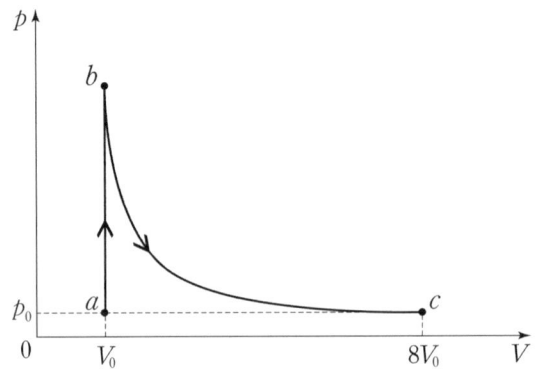

$a \rightarrow b$ 과정에서 기체에 유입된 열에너지 Q_{ab}와 $b \rightarrow c$과정에서 기체가 한 일 W_{bc}를 각각 풀이 과정과 함께 구하시오. (단, 단원자 분자 이상기체의 비열비 $\gamma = \dfrac{5}{3}$이다.)

2026-A10

08 그림 (가)는 두 개의 단열된 피스톤으로 구분되어 있는 절대 온도가 T_0, $2T_0$, T_0인 단원자 분자 이상기체 X, Y, Z가 같은 부피 V_0으로 역학적 평형을 이루고 있는 것을 나타낸 것이다. 그림 (나)는 (가)에서 기체 X에 Q_1의 열을, 기체 Z에 Q_2의 열을 외부로부터 가했더니, X, Y, Z의 절대 온도가 각각 $68T_0$, $8T_0$, $24T_0$이 되어 X, Y, Z가 역학적 평형을 이루고 있는 것을 나타낸 것이다.

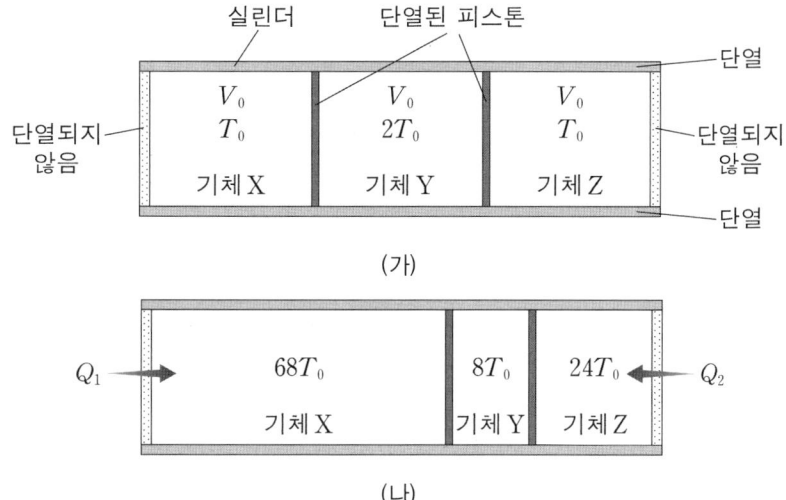

(가)

(나)

(나)에서 Y의 부피를 V_0로 나타내고, Y의 압력을 N, k, T_0, V_0으로 나타내시오. $Q_1 + Q_2$를 풀이 과정과 함께 N, k, T_0으로 나타내시오. (단, X의 분자수는 N이고, k는 볼츠만 상수이며, 기체가 열을 흡수한 경우에는 열의 부호를 양($+$)로 한다. 피스톤과 실린더 사이의 마찰은 무시한다. 단원자 분자 이상기체 1몰(mol)의 정압 비열과 정적 비열은 각각 $\frac{5}{2}R$, $\frac{3}{2}R$이며, R은 기체 상수이다.)

2 열기관 및 열역학적 엔트로피

2003-09

09 그림과 같이 온도 $T_A = 400\text{K}$ 인 열원 A 에서 온도 $T_B = 300\text{K}$ 인 열원 B 로 1200J 의 열이 이동하였다. 각 열원의 온도는 변화가 없다.

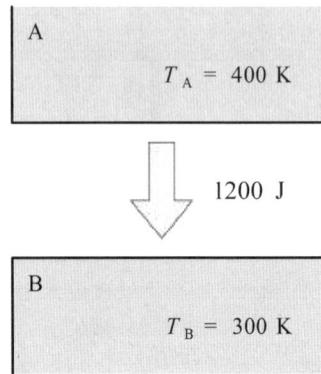

1) 열원 A 와 열원 B 의 엔트로피 변화 $\triangle S_A$ 와 $\triangle S_B$ 를 각각 구하시오.

2) 위 1)의 결과를 이용하여 열역학 제2법칙을 설명하시오.

2023-A12

10 그림은 외부와 단열된 상태에서 서로 접촉해 있는 두 금속 A, B로 이루어진 계를 나타낸 것이다. A, B 의 질량은 각각 m, $\frac{3}{2}m$ 이고, 비열은 c 와 $\frac{4}{3}c$ 이다. 처음 A와 B의 절대 온도는 각각 $4T$, T 이었고, 이후 열평형상태에 도달하여 온도가 T_0 이 되었다.

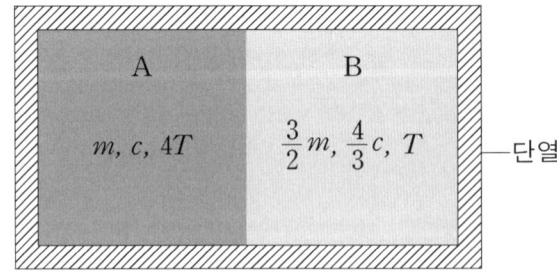

A에서 B로 전달된 열량과 T_0 을 각각 구하시오. 열평형상태에 도달하는 과정 동안 계의 총 엔트로피 변화를 풀이 과정과 함께 구하시오. (단, A와 B 각각의 비열과 부피는 일정하다.)

11 2006-12

다음 그림은 어떤 열기관의 열역학적 순환과정을 온도-엔트로피 평면에 나타낸 것이다. 한 순환과정에서 기관이 하는 일 W와 기관의 열효율 η를 구하시오.

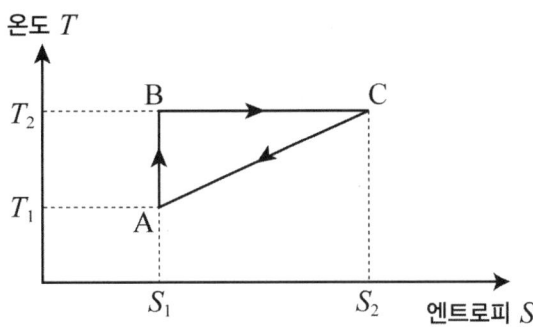

12 2007-24

그림은 n몰의 단원자 이상기체를 이용한 열기관의 작동 과정 일부를 나타내는 압력-부피 그래프이다. 압력, 부피, 절대 온도가 각각 P_1, V_1, T_1인 처음 상태에서 P_2, V_2, T_2인 상태로 부피가 늘어나는 동안 이 기체는 $PV^2 = K$ (K는 상수)를 만족한다. 이 과정에서 기체가 외부에 한 일 W, 방출한 열, 엔트로피 변화 $\triangle S$를 T_1, T_2의 함수로 구하시오. (단, 기체 상수는 R이다.)

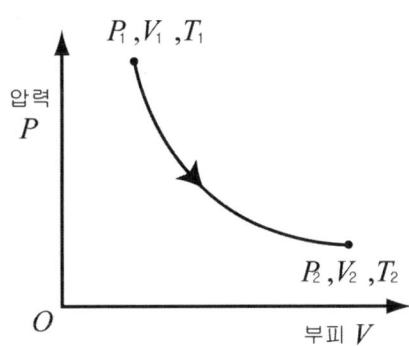

1) W:

2) 방출한 열:

3) $\triangle S$:

2009-35

13 온도 T_1인 계 A 가 온도 T_2인 열원(heat reservoir) B 와 열접촉 하고 있으며, 이들은 외부로부터 고립되어 있다. 계 A 는 열원 B로부터 열에너지를 흡수하여 압력은 일정하게 유지된 채로 온도가 T_2로 상승하였다. 이 과정에서 열원 B 의 엔트로피의 변화는? (단, R은 기체 상수, n은 계 A 의 몰수이며, 계 A 의 정압 몰비열 c_p는 일정하다.)

① $nR\ln\dfrac{T_1}{T_2}$

② $nc_p\ln\dfrac{T_2}{T_1}$

③ $nc_p\ln\dfrac{T_1}{T_2}$

④ $nc_p\left(1-\dfrac{T_1}{T_2}\right)$

⑤ $nc_p\left(\dfrac{T_1}{T_2}-1\right)$

2010-28

14 내부가 진공 상태인 밀폐된 금속 상자를 가열하면 상자의 내부 벽면으로부터 전자기파의 복사가 일어난다. 상자의 절대 온도가 T일 때, 상자 내부에 생성된 광자의 총 에너지는 T^4에 비례한다. T를 2배로 증가시켰을 때, 광자의 총 엔트로피는 몇 배로 증가하는가? (단, 금속 상자의 부피 변화는 무시한다.)

① 2배

② 4배

③ 8배

④ 16배

⑤ 32배

2010-36

15 그림은 정적 비열이 $1.5R$(R는 기체 상수)인 1몰의 이상기체가 상태 a에서 b까지 등온팽창 한 후, 일정한 부피에서 압력이 감소되어 압력 p_c인 상태 c로 가는 과정을 나타낸 것이다. a에서 압력은 200kPa이고, 부피는 5L이다. a에서 b까지 등온팽창 하는 동안 기체의 엔트로피는 $R\ln2$만큼 증가하였다.

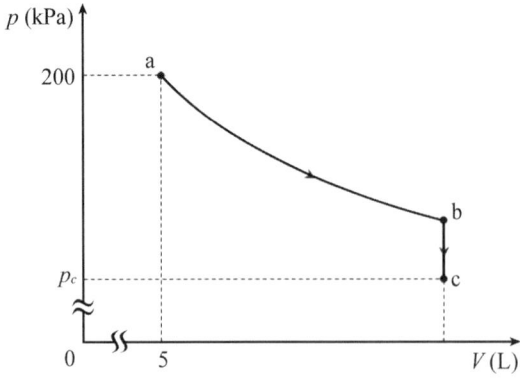

기체의 압력이 b에서 c까지 감소되는 동안 기체가 600J의 열을 방출하였을 때, 압력 p_c는?

① 45kPa

② 50kPa

③ 55kPa

④ 60kPa

⑤ 65kPa

16

2011-39

그림은 이상적인 열기관에 사용된 단원자 분자 이상기체의 상태가 $A \rightarrow B \rightarrow C \rightarrow D \rightarrow A$의 경로를 따라 변할 때, 기체의 부피 V와 절대 온도 T의 관계를 나타낸 것이다. $A \rightarrow B$와 $C \rightarrow D$는 등온과정이고, $B \rightarrow C$와 $D \rightarrow A$는 단열과정이며, T_H와 T_L은 각각 고온 열원과 저온 열원의 절대 온도이다.

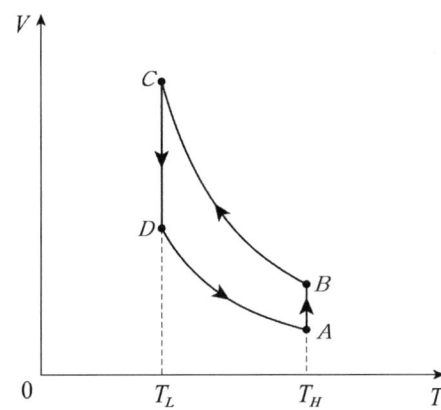

이 열기관에 대한 설명으로 옳은 것만을 〈보기〉에서 모두 고른 것은?

보기
ㄱ. $A \rightarrow B$에서 증가한 기체의 엔트로피는 $C \rightarrow D$에서 감소한 기체의 엔트로피와 같다.
ㄴ. 열기관의 효율은 $1 - \dfrac{T_L}{T_H}$이다.
ㄷ. 이상기체가 $A \rightarrow B \rightarrow C$에서 한 일은 $C \rightarrow D \rightarrow A$에서 외부로부터 받은 일과 같다.

① ㄱ   ② ㄴ

③ ㄱ, ㄴ   ④ ㄱ, ㄷ

⑤ ㄴ, ㄷ

2013-32

17 그림은 온도가 T_L인 계 S와 온도가 T_H인 고온 열원(heat reservoir) R 사이에서 카르노 순환과정에 따라 작동하는 냉방기에 의하여, 순환과정의 주기 τ 동안 S에서 열 Q_L이 제거되고 R로 열 Q_H가 방출되는 것을 모식적으로 나타낸 것이다. W는 냉방기에 연결된 전기가 τ 동안 냉방기에 해주는 일이다. τ 동안 S에 열 $k(T_H - T_L)$이 유입되지만 냉방기가 제거하는 Q_L과 상쇄되어 S의 온도 T_L은 일정하게 유지된다.

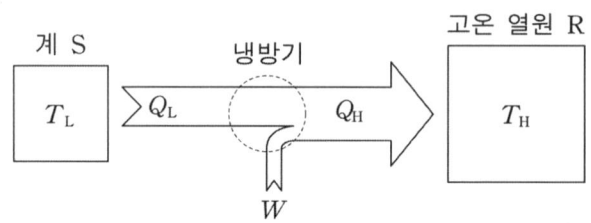

엔트로피는 카르노 순환과정의 엔트로피 변화만을 고려할 때, W는? (단, k는 양의 상수이고, $T_L < T_H$ 이며, 고온 열원은 충분히 커서 T_H의 변화를 무시한다.)

① $k\dfrac{T_H^2 - T_L^2}{T_H}$

② $k\dfrac{T_H(T_H - T_L)}{T_L}$

③ $k\dfrac{T_L(T_H - T_L)}{T_H}$

④ $k\dfrac{(T_H - T_L)^2}{T_H}$

⑤ $k\dfrac{(T_H - T_L)^2}{T_L}$

2019-A08

18 그림은 어떤 열기관에 사용된 1몰(mol)의 단원자 분자 이상기체의 상태가 A → B → C → D → A의 경로를 따라 변할 때, 기체의 압력 P와 부피 V의 관계를 나타낸 것이다. A→B, B→C, C→D, D→A는 각각 단열, 정압, 단열, 정적 과정이고, A, B, C, D에서 온도는 각각 T_A, T_B, T_C, T_D이다. 이 기체의 정압 비열은 $\dfrac{5}{2}R$이고, 정적 비열은 $\dfrac{3}{2}R$이다.

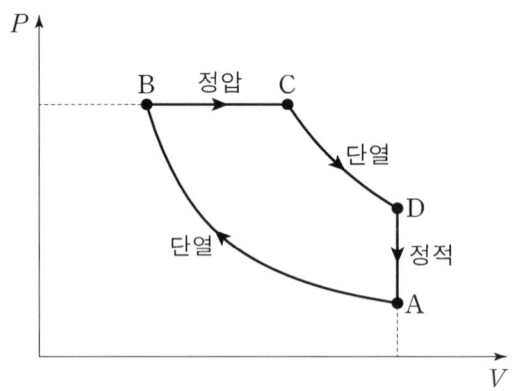

한 번의 순환과정에서 기체가 한일 W와 열기관의 열효율 η를 구하시오. (단, R은 기체 상수이다.)

19

2017-A12

그림은 아르곤과 질소가 같은 몰수로 혼합된 기체를 단열 실린더에 채운 후, 부피 V_0, 온도 T_0, 압력 P_0인 초기 상태에서 준정적(quasistatic)으로 압축시켜 부피가 V로 된 것을 나타낸 것이다.

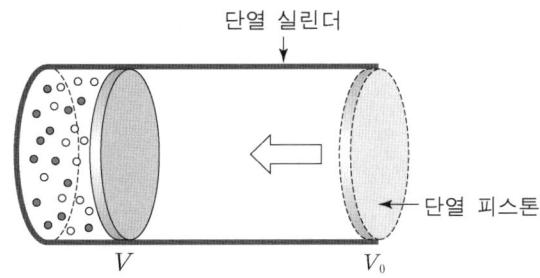

계의 엔트로피 변화가 없음을 이용하여 $V = \dfrac{1}{4}V_0$일 때 온도 T와 압력 P를 풀이 과정과 함께 구하시오. (단, 기체를 이상기체로 가정하며, 아르곤과 질소의 정적 몰비열은 각각 $\dfrac{3}{2}R$, $\dfrac{5}{2}R$이고, R은 기체 상수 이다.)

20

2014-A10

그림은 열효율이 각각 η_1, η_2인 열기관 1, 2가 결합되어 있는 전체 열기관을 나타낸 것이다. 열기관 1은 열원 R_1에서 열 Q_1을 흡수하여 열원 R_0에 열 Q_0을 배출하고 $(Q_1 - Q_0)$의 일을 한다. 열기관 2는 R_0에서 Q_0을 흡수하여 열원 R_2에 열 Q_2를 배출하고 $(Q_0 - Q_2)$의 일을 한다.

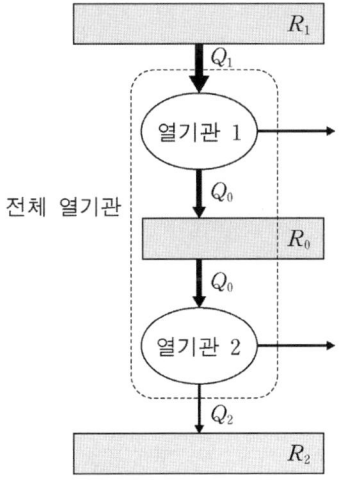

전체 열기관의 열효율을 η_1과 η_2로 나타내시오.

2022-B11

21 그림은 1몰(mol)의 단원자 분자 이상기체의 상태가 $A \rightarrow B \rightarrow C \rightarrow D \rightarrow E \rightarrow A$의 경로를 따라 변할 때, 기체의 압력 P와 부피 V의 관계를 나타낸 것이다. $A \rightarrow B$, $D \rightarrow E$는 정적, $B \rightarrow C$, $E \rightarrow A$는 정압, $C \rightarrow D$는 등온과정이다. 이 기체의 정적 비열은 $\frac{3}{2}R$이고, 정압 비열은 $\frac{5}{2}R$이다.

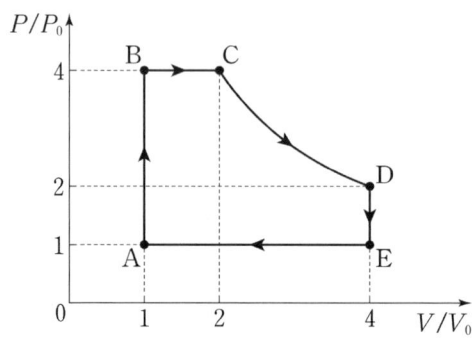

$D \rightarrow E \rightarrow A$ 과정에서 방출된 열을 Q_{out}이라 하고, 한 번의 순환과정에서 기체가 한 일을 W라 할 때, $\dfrac{|Q_{\text{out}}|}{P_0 V_0}$과 $\dfrac{|W|}{P_0 V_0}$를 각각 풀이 과정과 함께 구하시오. (단, R는 기체 상수이다.)

22 2020-B11

그림 (가)는 1몰의 단원자 이상기체를 실린더에 넣어 용수철이 원래 길이에서 l만큼 줄어들어 피스톤이 정지해 있는 모습을 나타낸 것이다. 실린더와 피스톤은 단열되어 있다. 그림 (나)는 (가)에서 기체에 열을 서서히 가했더니 용수철이 $\dfrac{l}{2}$만큼 더 줄어서 힘의 평형을 이루어 피스톤이 정지해 있는 모습을 나타낸 것이다. 용수철 상수는 k이고, 용수철이 있는 부분은 진공이다.

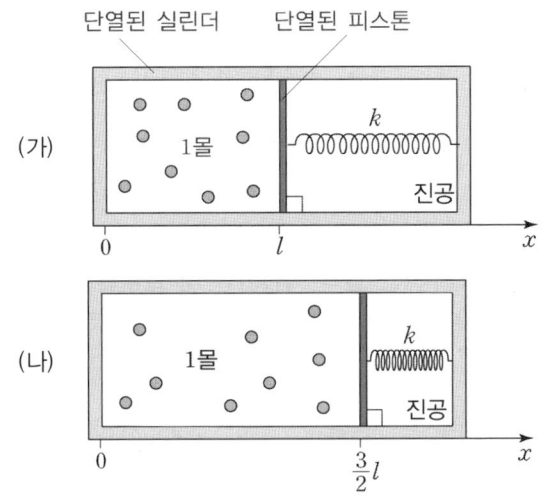

용수철이 원래 길이에서 $x\left(l \leq x \leq \dfrac{3}{2}l\right)$만큼 줄어들었을 때, 기체의 절대 온도 T를 x, k, R로 나타내시오. (가)의 상태에서 (나)의 상태에 도달하는 동안 기체에 공급한 열량 Q를 풀이 과정과 함께 k와 l로 구하시오. 또한 (가)의 상태와 (나)의 상태에서 기체의 엔트로피의 차 $\triangle S$를 구하시오. (단, R는 기체 상수이고, 실린더와 피스톤의 마찰은 무시한다.)

┤ 자료 ├

용수철이 원래 길이에서 x만큼 줄어들었을 때, 이상기체의 압력은 $P = \dfrac{kx}{A}$이고, 이상기체의 부피는 $V = Ax$이다. A는 피스톤의 단면적이다.

2024-A09

23 그림은 열기관에 사용된 1몰(mol)의 단원자 분자 이상기체의 상태가 A → B → C → D → A의 경로를 따라 변할 때, 기체의 압력과 부피 관계를 나타낸 것이다. A → B, C → D는 단열, B → C, D → A는 정압 과정이다. A, B, C, D에서의 온도는 각각 T_A, T_B, T_C, T_D 이다.

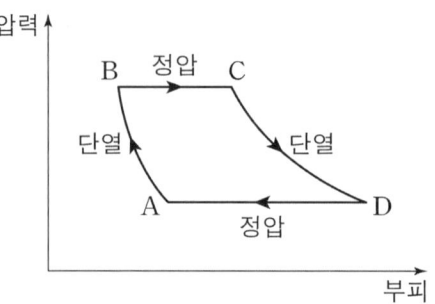

B → C 과정에서 기체에 흡수되는 열과 이 열기관의 효율을 제시된 온도 값으로 나타내시오. C → D 과정에서 기체가 한 일을 풀이 과정과 함께 제시된 온도 값으로 구하시오.

┤ 자료 ├───

• 단원자 분자 이상기체 1몰(mol)의 정압 비열은 $\frac{5}{2}R$이고, 정적 비열은 $\frac{3}{2}R$이며, R은 기체 상수이다.

• 단원자 분자 이상기체의 단열과정에서 $PV^{\frac{5}{3}}$은 일정하다.

───

2025-A11

24 그림은 열기관에 사용된 1몰(mol)의 단원자 분자 이상기체의 상태가 A → B → C → D → A의 경로를 따라 순환할 때, 기체의 압력과 온도 관계를 나타낸 것이다. A → B는 등온, B → C는 정적, C → D는 등온, D → A는 정적 과정이다. A에서의 압력, 부피, 절대 온도는 각각 P_0, V_0, T_0이고, C에서의 절대 온도는 $\dfrac{T_0}{2}$이다. B와 D에서의 압력은 $\dfrac{P_0}{2}$이다.

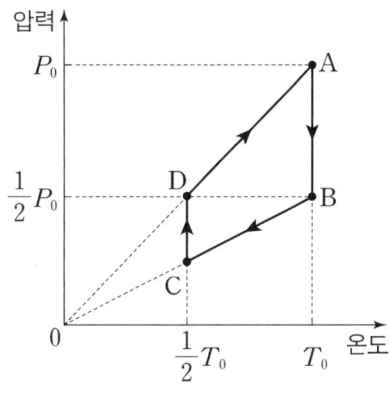

A → B 과정에서 기체가 한일 W_{AB}와, B → C 과정에서 기체의 내부에너지 변화 ΔU_{BC}를 각각 $P_0 V_0$로 나타내시오. 또한 이 열기관의 효율 η를 풀이 과정과 함께 구하시오.

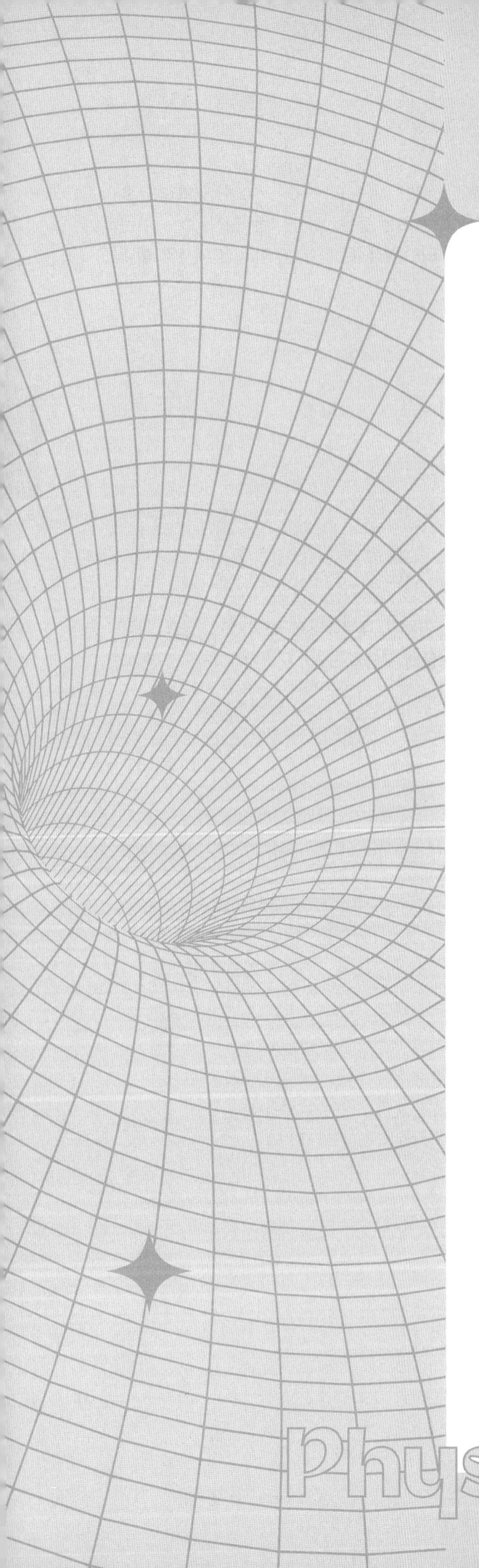

정승헌
전공물리 기출문제집

Physics

CHAPTER

04

통계역학

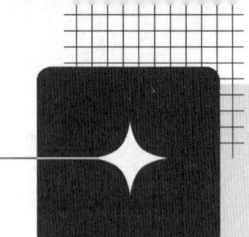

핵심 이론정리

1 현실 기체 이론

현실적인 기체에 적용 상태변화와 상태방정식
→ 입자수 N개의 반데르발스 기체의 상태방정식은 다음과 같다.

$$\left(p + \frac{N^2 a}{V^2}\right)(V - Nb) = NkT$$

2 거시 통계

거시 통계의 엔트로피 $S = k_B \ln \Omega$, 상태수 Ω
입자수가 적을 때 직접 계산, 입자수가 충분히 많을 때 위상공간 배치로 근사적 계산한다.

(1) 열역학 1법칙 및 2법칙의 통계적 활용

① $dQ = dU + PdV$: 열역학 1법칙

② $dQ = TdS$: 열역학 2법칙

③ $dU = TdS - PdV$

→ $dU(S, V) = \left(\frac{\partial U}{\partial S}\right)_{V, N} dS + \left(\frac{\partial U}{\partial V}\right)_{S, N} dV$

$T = \left(\frac{\partial U}{\partial S}\right)_{V, N}, \ -P = \left(\frac{\partial U}{\partial V}\right)_{S, N}$

→ $dS(U, V) = \frac{1}{T} dU + \frac{P}{T} dV$

$\frac{1}{T} = \left(\frac{\partial S}{\partial U}\right)_{V, N}, \ \frac{P}{T} = \left(\frac{\partial S}{\partial V}\right)_{U, N}$

(2) 자유 에너지 F

$$F = U - TS$$

자유 에너지의 정의는 온도와 부피가 일정한 상태에서 시스템이 가지는 최소한의 퍼텐셜 에너지이다.
열평형상태에서는 온도도 일정하고 열교환이 없으므로 자유 에너지가 극값(최솟값)을 갖는다.

$$\rightarrow dF = dU - TdS - SdT$$
$$= (TdS - PdV) - TdS - SdT$$
$$= -SdT - PdV$$

$$-S = \left(\frac{\partial F}{\partial T}\right)_{V,\,N}, \quad -P = \left(\frac{\partial F}{\partial V}\right)_{T,\,N}$$

3 미시 통계

(1) 헬름홀츠 자유 에너지 정의

$$F = U - TS = -kT\ln Z$$

(2) 불연속 에너지 분포에서 분배함수 Z 정의

$$Z = \sum_i e^{-\beta E_i}$$

(3) 내부에너지 정의

$$U = -\frac{\partial \ln Z}{\partial \beta}$$

※ 3차원 단원자 분자 이상기체 분포함수의 예시

(4) 맥스웰-볼츠만 분포함수

이상기체의 속력 분포함수

$$f_{MB}(v) = 4\pi \left(\frac{m}{2\pi kT}\right)^{3/2} v^2 e^{-\frac{mv^2}{2kT}}$$

① 최빈 속력: $v_p \rightarrow \dfrac{df(v)}{dv} = 0 \quad v_p = \sqrt{\dfrac{2kT}{m}}$

② 평균 속력: $\bar{v} = \sqrt{\dfrac{8kT}{\pi m}}$

③ 제곱평균제곱근 속력: $v_s = \sqrt{\langle v^2 \rangle} = \sqrt{\dfrac{3kT}{m}}$

4 보존 통계

(I) 상태밀도

$$D(E)$$

(2) 보존 통계 함수

$$n_{BE} = \frac{1}{e^{\beta E} - 1}$$

(3) 입자수

$$N = \int_0^\infty D(E) \cdot n_{BE}\, dE$$

(4) 평균 에너지

$$U = \langle E \rangle_{BE} = \int_0^\infty E \cdot D(E) \cdot n_{BE}\, dE$$

5 고체이론(페르미 기체 모형)

(I) 입자수

$$N = \int_0^\infty D(E) \cdot n_{FD}\, dE$$

$$T = 0 일 \ 때, \ n_{FD} = 1$$

$$\therefore N = \int_0^{E_F} D(E)\, dE$$

(2) 평균 에너지

$$U = \int_0^{E_F} E \cdot D(E)\, dE$$

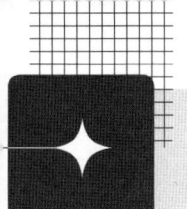

핵심 기출문제

○ 정답 및 해설 49~60쪽

1 현실 기체 이론

2008-17

01 압력 P, 부피 V, 온도 T인 n몰의 반데르발스 기체는 다음과 같은 상태방정식을 만족한다.

$$\left(P + \frac{n^2 a}{V^2}\right)(V - nb) = nRT$$

여기서 a, b, R은 모두 상수이다. 온도 T인 이 기체 n몰이 부피 V_1에서 V_2로 등온 팽창하는 동안 기체가 외부에 한 일 W를 구하시오.

2014-A05(서술형)

02 상태방정식이 $(P + a)(v - b) = RT$로 주어지는 1mol의 기체가 있다. P, v, T는 각각 압력, 부피, 온도이고 R는 기체 상수이며 a, b는 양의 상수이다. 엔트로피의 변화는 다음 방정식을 만족한다.

$$T ds = c_v dT + T\left(\frac{\partial P}{\partial T}\right)_v dv$$

여기서 s, c_v는 각각 1mol에 대한 엔트로피와 정적 비열이다. 이 기체가 온도 T_0에서 가역 등온과정을 통해 부피가 v_1에서 v_2로 변했을 때, 기체가 한 일을 구하고, 이때 기체의 엔트로피 변화를 위 식을 사용하여 풀이 과정과 함께 구하시오.

03 2018-B05 그림과 같이 부피가 모두 V_0인 2개의 단열 용기가 밸브를 통해 연결되어 있다. 왼쪽 용기에는 1몰 반데르발스 기체가 채워져 있고, 오른쪽 용기는 진공 상태이다.

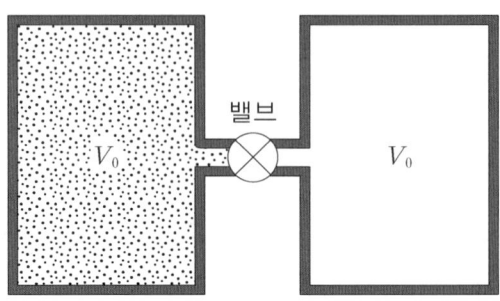

잠겨있던 밸브를 열었더니 기체가 자유롭게 팽창하여 부피가 $2V_0$이 되고 평형상태에 도달하였다. 이 과정에서 기체는 일을 하지 않는다.

기체의 내부에너지 변화 ΔE를 구하고, 〈자료〉를 참고하여 기체의 온도 변화 ΔT를 풀이 과정과 함께 구하시오. (단, 용기와 밸브의 비열은 무시하며, 팽창하는 동안 기체의 정적 비열 C_V는 일정하다고 가정한다.)

┤ 자료 ├
- 1몰 반데르발스 기체의 상태방정식은 다음과 같다.

$$\left(p + \frac{a}{V^2}\right)(V - b) = RT$$

  a와 b는 상수, p는 기체의 압력, V는 기체의 부피, T는 기체의 절대 온도, R은 기체 상수이다.
- 기체의 내부에너지 E의 미소 변화는 다음과 같다.

$$dE = C_V dT + \left[T\left(\frac{\partial p}{\partial T}\right)_V - p\right]dV$$

04

2011-2차-2교시-04

다음은 자유 팽창을 하는 기체의 온도 변화를 기술한 것이다.

그림은 내부 및 외부와 열적으로 고립된 단단한 용기에 단원자 분자로 이루어진 기체가 얇은 칸막이에 의해 왼쪽에 갇혀 있는 것을 나타낸 모식도이다. 왼쪽 기체의 부피와 온도는 각각 V_1, T_1이고, 분자의 수는 $N = nN_0$(n은 몰수, N_0는 아보가드로 수)이다. 오른쪽은 진공이고 부피는 V_2이다. 밸브를 열면 기체가 자유 팽창을 하게 되는데, 전체 계가 평형상태에 도달하게 되면 기체의 온도는 T_3가 된다.

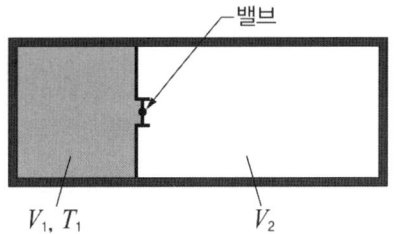

이 자유 팽창에서 기체의 내부에너지는 변화가 없으므로 $dE = TdS - pdV = 0$식을 만족한다. 엔트로피 변화는 식 (1)과 같이 쓸 수 있다.

$$dS = \frac{p}{T}dV \cdots\cdots (1)$$

엔트로피의 변화를 온도와 부피로 나타내면 식 (2)가 된다. 여기에서 c_V는 정적 몰비열이다.

$$dS = \left(\frac{\partial S}{\partial T}\right)_V dT + \left(\frac{\partial S}{\partial V}\right)_T dV = \frac{nc_V}{T}dT + \left(\frac{\partial p}{\partial T}\right)_V dV \cdots\cdots (2)$$

식 (1)과 (2)로부터 식 (3)을 얻는다.

$$dT = \frac{1}{nc_V}\left[p - T\left(\frac{\partial p}{\partial T}\right)_V\right]dV \cdots\cdots (3)$$

기체의 상태방정식을 알면 $\left(\frac{\partial p}{\partial T}\right)_V$를 구하여 식 (3)을 적분함으로써 기체의 온도 변화 $\Delta T = T_3 - T_1$을 계산할 수 있다. 이 기체를 이상기체, 반데르발스 기체, 기체 X라고 가정했을 때, 각각의 경우에 온도 변화를 구해보면 아래 표와 같다. 표에서 $R = kN_0$는 기체 상수, k는 볼츠만 상수, a와 b는 상수이다. 온도 변화 과정 동안 c_V는 변하지 않는다고 가정한다.

기체	상태방정식	ΔT
이상기체	$pV = nRT = NkT$	A
반데르발스 기체	$\left(p + \frac{an^2}{V^2}\right)(V - bn) = nRT = NkT$	B
기체 X	$\frac{p}{kT} = \frac{N}{V}\left[1 + \left(-\frac{a}{N_0^2 kT} + \frac{b}{N_0}\right)\frac{N}{V}\right]$	C

상수 a, b의 물리적 의미와 기체 분자 사이의 퍼텐셜 에너지 그래프를 이용하여 $A = 0$이고, $B = C < 0$의 관계가 성립하는 이유를 설명하고, 반데르발스 기체의 상태방정식과 기체 X의 상태방정식이 $\left(\frac{bn}{V}\right)^2$을 포함하는 항까지 같게 되는 조건을 구하고, 그 조건의 의미를 설명하시오.

2 거시 통계

2018-A08

05 그림은 상자 안에 서로 구별되지 않는 입자 4개가 운동하고 있는 고립계 모형을 나타낸 것이다. 상자를 같은 크기인 4개의 구역으로 나눌 때, 어느 순간에 입자가 각 구역에 들어가 있을 확률은 $\frac{1}{4}$ 로 모두 같다. 그림 (가)의 경우처럼 왼쪽 위 구역에 4개의 입자가 모두 들어가 있는 상태를 A 라 하고, 그림 (나)의 경우처럼 4개의 구역 각각에 1개의 입자만 들어가 있는 상태를 B 라 하자.

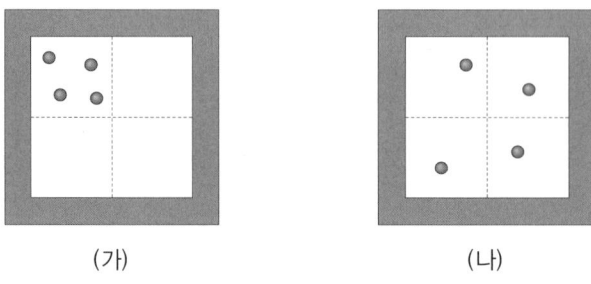

(가)   (나)

A 와 B 의 상태가 나타날 확률은 각각 P_A 와 P_B 이고, A 와 B 의 엔트로피는 각각 S_A 와 S_B 이다. 확률의 비 $\frac{P_B}{P_A}$ 를 구하고, 엔트로피 차 $(S_B - S_A)$ 를 볼츠만 상수 k 를 포함하는 식으로 구하시오.

2015-A03(서술형)

06 그림과 같이 흰 상자 3개와 검은 상자 3개가 있고 상자에 들어갈 수 있는 입자가 4개 있다. 각 상자에는 입자가 하나씩만 들어갈 수 있고, 모든 입자는 반드시 상자에 들어가야 한다. 입자가 흰 상자에 들어가면 J 의 에너지를 갖고, 검은 상자에 들어가면 $2J$ 의 에너지를 갖는다. 각 상자는 구별되지만, 입자는 구별되지 않는다.

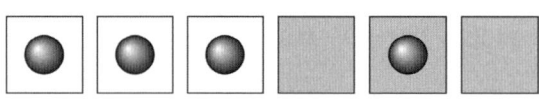

계가 가질 수 있는 에너지값을 모두 쓰고, 에너지값 각각에 대해 미시 상태의 겹침수(축퇴도)를 쓰시오. 또한 계의 엔트로피가 가장 클 때의 에너지값을 쓰고, 그 값에서 엔트로피가 가장 큰 이유를 설명하시오.

2003-11

07 분자 수 N, 부피 V인 이상기체의 양자 상태수(배열 방법의 수) Ω는 $\Omega(E, V, N) = f(N)V^N E^{3N/2}$으로 주어진다. 여기서 $f(N)$은 N의 함수이며, E는 내부에너지이다.

1) 기체의 엔트로피를 구하시오.

2) 기체의 내부에너지 E를 온도의 함수로 구하시오.

3) 위의 이상기체 분자 N개를 이원자분자 N개로 대체하였을 경우, 양자 상태수 Ω는 어떻게 수정되는지 쓰시오. 이때, 기체의 온도는 수백 K 이어서 진동자 유도는 고려하지 않는다.

2021-A04

08 N개의 입자로 이루어진 계가 있다. 이 계의 허용 가능한 상태 수는 $\Omega = aU^N V^N$이고, a는 상수, U는 내부에너지, V는 부피이다. U와 압력 p를 각각 N, V, 온도 T로 나타내시오.

┤ 자료 ├
엔트로피 $S = k_B \ln \Omega$의 변화량 dS는 $dS = \dfrac{1}{T}dU + \dfrac{p}{T}dV = \left(\dfrac{\partial S}{\partial U}\right)_V dU + \left(\dfrac{\partial S}{\partial V}\right)_U dV$이고, k_B는 볼츠만 상수이다.

2017-B03

09 자기 쌍극자 모멘트 m인 N개의 원자가 고체의 격자점에 고정된 계가 있다. 이 계가 세기 B인 자기장 속에 놓일 때, 원자들의 자기 쌍극자 모멘트는 자기장과 상호작용하여 자기장과 같은 방향이거나 반대 방향인 두 가지 상태만 가능하고 원자들 사이의 상호작용은 없다고 가정한다. 온도 T인 상태에서 어떤 순간에 자기 쌍극자 모멘트가 자기장과 같은 방향인 원자수를 N_+, 자기장에 반대 방향인 원자수를 N_- 이라 하자. 이때 $N_+ = \dfrac{N}{2} + s$, $N_- = \dfrac{N}{2} - s$라 두면 계의 자기 에너지 E와 엔트로피 S는 변수 s의 함수로서 $N \gg 1$, $N \gg s$인 경우 다음과 같이 표현된다.

$$E = -(N_+ - N_-)mB = -2smB$$

$$S = k \ln \frac{N!}{N_+! \, N_-!}$$
$$\approx k\left[N\ln N - \left(\frac{N}{2}+s\right)\ln\left(\frac{N}{2}+s\right) - \left(\frac{N}{2}-s\right)\ln\left(\frac{N}{2}-s\right) \right]$$

이 계의 헬름홀츠 자유 에너지 F를 s의 함수로 나타내고, F는 평형상태에서 극솟값을 가짐을 이용하여 평형상태의 자기 에너지 $E_{평형}$을 풀이 과정과 함께 구하시오. (단, $F = E - TS$이고, k는 볼츠만 상수, $\beta = \dfrac{1}{kT}$ 이다.)

3 미시 통계

2011-38

10 3차원에서 운동하는 질량 m인 입자들로 구성된 단원자 분자 이상기체가 절대 온도 T인 열원과 평형상태에 있다. 이 기체 입자들은 맥스웰 속도 분포를 따르며, 최빈속력(the most probable speed)은 $v_M = \sqrt{2k_B T/m}$ 이다. 이 기체 입자 속도의 x방향 성분을 v_x라 할 때, $(v_x - v_M)^2$의 평균값은? (단, k_B는 볼츠만 상수이다.)

① $\dfrac{3k_B T}{2m}$ ② $\dfrac{2k_B T}{m}$

③ $\dfrac{5k_B T}{2m}$ ④ $\dfrac{3k_B T}{m}$

⑤ $\dfrac{7k_B T}{2m}$

2015-A06

11 질량이 m인 단원자 분자 이상기체의 속력 v에 대한 규격화된 맥스웰 분포함수는

$$D(v) = 4\pi \left(\frac{m}{2\pi kT} \right)^{3/2} v^2 e^{-\frac{mv^2}{2kT}}$$

이다. 이 기체 분자의 평균 속력을 구하는 적분식을 쓰고, 그 값을 구하시오.

(단, 필요하면 $\displaystyle \int_0^\infty x^{2n+1} e^{-ax^2} dx = \frac{n!}{2a^{n+1}}$ 을 활용하시오.)

12 2002-17

에너지가 $\varepsilon_n = \left(n + \dfrac{1}{2}\right)\hbar\omega_0$로 주어지는 한 개의 선형 조화진동자로 이루어진 계를 고려하자. 이 계의 에너지가 ε_n인, n상태에 있을 확률은 다음과 같이 주어진다.

$$P_n = Ce^{-\beta\varepsilon_n}, \; n = 0, 1, 2, 3 \cdots, \; \beta = \frac{1}{k_B T} \; 여기서 \; C는 상수이다.$$

1) 바닥상태($n = 0$)에 있을 확률 P_0와 첫 번째 들뜬상태($n = 1$)에 있을 확률 P_1의 비(P_1/P_0)를 구하시오.

2) 극저온($k_B T \ll \hbar\omega_0$)에서 선형 조화진동자는 어떤 에너지 상태에 있겠는가? 문항 1)의 결과를 이용하여 답하시오.

13 2004-19

상호작용하지 않고, <u>구별 가능한</u> N개의 입자로 된 계(system)가 외부 자기장 B와 온도 T로 열평형상태에 놓여있다. 스핀 $\dfrac{1}{2}$, 자기모멘트 m인 각각의 입자가 자기장 내에서 가질 수 있는 에너지는 $E_+ = -mB$ 또는 $E_- = +mB$이다. 다음 물음에 답하시오.

1) 단일 입자의 분배함수(Chapterition function) Z_1을 구하고, 자기모멘트가 자기장과 같은 방향이 될 확률을 구하시오.

2) 이 계의 전체 분배함수(Z_N)과 헬름홀츠(Helmholtz) 자유 에너지(F)를 구하시오.

2005-24

14 각진동수 ω로 진동하는 단진자 1개의 양자화된 에너지는 $\varepsilon_n = \left(n + \dfrac{1}{2}\right)\hbar\omega$로 주어진다. 양자수 n은 $n \geq 0$인 정수이다. 다음 물음에 답하시오.

1) 이 단진자의 분배함수를 구하시오.

2) 이 단진자의 평균 에너지를 온도의 함수로 계산하고, $\hbar\omega \ll k_B T$인 경우에 근삿값을 구하시오.

2006-20

15 부피 V인 용기 속에 질량 m인 같은 종류의 이상기체 분자 N개가 들어 있다. 기체 분자의 절대 온도가 T일 때, 이 계의 분배함수는 $Z = \dfrac{1}{N!}\left(\dfrac{2\pi m k_B T}{h^2}\right)^{3N/2} V^N$으로 주어진다. 여기서 k_B는 볼츠만 상수, h는 플랑크 상수이다. 주어진 분배함수를 이용하여 이 계의 평균 에너지와 상태방정식을 계산하시오.

1) 평균 에너지 :

2) 상태방정식 :

2007-10

16 세 개의 축퇴되지 않은 에너지 고유치 $-\mu B$, 0, $+\mu B$만을 가질 수 있는 스핀 1인 입자가 절대 온도 T인 열원과 열적 평형상태에 있다. 이 입자의 분배함수와 평균 에너지를 구하시오. (단, Boltzmann 상수는 k 이다.)

1) 분배함수 :

2) 평균 에너지 :

2008-19

17 일차원상에 N개의 분자가 배열되어 있는 온도가 T인 계에서, 각 분자들은 분자 사이의 탄성력에 의해 일정한 각진동수 ω로 진동하고 있다. 분자의 진동에너지는 $E_n = \left(n + \dfrac{1}{2}\right)\hbar\omega$ 이고, $n = 0, 1, 2, \cdots$ 이다. 이 분자들의 진동에 의한 계의 분배함수 Z와 평균 에너지 $\overline{E}$를 구하시오.

1) 계의 분배함수 Z :

2) 계의 평균 에너지 $\overline{E}$:

18 2009-37

질량 m, 선운동량 p_x, 탄성계수 K인 1차원 고전 단진자의 에너지는 $\dfrac{p_x^2}{2m}+\dfrac{1}{2}Kx^2$으로 주어진다. 그리고 질량 M, 선운동량 $\vec{P}=P_x\hat{i}+P_y\hat{j}+P_z\hat{k}$, 관성모멘트 I인 3차원 고전 자유 이원자분자의 운동 에너지는 병진 운동 에너지와 회전 운동 에너지의 합 $\dfrac{1}{2M}(P_x^2+P_y^2+P_z^2)+\dfrac{1}{2I}\left(L_\theta^2+\dfrac{L_\phi^2}{\sin^2\theta}\right)$으로 주어진다. 여기서 L_θ와 L_ϕ는 각각 각운동량의 θ성분과 ϕ성분이다. 상온의 절대 온도 T에서 이들 분자 한 개의 평균 운동 에너지를 옳게 짝지은 것은? (단, k_B는 볼츠만 상수이다.)

	1차원 고전 단진자	3차원 고전 이원자분자
①	$\dfrac{1}{2}k_BT$	$\dfrac{3}{2}k_BT$
②	$\dfrac{1}{2}k_BT$	$\dfrac{5}{2}k_BT$
③	k_BT	$\dfrac{3}{2}k_BT$
④	k_BT	$\dfrac{5}{2}k_BT$
⑤	$\dfrac{3}{2}k_BT$	$\dfrac{7}{2}k_BT$

19 2019-B04

자기장이 $\vec{B}=B\hat{n}$으로 균일한 공간에 자기모멘트의 크기가 μ인 동일한 입자 N개가 1차원 격자의 서로 다른 격자점에 고정되어 있다. 계는 절대 온도가 T인 열원과 열적 평형상태에 있고, 입자들은 서로 상호작용을 하지 않는다. 입자 1개의 허용 가능한 에너지는 자기모멘트가 자기장과 같은 방향일 때 $-\mu B$, 반대 방향일 때 $+\mu B$이다. 입자 1개의 분배함수 Z_1과 입자 1개의 자기모멘트가 자기장과 같은 방향일 확률 P를 구하시오. 또한 입자 N개로 이루어진 계의 평균 자기모멘트 $\overrightarrow{m}$을 구하고, $\mu B \ll k_BT$일 때 근삿값 $\overrightarrow{m}_{고온}$을 구하시오. (단, k_B는 볼츠만 상수, $\beta=\dfrac{1}{k_BT}$이다. $x\ll 1$일 때 $e^x\approx 1+x$를 이용하시오.)

2020-A04

20 구별할 수 없는 2개의 입자로 구성되어 있는 계가 절대 온도 T인 열원과 접촉하여 열적 평형을 이루고 있다. 각 입자는 3가지 에너지 0, ϵ, 2ϵ을 가지는 상태 중 하나에 있고, 축퇴(degeneracy)는 없다. 이 계가 페르미-디락 통계를 만족할 때, 계의 분배함수 Z와 내부에너지의 평균값 $\overline{E}$ 를 각각 구하시오. (단, $\beta = \dfrac{1}{k_B T}$ 이고, k_B는 볼츠만 상수이며, 두 입자 사이의 상호작용은 무시한다.)

2010-27

21 그림과 같이 DNA는 같은 수의 염기가 일렬로 배열된 두 가닥의 사슬로 구성되며, 서로 다른 사슬에 있는 짝을 이루는 염기와 결합하여 결합상태의 염기쌍을 형성한다.

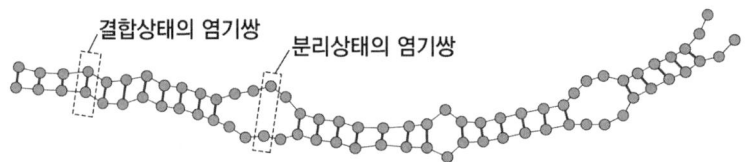

DNA 구조의 열적 안정성을 조사하기 위하여 다음과 같은 이상적인 모형을 생각하자.

┤ 모 형 ├
- 모든 염기는 오직 짝을 이루는 염기와 상호작용하며, 결합상태와 분리상태 중 하나의 상태만을 갖는다.
- 결합상태와 분리상태의 염기쌍의 에너지는 각각 $-\epsilon$, 0이다.
- 염기의 운동 에너지와 공간적 자유도에 의한 엔트로피는 무시한다.

이 모형을 이용하여 분석한 결과로 옳은 것을 〈보기〉에서 모두 고른 것은? (단, $\epsilon > 0$, $\beta = \dfrac{1}{k_B T}$, k_B는 볼츠만 상수, T는 절대 온도이다.)

┤ 보 기 ├
ㄱ. 온도 T에서 염기쌍이 분리상태에 있을 확률은 $\dfrac{1}{1 + e^{\beta\epsilon}}$ 이다.

ㄴ. T가 증가할 때, 염기쌍이 결합상태에 있을 확률은 감소한다.

ㄷ. 온도 T에서 염기쌍 하나의 평균 에너지는 $\dfrac{-\epsilon e^{\beta\epsilon}}{1 + e^{\beta\epsilon}}$ 이다.

① ㄱ   ② ㄱ, ㄴ
③ ㄱ, ㄷ   ④ ㄴ, ㄷ
⑤ ㄱ, ㄴ, ㄷ

22 2012-27

그림은 스핀이 $\frac{1}{2}$인 세 입자가 일차원상에 배열되어 있는 계를 나타낸 것이다. 가장 가까이 이웃한 두 입자들끼리만 상호작용을 하며, 상호작용 에너지는 그 둘의 스핀이 같은 방향일 때 U이고 반대 방향일 때 $-U$이다.

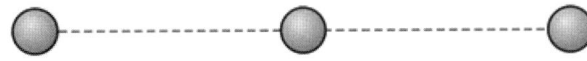

온도 T에서 이 계의 분배함수는? (단, $\beta = \frac{1}{k_B T}$이고 k_B는 볼츠만 상수이며, 스핀에 의한 상호작용 에너지만 고려한다.)

① $2[3 + \cosh(2\beta U)]$ ② $2[1 + 3\cosh(2\beta U)]$

③ $5 + 3\cosh(2\beta U)$ ④ $4[1 + \cosh(2\beta U)]$

⑤ $8\cosh(2\beta U)$

23 2013-30

어떤 페르미온이 해밀토니안의 3가지 고유상태를 가지며, 세 고유상태의 에너지는 각각 0, ϵ, 2ϵ이다. 이러한 동일한 페르미온 2개로 이루어진 계의 분배함수는? (단, $\beta = \frac{1}{k_B T}$, k_B는 볼츠만 상수이며 페르미온 간의 상호작용을 무시하고, 고유상태는 스핀과 공간 성분만을 고려한 것이다.)

① $1 + e^{-2\beta\epsilon} + e^{-4\beta\epsilon}$ ② $e^{-\beta\epsilon} + e^{-2\beta\epsilon} + e^{-3\beta\epsilon}$

③ $e^{-\beta\epsilon} + e^{-2\beta\epsilon} + e^{-4\beta\epsilon}$ ④ $1 + e^{-\beta\epsilon} + 2e^{-2\beta\epsilon} + e^{-3\beta\epsilon} + e^{-4\beta\epsilon}$

⑤ $1 + 2e^{-\beta\epsilon} + 3e^{-2\beta\epsilon} + 2e^{-3\beta\epsilon} + e^{-4\beta\epsilon}$

2016-B05

24 N개의 동일한 1차원 단순 조화진동자로 이루어진 계가 있다. 진동자들은 1차원 격자에 고정되어 서로 독립적으로 서로 상호작용을 하지 않는다. 계를 이루는 진동자 1개의 허용 가능한 에너지는 $\epsilon_n = (2n+1)\epsilon_0$, $n = 0, 1, 2, \cdots$ 이다. 계는 절대 온도가 T인 열원과 평형상태에 있다.

계를 이루는 진동자 1개의 분배함수 Z_1과 계의 평균 에너지 U를 풀이 과정과 함께 구하시오. 또한 고온 $(k_B T \gg \epsilon_0)$에서의 근삿값 $U_{고온}$을 쓰시오. (단, ϵ_0은 양의 상수이고, k_B는 볼츠만 상수이며, $\beta = \dfrac{1}{k_B T}$ 이다. $x \ll 1$일 때, $e^x \approx 1 + x$를 이용하시오.)

2022-A12

25 구별 가능하고 상호작용하지 않는 가상의 입자들로 구성된 계가 온도 T인 열저장체(heat reservoir)와 접촉하여 열적 평형상태에 있다. 각 입자는 4개의 에너지 상태($E_n = n\epsilon$, $n = 0, 1, 2, 3$)를 가지며, 각 에너지 상태는 겹침(degeneracy)이 없다. 입자 하나의 분배함수 Z와 평균 에너지 $\overline{E}$ 를 ϵ과 β로 각각 나타내시오. 입자가 $n = 1$인 상태에 있을 확률이 $n = 3$인 상태에 있을 확률보다 4배 클 때의 온도 T_0을 ϵ과 볼츠만 상수 k_B로 풀이 과정과 함께 구하시오. (단, 계는 볼츠만 통계를 따르며, $\beta = \dfrac{1}{k_B T}$이다.)

2023-B10

26 부피가 V인 공간에 서로 상호작용하지 않는 동일한 입자 N개로 구성된 계가 있다. 입자 하나의 에너지는 $E = pc$이고, p는 입자의 운동량의 크기, c는 빛의 속력이다. 계는 절대 온도 T인 열원과 접촉하여 열평형상태에 있다.

이 계의 입자 하나의 분배함수 Z_1을 구하시오. 입자 하나의 평균 에너지 U_1을 풀이 과정과 함께 구하고, 계의 정적 열용량 C_V를 구하시오. (단, 계는 볼츠만 통계를 따른다.)

┤ 자료 ├

• $Z_1 = \dfrac{1}{h^3} \displaystyle\int d^3 r d^3 p \exp\left[-\dfrac{E}{k_B T}\right] = \dfrac{4\pi V}{h^3} \displaystyle\int_0^\infty p^2 \exp\left[-\dfrac{E}{k_B T}\right] dp$

r는 공간 좌표, h는 플랑크 상수, k_B는 볼츠만 상수이다.

• $\displaystyle\int_0^a dx\, x^n e^{-x} = n!$

2025-B09

27 구별 가능한 N개의 2차원 단순 조화진동자로 이루어진 계가 있다. 각진동수 ω를 갖는 동일한 진동자들은 2차원 격자에 고정되어 서로 독립적이고 상호작용을 하지 않는다. 계를 이루는 진동자 1개의 허용 가능한 에너지는 $E(n_x, n_y) = \hbar\omega(n_x + n_y + 1)$, $n_x = 0,\ 1,\ 2,\ \cdots$이고, $n_y = 0,\ 1,\ 2,\ \cdots$이다. 계는 절대 온도 T인 열원과 접촉하여 열평형상태에 있다. 계를 이루는 진동자 1개의 분배함수 Z_1을 풀이 과정과 함께 구하시오. 또한 계의 평균 에너지 U와 고온($k_B T \gg \hbar\omega$)에서의 정적 열용량 C_V를 각각 구하시오. (단, $\hbar = \dfrac{h}{2\pi}$이고 h는 플랑크 상수이다. k_B는 볼츠만 상수이고, $\beta = \dfrac{1}{k_B T}$이다. $x \ll 1$일 때 $e^x \approx 1 + x$이다.)

28 절대 온도 T인 열원과 접촉하여 열평형상태에 있는 2준위계의 에너지가 $E = 0, \epsilon$이다. 이 계의 분배함수는 다음과 같다.

$$Z = 1 + e^{-\frac{\epsilon}{k_B T}}$$

이 계의 헬름홀츠 자유 에너지 F를 k_B, T, ϵ으로 나타내고, 〈자료〉를 이용하여 고온($T \to \infty$)에서 엔트로피 $S_{\text{고온}}$을 구하시오. (단, ϵ은 양의 상수이고, k_B는 볼츠만 상수이다.)

29 아래의 〈질문〉은 달과 지구의 대기에 관한 세 가지 질문을, 〈자료〉는 어떤 학생이 각 질문에 대해 탐구하는 과정을 나타낸 것이다.

┤ 질문 ├

질문 Ⅰ: 달에는 왜 산소 기체가 없을까?

질문 Ⅱ: 지구의 대기에는 왜 수소보다 산소 기체가 훨씬 많을까?

질문 Ⅲ: 높은 산에는 왜 산소가 적을까?

┤ 자료 ├

(가) 질문 Ⅰ에 대한 탐구: 탈출 속력 v_{esc}를 이용하기

• 반지름 R, 질량 M인 행성의 표면에서 속력 v_0로 출발한 입자가 도달하는 최대 높이가

$z_{\max} = \dfrac{R^2 v_0^2}{2GM - R v_0^2}$ 임을 에너지 보존 법칙을 이용하여 구하였다. 여기서 G는 만유인력 상수이다.

• 이로부터 입자가 무한히 멀어질 수 있는 탈출 속력 v_{esc}의 표현식을 유도하고, 지구 질량은 달의 약 80배, 지구 반지름은 달의 약 4배임을 이용하여 달과 지구에서의 탈출 속력을 비교하였다.

(나) 질문 Ⅱ에 대한 탐구: 제곱−평균−제곱근(rms) 속력 v_{rms}를 이용하기

• 열역학에서 에너지 등분배 정리를 이용하여 온도 T, 질량 m인 기체의 병진 운동 에너지의 평균값 $\langle K \rangle$를 구하였다.

• 이로부터 v_{rms}의 표현식을 유도하고, 산소와 수소의 v_{rms}를 비교하였다.

(다) 질문 Ⅲ에 대한 탐구: 기체 밀도 $n(z)$를 이용하기

• 밀도가 n인 이상기체의 화학퍼텐셜 $\mu = k_B T \ln (n/n_0)$임을 이용하여, 중력퍼텐셜 에너지 mgz가 더해질 때의 화학퍼텐셜 $\mu(z)$를 구하였다. (여기서 n_0은 상수이며, 온도 T는 지표면으로부터의 높이 z에 무관하다고 가정하였다.)

• 이 계가 열역학적 평형상태에 있을 때 $\mu(z) = \mu(0)$임을 이용하여, 높이에 따른 이 기체의 밀도 $n(z)$의 표현식을 유도하였다.

〈자료〉에 제시된 절차에 따라 (가)에서 $z_{\max}$와 v_{esc}, (나)에서 $\langle K \rangle$와 v_{rms}, (다)에서 $\mu(z)$와 $n(z)$의 표현식을 각각 유도하시오. 또한 이를 이용하여 질문 Ⅰ, Ⅱ, Ⅲ에 대한 답을 추론하시오.

30 신체의 단층 촬영에 사용되는 자기공명영상(MRI) 장비는 스핀 각운동량의 세차운동을 기반으로 한다. 〈자료 1〉은 중력장 속에서 자전하는 물체의 각운동량 세차운동 각진동수를 구하는 방법을, 〈자료 2〉는 균일한 자기장 속에 있는 수소(^{1}H) 원자핵의 스핀 각운동량의 세차운동을 〈자료 1〉과 같은 고전역학적 관점으로 나타낸 것이다.

| 자료 1 |

그림과 같이 점 O와 질량 중심을 지나는 축을 회전축으로 하여 자전하는 질량 m인 물체의 각운동량 $\vec{L}$은 토크 $\vec{\tau}$를 받아 z축 둘레를 각진동수 ω_p로 세차운동을 하게 되며, 이때 ω_p는 다음과 같이 구할 수 있다. (단, 중력 가속도는 g이고, O로부터 물체의 질량 중심까지의 위치벡터는 $\vec{R}$, θ는 z축과 $\vec{L}$ 사이의 각이다.)

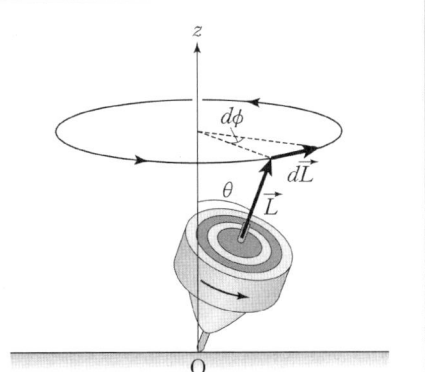

[ω_p를 구하는 과정]

물체에 작용하는 토크는 $\vec{\tau} = \vec{R} \times (-mg\hat{z})$ 이므로

$$\frac{d\vec{L}}{dt} = \vec{\tau} = \vec{R} \times (-mg\hat{z}) \ \cdots\cdots ①$$

그림에서 시간 간격 dt 동안 세차운동에 의한 $\vec{L}$의 변화의 크기는 $|d\vec{L}| = L\sin\theta\, d\phi \ \cdots\cdots ②$

식 ①과 ②로부터 $\left|\dfrac{d\vec{L}}{dt}\right| = L\sin\theta \dfrac{d\phi}{dt} = |\vec{R} \times (-mg\hat{z})| = mgR\sin\theta$

따라서 $\vec{L}$의 세차운동의 각진동수 ω_p는 다음과 같이 구해진다. $\omega_\mathrm{p} = \dfrac{d\phi}{dt} = \dfrac{mgR}{L}$

| 자료 2 |

그림은 자기 쌍극자 모멘트 $\vec{\mu} = \gamma\vec{S}$인 수소(^{1}H) 원자핵의 스핀 각운동량 $\vec{S}$가 균일한 자기장 $\vec{B} = B_0\hat{z}$ 속에서 z축 둘레를 각진동수 ω_s로 세차운동하는 것을 나타낸 것이다. (단, γ는 자기회전비(gyromagnetic ratio)이다.)

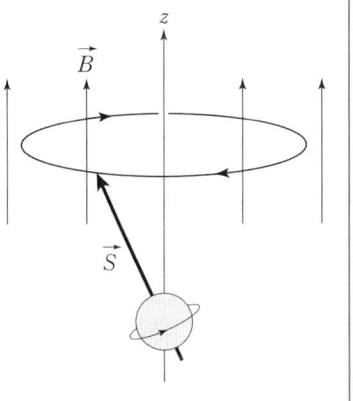

〈자료 1〉에 제시된 것과 동일한 방법을 사용하여 〈자료 2〉에서 $\vec{S}$의 세차운동 각진동수 ω_s를 γ를 포함하여 구하고, 수소 원자핵을 낮은 에너지 스핀 상태(spin up 상태)에서 높은 에너지 스핀 상태(spin down 상태)로 전이시키기 위한 전자기파의 각진동수 ω_r를 구하여 ω_s와 비교하시오. 또한 균일한 자기장 $\vec{B} = B_0\hat{z}$ 속에 있는 물체(단위 부피당 수소 원자의 개수 N, 온도 T)에서 수소 원자들이 열평형상태의 분포를 이루고 있을 때, 볼츠만 분포를 이용하여 스핀-업(spin up) 상태, 스핀-다운(spin down) 상태인 단위 부피당 수소 원자핵의 개수 n_+, n_-를 각각 구하고, $\vec{B}$ 방향의 알짜 자화(net magnetization) $\vec{M}$의 크기를 구하시오.

4 보존 통계

2011-40

31 에너지가 E인 광자의 상태밀도(density of states)는 $D(E) = \dfrac{8\pi V}{h^3 c^3} E^2$이다. V는 광자가 차지한 공간 (cavity)의 부피이다. 절대 온도가 T일 때 단위 부피 안의 광자의 수는? (단, h는 플랑크 상수, c는 빛의 속력, k_B는 볼츠만 상수이고, $\displaystyle\int_0^\infty \dfrac{x^2}{e^x - 1} dx = 2.4$이다.)

① $4.8\pi\left(\dfrac{k_B T}{hc}\right)^3$ ② $9.6\pi\left(\dfrac{k_B T}{hc}\right)^3$

③ $14.4\pi\left(\dfrac{k_B T}{hc}\right)^3$ ④ $19.2\pi\left(\dfrac{k_B T}{hc}\right)^3$

⑤ $24\pi\left(\dfrac{k_B T}{hc}\right)^3$

2024-B10

32 부피가 V인 공간에 광자 N개가 있는 계가 있다. 계는 절대 온도 T인 열원과 접촉하여 열평형상태에 있고, 계의 총에너지는 U이다. 광자의 양자상태 에너지를 ϵ이라 할 때, 〈자료〉를 이용하여 $\dfrac{dN}{d\epsilon}$을 풀이 과정과 함께 구하고, $\dfrac{dU}{d\epsilon}$과 U를 구하시오. (단, 광자는 보즈-아인슈타인 통계를 따른다.)

┤ 자료 ├

- 광자에 대한 보즈-아인슈타인 분포함수는 $\bar{n}_{BE} = \dfrac{1}{e^{E/kT} - 1}$이고, k는 볼츠만 상수이다.
- 광자의 에너지는 $E = pc$이고, 운동량의 크기가 p와 $p + dp$ 사이의 값을 가지는 광자의 양자상태 수는 $\dfrac{8\pi V p^2}{h^3} dp$이다. c는 빛의 속력이고, h는 플랑크 상수이다.
- $\displaystyle\int_0^\infty \dfrac{x^3}{e^x - 1} dx = \dfrac{\pi^4}{15}$

5 고체이론(페르미 기체 모형)

2012-24

33 고체의 비열 C에 대한 데바이(Debye) 모형과 자유전자 페르미(Fermi) 기체 모형의 결과를 종합하면, 온도 T가 데바이 온도 Θ_D와 페르미 온도 T_F보다 매우 낮은 경우 금속 고체의 비열은 $C = \gamma T + A T^3$으로 표현된다. 여기서 γ와 A는 양의 상수로 물질의 고유 값이다. 이 비열식에 대한 설명으로 옳은 것만을 〈보기〉에서 있는 대로 고른 것은? (단, 자유전자 페르미 기체는 페르미-디락(Fermi-Dirac) 분포를 따른다.)

┌─ 보기 ├──────────────────────────────

ㄱ. C의 두 번째 항 $(A T^3)$은 격자진동에 기인한다.

ㄴ. 페르미에너지가 커지면 γ도 커진다.

ㄷ. $\gamma = 6.5 \times 10^{-4} \text{J/mol} \cdot \text{K}^2$이고 $A = 1.7 \times 10^{-4} \text{J/mol} \cdot \text{K}^4$인 경우, 온도 범위 $0K < T \le 1K$에서는 전자에 의한 비열이 격자진동에 의한 비열보다 C에 더 크게 기여한다.

─────────────────────────────────────

① ㄴ   ② ㄷ

③ ㄱ, ㄴ   ④ ㄱ, ㄷ

⑤ ㄱ, ㄴ, ㄷ

2021-B09

34 그림은 자유전자 기체 모형에서 N개의 자유전자가 페르미에너지 E_F까지 채워진 모습을 나타낸 것이다. 질량 m인 자유전자 N개가 한 변의 길이가 L인 2차원 정사각형 도체 안에 갇혀있는 계에서 $N = \dfrac{L^2}{2\pi} k_F^2$이고, k_F는 페르미 파수이다.

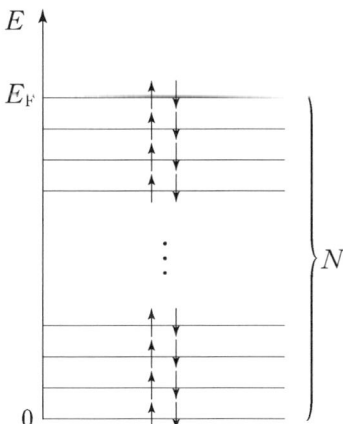

E_F 를 k_F로 나타내고, 상태밀도 $D(E) = \dfrac{dN}{dE}$를 구하시오. 또한 절대 온도 $0K$에서 이 계의 평균 에너지를 풀이 과정과 함께 구하시오. (단, 자유전자 기체는 페르미-디락 통계를 따른다.)

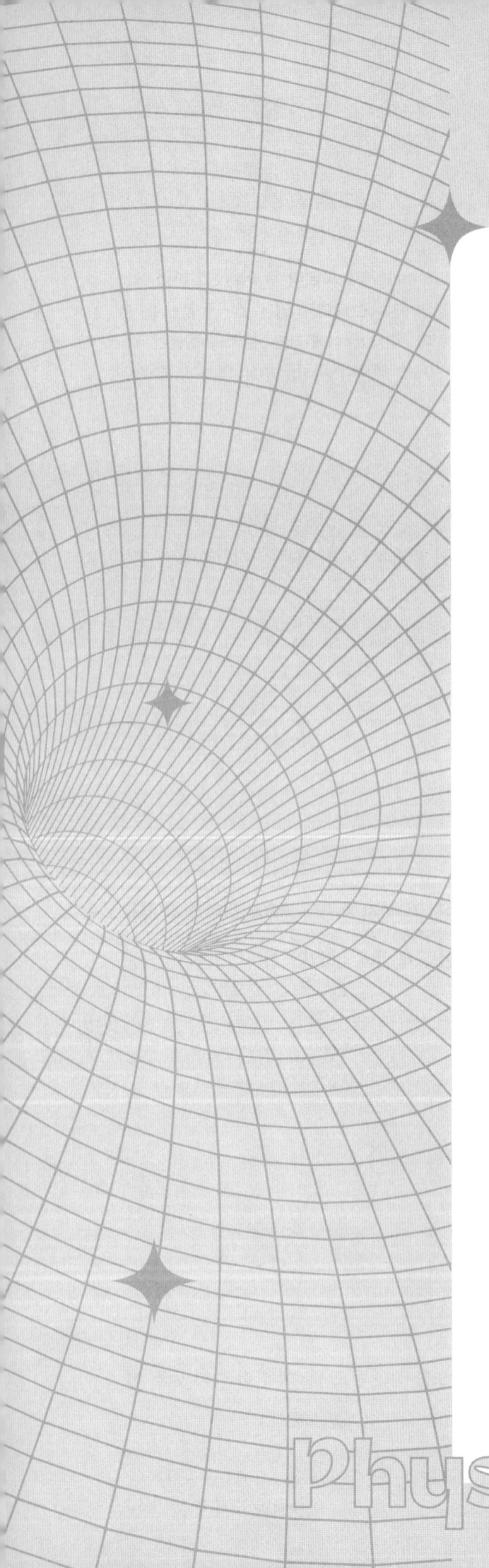

정승헌
전공물리 기출문제집

Physics

기하광학

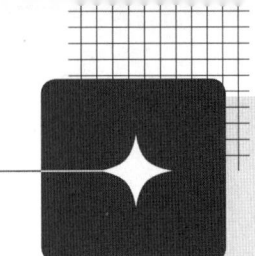

핵심 이론정리

1 기하광학 기본

(1) 스넬의 법칙

굴절률 n_1, n_2인 매질에서 굴절 법칙

굴절률의 정의 $n = \dfrac{c}{v}$ (진공에서 빛의 속력 c, 매질에서 빛의 속력 v)

$$n_1 \sin\theta_1 = n_2 \sin\theta_2 : \text{스넬의 법칙}$$

(2) 전반사

굴절률이 큰 매질에서 작은 매질로 굴절 시 모든 빛이 반사하는 성질

$$n_2 \sin\theta_c = n_1 : \text{전반사 임계각 조건}$$

(3) 겉보기 깊이

매질 n_2에 있는 깊이 h의 물체를 매질 n_1에서 바라볼 때 겉보기 깊이

$$h' = \dfrac{n_1}{n_2} h$$

2 거울

거울은 반사 법칙을 만족한다.

$$\dfrac{1}{a} + \dfrac{1}{b} = \dfrac{2}{R} = \dfrac{1}{f}$$

(a : 물체의 위치, b : 상의 위치, R : 거울의 곡률반경, f : 거울의 초점)

3 렌즈

렌즈는 스넬의 법칙을 만족한다.

(1) **두꺼운 렌즈 표면에서 굴절 공식**(n_1 : 물체가 위치하는 매질의 굴절률, n_2 : 렌즈의 굴절률)

$$\frac{n_1}{a} + \frac{n_2}{b} = \frac{n_2 - n_1}{R} = \frac{1}{f}, \ 배율 \ m = \frac{b}{a}\frac{n_1}{n_2}$$

(a : 물체의 위치, b : 상의 위치, R : 렌즈의 곡률반경, f : 거울의 초점)

(2) **얇은 렌즈 공식**

$$\frac{1}{a} + \frac{1}{b} = \frac{1}{f} = \frac{n_{렌즈} - n_{밖}}{n_{밖}}\left(\frac{1}{R_1} + \frac{1}{R_2}\right), \ 배율 \ m = \frac{b}{a}$$

(3) **복합 렌즈 공식**

초점이 f_1, f_2의 얇은 렌즈가 서로 겹쳐있을 때 합성 초점의 정의

$$\frac{1}{f'} = \frac{1}{f_1} + \frac{1}{f_2}$$

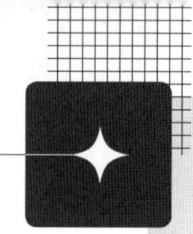

핵심 기출문제

◎ 정답 및 해설 61~67쪽

1 기하광학 기본

2002-15

01 아래 그림과 같이 직경 b의 He-Ne 레이저 빔을 초점거리 f의 렌즈를 사용하여 공기(굴절률 = 1) 중에 놓인 유리봉(굴절률 = n)에 전달하여 진행시키고자 한다. 렌즈에 입사되기 전의 레이저 빔은 유리봉의 축과 평행하다.

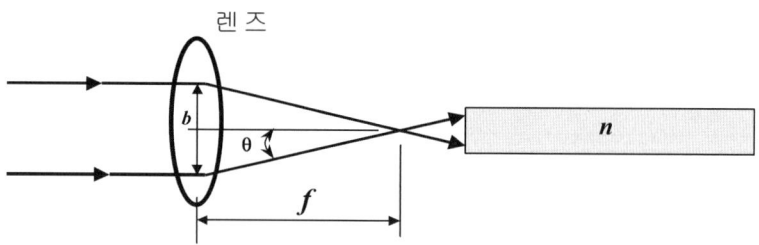

1) 렌즈를 통과한 레이저 빔은 어떤 조건하에서 그림과 같은 경로를 거쳐 유리봉 안에서만 진행하게 할 수 있다. 그 조건을 쓰시오.

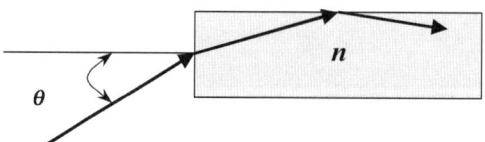

2) 문항 1)의 조건에서 레이저 빔이 아래 그림과 같이 진행할 수 있는 최대 입사각은 α 이다. 유리봉 경계인 (가)면과 내부의 경계면 (나)에서의 굴절에서, 스넬(Snell)의 법칙을 이용하여 이 유리봉을 통하여 레이저 빔이 진행할 수 있는 최대 입사각 α를 굴절률 n을 사용하여 표현하시오. (가)면에서의 스넬의 법칙은 $\dfrac{\sin\alpha}{\sin\beta} = n$ 이 됨을 참조하시오.

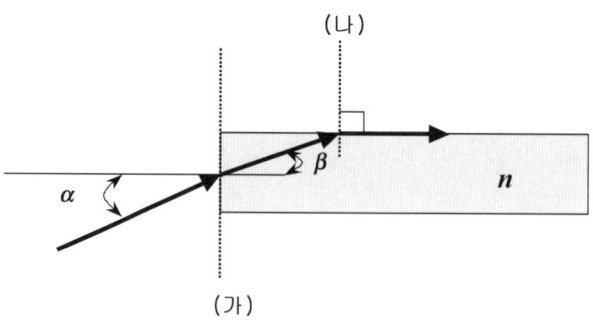

3) 레이저 빔이 유리봉 안에서만 진행하기 위해서는 문항 1)에 제시된 그림의 입사각 θ가 최대 입사각 α보다 작아야 한다. 즉, 렌즈의 초점거리 f는 어떤 값보다 더 커야 한다. 직경 b와 최대 입사각 α를 이용하여 f의 최솟값을 나타내시오. (단, 렌즈의 수차는 무시한다.)

02 그림과 같이 굴절률이 n이고 두께가 t인 유리로 만들어진 직육면체 모양의 어항에 개구리가 들어 있으며, 어항은 물로 가득 채워져 있다. (공기의 굴절률은 1이다.)

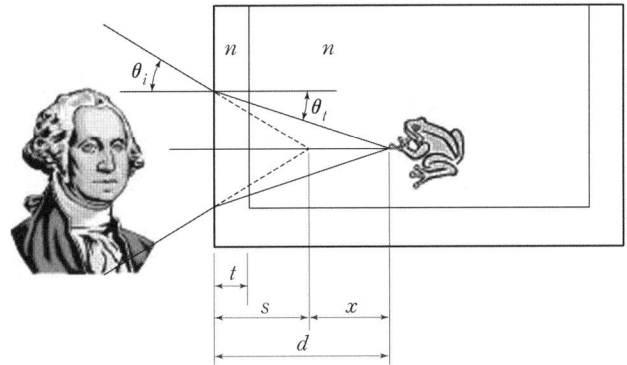

1) 어항 옆면에서 개구리까지의 실제 거리가 d이다. 개구리를 옆면에서 바라볼 때, 그림에 표시된 겉보기 거리 s를 굴절률 n과 실제 거리 d만을 사용하여 표현하는 식을 유도하시오. (물의 굴절률은 유리와 같은 n이고, 개구리를 바라보는 각 θ_i와 굴절각 θ_t는 아주 작아서 $\sin\theta_i \simeq \theta_i$와 $\sin\theta_t \simeq \theta_t$라고 가정한다.)

2) 어항의 물을 모두 비우고 공기로 채웠을 때, 겉보기 거리 s와 실제 거리 d와의 차이 x를 유리의 두께 t와 굴절률 n만을 사용하여 표현하시오.

03 그림과 같이 굴절률이 n_1인 매질의 한 점 $A(0, h_1)$에서 나온 광선이 굴절률이 n_2인 매질과의 임의의 경계점 $P(x, 0)$를 지나서 굴절률이 n_2인 매질의 한 점 $B(L, -h_2)$로 진행한다고 한다.

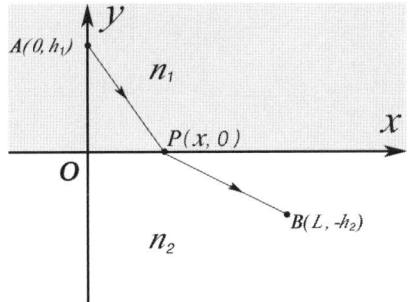

광선이 점 A에서 경계점 P를 지나서 점 B까지 진행하는 시간을 구하고, 또 진행 시간이 최소가 되는 조건을 구하시오. 이 조건을 이용하여 $h_2 = 0$이 되는, 즉 전반사가 일어나기 시작하는 점 $P(x, 0)$의 x 값을 n_1, n_2, h_1을 사용하여 구하시오. (단, $n_1 > n_2$이며, $0 < x < L$이다.)

1) 광선이 진행하는 시간 :

2) 시간이 최소가 되는 조건 :

3) 전반사가 일어나기 시작하는 값 x :

2008-16

04 고정된 빨대를 통해 빈 수조의 바닥 면에 찍힌 점을 보았더니 점 A가 보였다. 법선상의 점 P에서 A까지의 거리가 $2H$이다. 그림과 같이 이 수조에 굴절률 n인 액체를 높이 H까지 채운 후, 빨대를 통해 다시 보았더니 다른 점 B가 보였다.

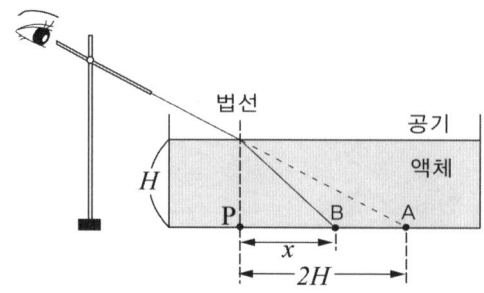

점 P에서 점 B까지의 거리 x를 구하시오. (단, 공기의 굴절률은 1로 한다.)

2009-34

05 그림은 굴절률이 다른 경계면에 평면파의 파면 AB가 임계각 θ_c로 입사할 때 전반사가 일어나는 것을 호이겐스 원리를 이용하여 보여주는 것이다. 파면상의 점 A′와 점 B′는 새로운 점파원이 된다. 점 A′에서 발생한 구면파가 점 Q까지 가는 시간 $\triangle t$ 동안 점 B′에서 파가 동일한 점 Q까지 가게 되면 굴절파의 파면 QP는 경계면에 직각이 되어 굴절각이 $\frac{\pi}{2}$가 된다. 전반사 조건은 $\sin(\text{가}) = \frac{(\text{다})}{(\text{나})}$ 로부터 구할 수 있다.

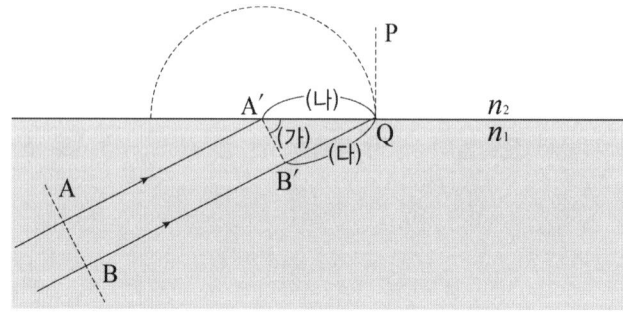

진공에서 빛의 속력을 c라 할 때, (가)~(다)에 알맞은 것은?

	(가)	(나)	(다)
①	θ_c	$\dfrac{c\triangle t}{n_2}$	$\dfrac{c\triangle t}{n_1}$
②	$\dfrac{\pi}{2} - \theta_c$	$\dfrac{c\triangle t}{n_2}$	$\dfrac{c\triangle t}{n_1}$
③	θ_c	$\dfrac{c\triangle t}{n_1}$	$\dfrac{c\triangle t}{n_2}$
④	$\dfrac{\pi}{2} - \theta_c$	$\dfrac{c\triangle t}{n_1}$	$\dfrac{c\triangle t}{n_2}$
⑤	θ_c	$n_1 c\triangle t$	$n_2 c\triangle t$

06 2019-A07

그림과 같이 단색광이 광섬유 내부에서 진행하여 경계면에서 일부는 반사각 θ_a로 반사하고 일부는 굴절각 θ_b로 굴절하여 공기로 진행한다. 반사된 빛은 광섬유 옆면에 전반사의 임계각으로 입사한다. 공기의 굴절률은 1이고, 광섬유의 굴절률은 n이다.

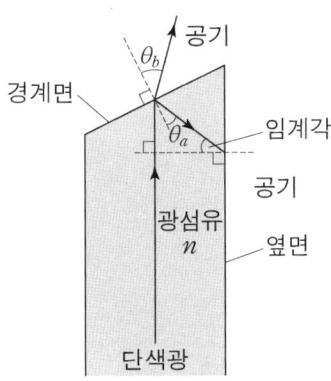

θ_a와 θ_b를 n으로 각각 나타내시오.

07 2025-A03

그림과 같이 두 개의 평면거울이 α의 각도를 이루며 연결되어 있다. 입사각 θ_0으로 거울에 입사한 빛이 거울에 두 번 반사되어 되돌아 나갈 때, 입사광선과 반사광선은 서로 β의 각을 이룬다.

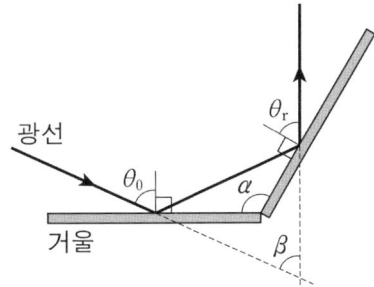

반사광선의 반사각 θ_r를 θ_0와 α로 나타내고, α와 β 사이의 관계식을 구하시오.
(단, $90\,° < \alpha < 180\,°$ 이다.)

2 거울

2014-A13

08 그림은 바닥이 초점거리 $\overline{\text{OF}} = f$인 오목거울로 된 그릇을 나타낸 것이다. 오목거울의 중심 O로부터 거리 $\overline{\text{OP}} = 2f$ 떨어진 위치 P에 물체를 놓고 굴절률 n인 액체를 O로부터 F까지 채웠다.

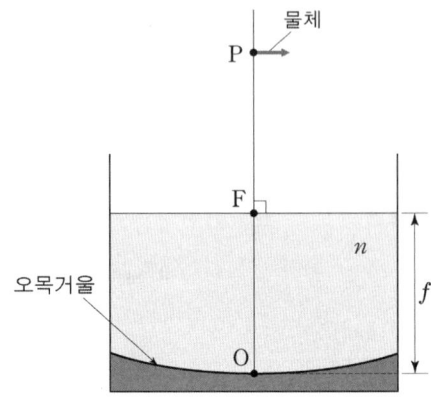

O로부터 물체의 상까지의 거리를 구하시오. (단, 공기의 굴절률은 1.0이며, 물체의 길이는 그릇의 폭과 f에 비해 매우 작다.)

3 렌즈

2006-13

09 그림과 같이 물체로부터 거리 L 떨어진 지점에 스크린이 수직으로 놓여있다. 물체와 스크린 사이에 초점거리 f인 얇은 볼록 렌즈를 놓을 때, 스크린에 실상이 맺히는 조건을 L과 f로 나타내시오.

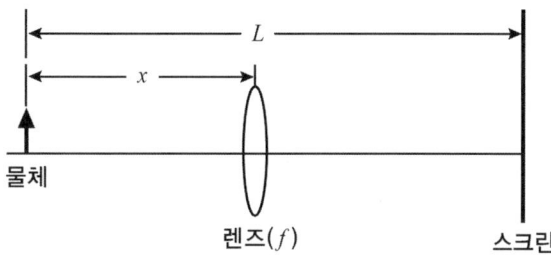

2009-32

10 그림은 곡률반지름이 각각 $R_1 = 10\text{cm}$, $R_2 = 20\text{cm}$이고, 굴절률 $n = 1.5$인 유리로 만든 렌즈 앞에 물체가 놓여있는 것을 나타낸다. 렌즈의 두께는 무시할 수 있을 만큼 얇다. 굴절률이 1인 공기 중에서 렌즈 제작자의 공식은 $\dfrac{1}{f} = (n-1)\left(\dfrac{1}{R_1} - \dfrac{1}{R_2}\right)$이다.

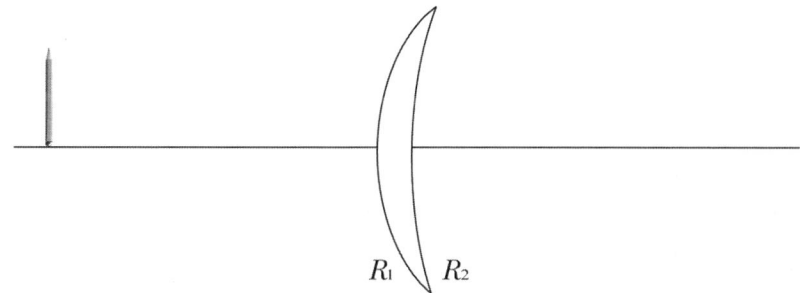

이 실험에 관한 〈보기〉의 설명 중 옳은 것을 모두 고른 것은?

┤ 보 기 ├
ㄱ. 이 실험에서 렌즈에 의한 상은 물체의 위치에 관계없이 모두 허상이다.
ㄴ. 물체를 렌즈 앞 20cm 지점에 놓고 관찰할 때, 렌즈의 오른쪽 면이 물체를 향하도록 뒤집어도 상의 위치는 변하지 않는다.
ㄷ. 굴절률이 1.3인 물속에서 물체를 렌즈 앞 20cm 지점에 놓고 실험하면, 공기에서 실험할 때보다 상의 위치는 렌즈에 더 가까워진다.

① ㄱ   ② ㄴ
③ ㄷ   ④ ㄱ, ㄴ
⑤ ㄴ, ㄷ

2010-18

11 그림과 같이 수조 바닥에 놓은 작은 물체를 사진기로 찍는다. 수면에서 물체까지의 거리는 52cm, 수면에서 한 개의 얇은 렌즈인 사진기 렌즈까지의 거리는 60cm, 사진기 렌즈로부터 필름까지의 거리는 $a\,\text{cm}$ 이다. 물체는 사진기 렌즈의 광축상에 있다. 물의 굴절률은 1.3 이고, 공기의 굴절률은 1.0 이다.

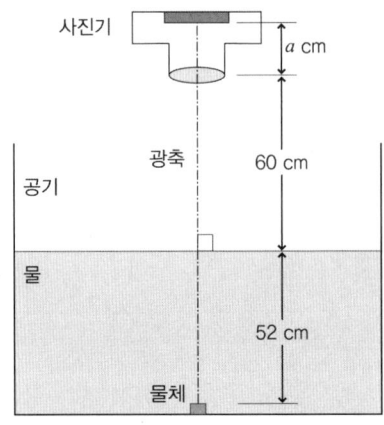

이 물체의 상이 필름에 맺힐 때, 렌즈의 초점거리는 몇 cm 인가?

① $\dfrac{90a}{90+a}$

② $\dfrac{100a}{90+a}$

③ $\dfrac{90a}{100+a}$

④ $\dfrac{100a}{100+a}$

⑤ $\dfrac{110a}{110+a}$

2011-21

12 그림 (가)와 같이 얇은 볼록 렌즈를 작은 물체와 스크린 사이의 위치 P 에 놓았더니 스크린에 상이 맺혔다. 이 상태에서, 그림 (나)와 같이 스크린과 물체의 위치를 맞바꾸고 렌즈를 처음 위치 P 에서 오른쪽으로 거리 d만큼 옮겼더니 스크린에 다시 상이 맺혔다. 물체와 스크린 사이의 거리는 L이다.

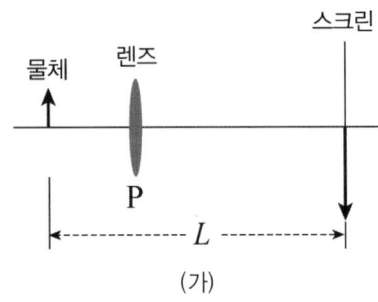
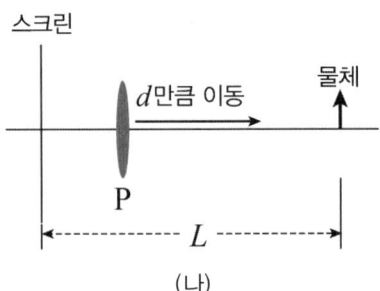

이 렌즈의 초점거리는?

① $\dfrac{L^2-d^2}{4L}$

② $\dfrac{\sqrt{L^2-d^2}}{4}$

③ $\dfrac{L-d}{4}$

④ $\sqrt{L^2-d^2}$

⑤ $\dfrac{L^2-d^2}{4d}$

2012-37

13 그림은 경통 길이가 L인 복합현미경으로 물체를 볼 때, 현미경에 의해 확대된 허상을 눈으로 보는 것을 나타낸 것이다. 대물 렌즈와 접안 렌즈의 초점거리는 각각 f_o와 f_e이다.

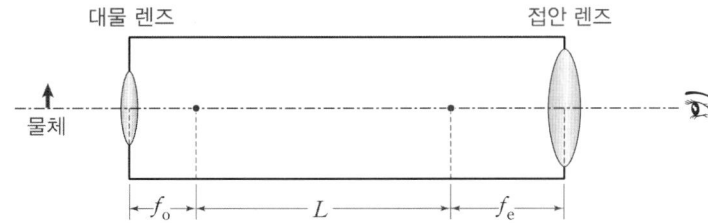

이에 대한 설명으로 옳은 것만을 〈보기〉에서 있는 대로 고른 것은? (단, $L > f_o$, $L > f_e$이고, 두 렌즈는 모두 볼록 렌즈이다.)

┤ 보기 ├
ㄱ. 대물 렌즈로부터 물체까지의 거리는 f_o보다 길다.
ㄴ. 대물 렌즈에 의한 물체의 상으로부터 접안 렌즈까지의 거리는 f_e보다 길다.
ㄷ. 현미경에 의해 확대된 물체의 허상은 정립상이다.

① ㄱ   ② ㄷ
③ ㄱ, ㄴ   ④ ㄴ, ㄷ
⑤ ㄱ, ㄴ, ㄷ

14 2013-27

그림과 같이 굴절률(n)이 1.5인 평면 유리판, 얇은 볼록 렌즈와 얇은 오목 렌즈가 서로 10cm, 12cm 떨어져 배열된 광학계가 공기 중에 놓여있다. 막대 모양의 물체가 유리판 왼쪽 6cm 위치에 있다. 평면 유리판의 두께는 6cm, 볼록 렌즈의 초점거리(f_1)는 20cm, 오목 렌즈의 초점거리(f_2)는 10cm이다.

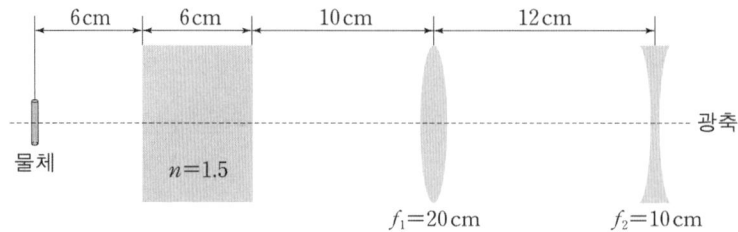

이 광학계에 의해 형성되는 물체의 상의 위치로 가장 적절한 것은? (단, 공기의 굴절률은 1.0이다.)

① 오목 렌즈의 왼쪽 9.6cm ② 오목 렌즈의 오른쪽 9.6cm

③ 오목 렌즈의 왼쪽 10cm ④ 오목 렌즈의 오른쪽 10cm

⑤ 오목 렌즈의 왼쪽 무한대

15 2017-A05

그림은 공기 중에 놓인, 초점거리 f인 얇은 볼록 렌즈의 중심으로부터 x만큼 떨어진 위치에 수직으로 세워진 선형 물체의 도립 실상이 렌즈 오른쪽에 맺힌 것을 나타낸 것이다.

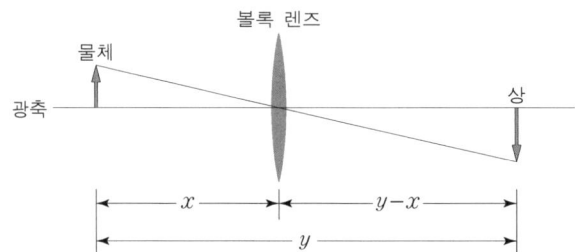

물체에서 상까지의 거리를 y라 할 때, 물체의 위치를 변화시키면서 선명한 상을 맺기 위한 물체에서 상까지의 최소거리 y_m을 f로 나타내고, $y = y_m$일 때 맺힌 상의 횡배율 m을 구하시오. (단, 횡배율은 상의 크기를 물체의 크기로 나눈 값이고, 모든 광선은 근축광선이다.)

2018-A14

16 그림과 같이 수조 안에 있는 해마의 최종 상이 안쪽 유리면(1면)과 바깥쪽 유리면(2면)에 의해 형성되어 있다. 해마는 곡률반지름 R_1이 20cm인 1면의 곡률 중심에 놓여있으며, V_1은 1면의 중앙점, V_2는 2면의 중앙점이다.

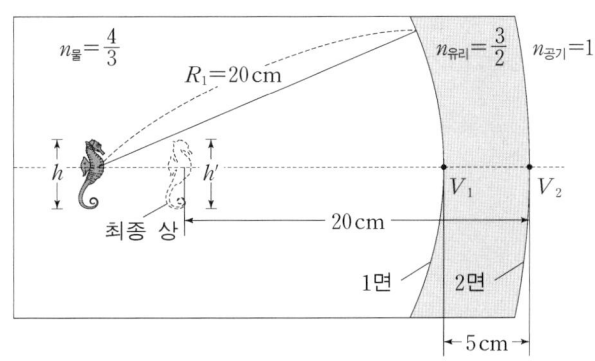

$n_물$: 물의 굴절률 $n_유리$: 유리의 굴절률 $n_공기$: 공기의 굴절률

〈자료〉를 참고하여 V_1에서부터 1면에 의해 형성된 상까지의 거리 s, 2면의 곡률반지름 R_2를 구하고, 해마의 높이 h에 대한 해마의 최종상의 높이 h'의 비 $\dfrac{h'}{h}$를 풀이 과정과 함께 구하시오. (단, 해마의 폭은 무시하고, 해마의 상은 근축광선에 의해 형성된다고 가정한다.)

┤ 자료 ├

굴절률이 n, n'인 두 매질의 경계면(굴절면)에 의해 물체의 근축광선으로 형성되었을 경우 다음 관계식이 성립한다.

$$\frac{n}{p} + \frac{n'}{q} = \frac{n'-n}{R}$$

17 2016-A12

그림 (가)는 동공의 중심인 점 A로부터 25cm 떨어진 눈의 근점(near point)에 작은 물체를 놓고 눈으로 물체를 바라보는 모습을 나타낸 것이다. 물체와 A를 연결한 선과 광축 사이의 각은 θ이다. 그림 (나)는 A에서 5cm 떨어진 지점에 초점거리가 10cm인 얇은 볼록 렌즈를 놓고, 렌즈로부터 s_0만큼 떨어진 지점에 동일한 물체를 놓았을 때, 근점에 생긴 허상을 눈으로 보는 모습을 나타낸 것이다. (나)에서 허상과 A를 연결한 선과 광축 사이의 각은 θ'이다.

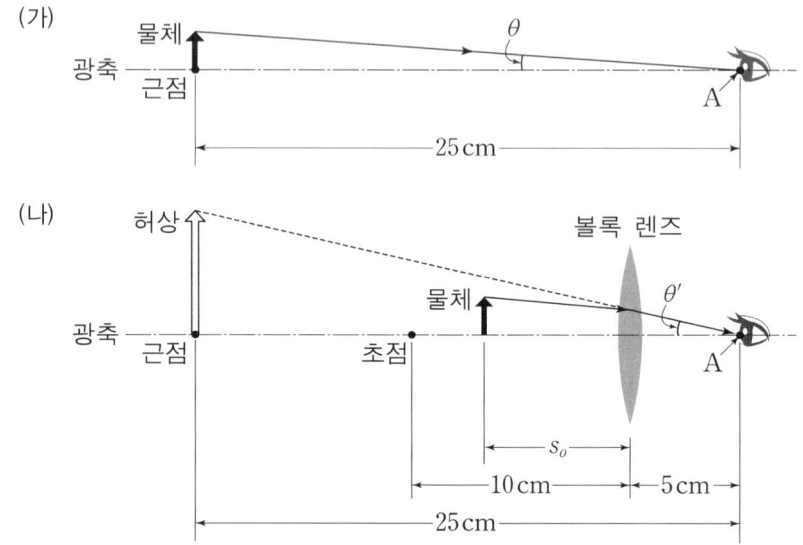

(나)에서 s_0와 이 볼록 렌즈의 각배율(angular magnification) M을 각각 풀이 과정과 함께 구하시오. (단, 물체에서 나와서 눈으로 들어가는 모든 과정은 근축광선이고 물체는 광축에 수직이다.)

18 2015-A07

그림은 공기 중에 놓인, 초점거리가 f인 얇은 볼록 렌즈 왼쪽에 세워진 선형 물체의 실상이 렌즈의 오른쪽에 맺힌 것을 나타낸 것이다. 이때 횡배율의 크기는 m_1이다. 횡배율의 크기는 상의 크기를 물체의 크기로 나눈 값이다. 이 물체를 렌즈 쪽으로 광축을 따라 d만큼 이동시켰더니 렌즈의 오른쪽에 횡배율의 크기가 m_2인 실상이 맺혔다.

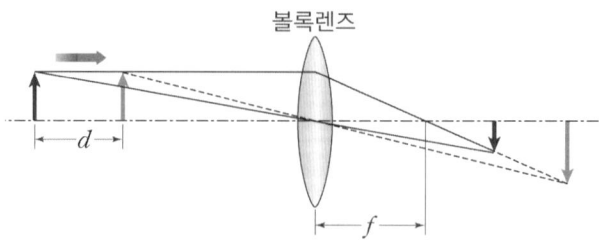

이 렌즈의 초점거리 f를 구하시오. (단, 모든 광선은 근축광이고, 물체는 광축에 수직이다.)

19 2020-B02

그림 (가)와 같이 광축과 평행한 두 광선이 얇은 볼록 렌즈 A를 지나 렌즈로부터 거리 d만큼 떨어진 곳에 수렴한다. (가)의 A에 얇은 오목 렌즈 B를 그림 (나)와 같이 접촉하면 두 광선은 렌즈로부터 거리 $\frac{3}{2}d$만큼 떨어진 곳에 수렴한다.

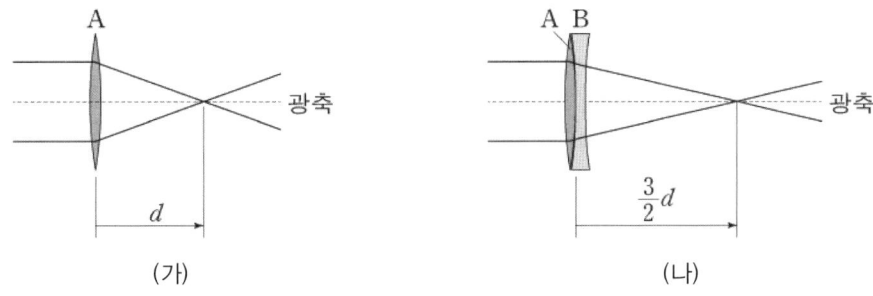

A와 B의 초점거리 f_A와 f_B를 부호를 포함하여 각각 d로 구하시오. (단, 모든 광선은 근축광선이며, A와 B는 공기 중에 놓여있다.)

20 2021-B11

그림은 구면거울, 볼록 렌즈, 카메라로 이루어진 천체망원경을 나타낸 것이다. 구면거울의 지름은 $D = 50\,\text{cm}$, 곡률반지름은 $R = 200\,\text{cm}$이고, 망원경의 각배율의 크기는 $M_\theta = 50$이다.

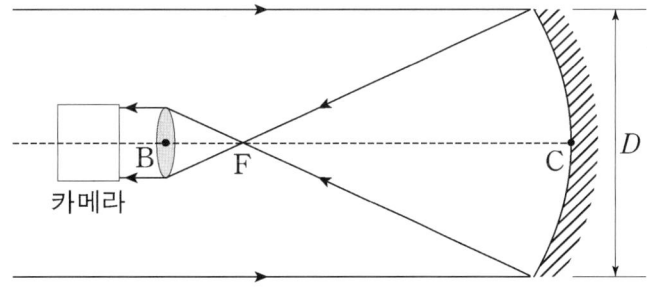

볼록 렌즈의 초점거리($\overline{\text{BF}}$), 볼록 렌즈와 거울 사이의 거리($\overline{\text{BC}}$)를 각각 구하시오. 또한 500nm 파장의 빛에 대한 망원경의 각해상도를 풀이 과정과 함께 구하시오. (단, 각해상도는 구분 가능한 두 물체 사이의 최소 각거리이며, 모든 광선은 근축광선이다.)

21
2022-B02

그림과 같이 초점거리가 f인 얇은 볼록 렌즈 L_1과 초점거리가 $-f$인 얇은 오목 렌즈 L_2가 배열되어 있다. 물체가 L_1로부터 $\alpha f(\alpha > 1)$ 만큼 떨어진 위치에 놓여있다. L_1에 의한 물체의 상거리(L_1에서 상까지의 거리)를 구하시오. L_1과 L_2에 의한 최종 상거리가 $+\infty$가 될 때, L_1과 L_2 사이의 거리 d를 α와 f로 나타내시오. (단, 모든 광선은 근축광선이며, L_1, L_2는 광축에 수직으로 배열되어 있다.)

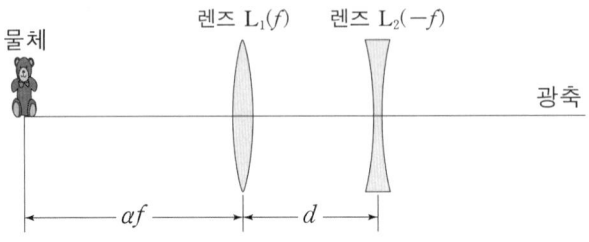

22
2023-B02

그림 (가)는 얇은 볼록 렌즈 A에서 왼쪽으로 12cm 떨어진 곳에 크기가 h인 물체를 두었을 때, A의 오른쪽으로 6cm 떨어진 곳에 실상이 생긴 것을 나타낸 것이다. 그림 (나)는 (가)에서 얇은 볼록 렌즈 B를 A의 오른쪽으로 거리 d인 곳에 추가하여 크기가 $2h$인 실상이 만들어진 것을 나타낸 것이다. A와 B의 초점거리는 f로 같다.

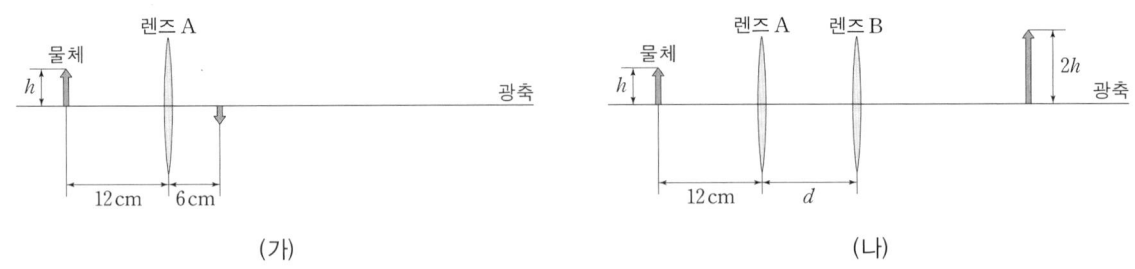

f와 d를 각각 구하시오. (단, 광선은 근축 광선이며, A와 B는 광축에 수직으로 배열되어 있다.)

2024-A02

23 그림은 대물렌즈를 통해 물체에서 나오는 적외선의 상이 형광판에 맺고, 형광판에서 나온 가시광선의 상을 접안 렌즈를 통해 보는 적외선 투시경의 구조를 나타낸 것이다. 두 렌즈 사이의 거리가 25cm이고 물체와 형광판 사이의 거리가 2m일 때, 초점거리가 18cm인 대물렌즈를 통해 상이 맺혔다.

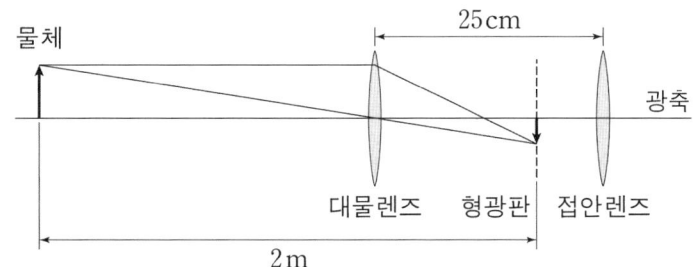

대물렌즈와 형관판 사이의 거리를 구하시오. 접안 렌즈의 초점거리가 6cm일 때, 투시경의 횡배율을 구하시오. (단, 횡배율은 상의 크기를 물체의 크기로 나눈 값이고, 모든 광선은 근축광선이다.)

2026-B10

24 그림과 같이 초점거리 10cm인 얇은 볼록 렌즈 L_1과 초점거리 -40cm인 얇은 오목 렌즈 L_2가 10cm만큼 떨어져 있고, L_1과 L_2 사이에 지름 2cm인 얇은 원형 조리개가 있다. 높이가 1cm인 화살표 모양의 물체는 L_1의 왼쪽 15cm에 위치하고, 물체의 광축 상의 점 A에서 출발한 광선 R_1은 조리개 가장자리를 지나고, 물체의 끝점 B를 출발한 광선 R_2는 조리개 중심을 지난다.

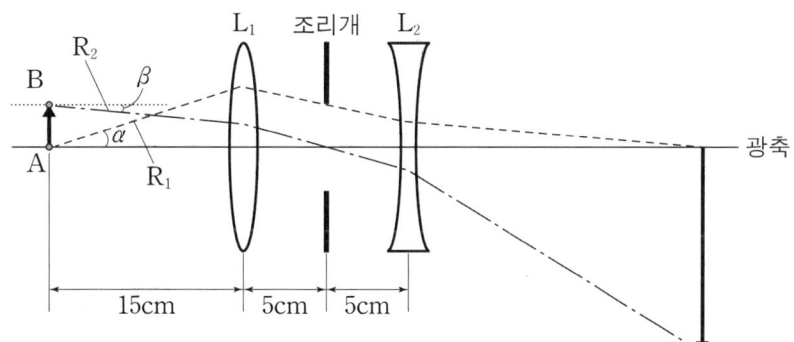

A에서 출발하는 R_1과 광축이 이루는 각이 α일 때, $\tan\alpha$를 구하시오. L_1과 L_2에 의한 물체의 최종 상과 L_2 사이의 거리를 구하시오. B에서 출발하는 R_2가 광축과 평형한 선과 이루는 각을 β라고 할 때 $\tan\beta$를 풀이 과정과 함께 구하시오. (단, 모든 광선은 근축광선이다.)

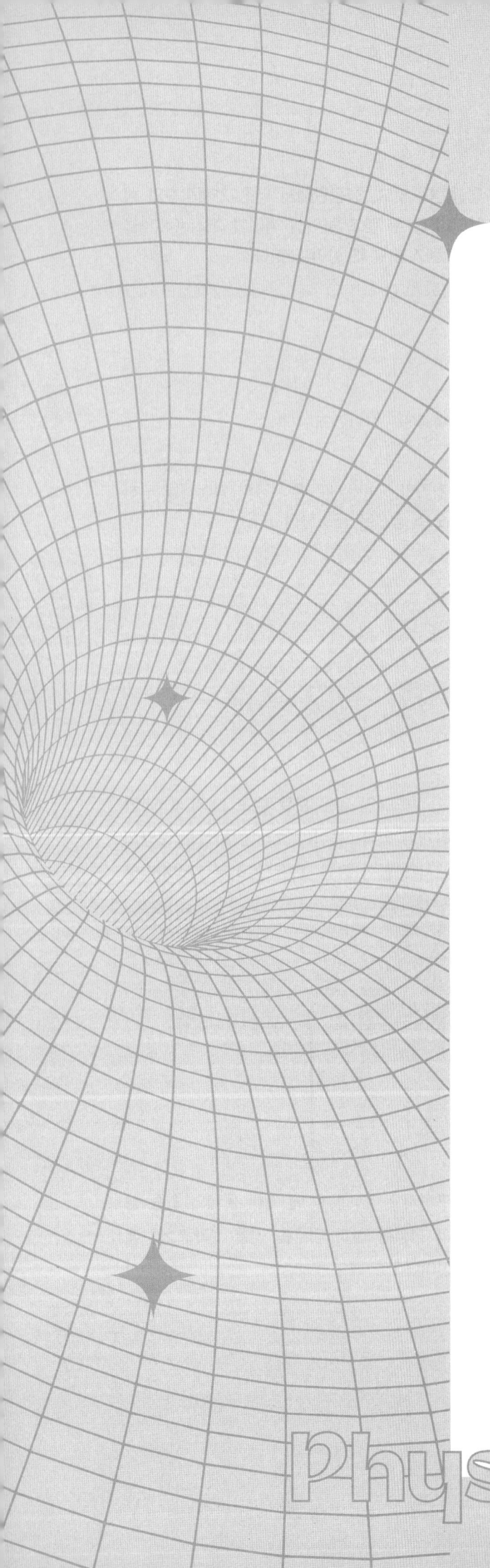

정승헌
전공물리 기출문제집

Physics

06

파동역학

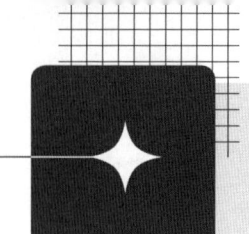

핵심 이론정리

1 파동 기본, 정상파, 도플러 효과

(1) 파동 기본

① 파동 방정식

$$\frac{\partial^2 y}{\partial x^2} = \frac{1}{v^2}\frac{\partial^2 y}{\partial t^2} \qquad y : \text{파동의 변위, } v : \text{파동의 전파 속력}$$

② 파동 함수

$$y = A\sin(kx \pm \omega t + \phi): k = \frac{2\pi}{\lambda},\ x : \text{진행 방향, } \omega = \frac{2\pi}{T},\ \phi : \text{위상 상수}$$

(2) 정상파

진행파와 반사파의 합성

① 줄의 정상파 조건: $L = \dfrac{n}{2}\lambda$

② 한쪽이 막힌 관: $L = \dfrac{2n-1}{4}\lambda$

③ 양쪽이 열린 관: $L = \dfrac{n}{2}\lambda$

(3) 맥놀이

세기가 같고 두 음파의 진동수가 각각 f_1, f_2일 때 파의 합성

$$\text{맥놀이 진동수 } f_b = |f_1 - f_2|$$

(4) 도플러 효과

파동의 진동수를 변화시키는 유일한 이론

$$f' = \frac{V + v_{\text{관측}}}{V - v_{\text{음원}}}$$

2 간섭

두 개 이상의 파의 중첩으로 보강 또는 상쇄를 일으키는 현상

$$경로차 \ \Delta = x_2 - x_1 = \begin{cases} m\lambda & ; 보강 \ 간섭 \\ \dfrac{2m+1}{2}\lambda & ; 상쇄 \ 간섭 \end{cases}$$

위상차는 $\phi = k\Delta$이므로 위상차 ϕ가 0일 때, 합성 파동의 진폭이 $2A$로 최대(보강)

ϕ가 π일 때, 합성 파동의 진폭은 0으로 최소(상쇄)

3 회절

파동이 방해물을 만났을 때 호이겐스 원리를 통해 전파해 나가는 현상

(1) 렌즈의 분해능(각해상도) 공식

$$\theta = \frac{1.22\,\lambda}{D} \quad D=렌즈 \ 직경, \ \lambda=빛의 \ 파장$$

(2) 슬릿의 회절

스크린에서 빛의 세기 $I = I' \left(\dfrac{\sin\beta}{\beta} \right)^2 \left(\dfrac{\sin N\alpha}{\sin\alpha} \right)^2 \ [where \ \alpha = \dfrac{kd\sin\theta}{2}, \ \beta = \dfrac{ka\sin\theta}{2}]$

① 회절성분 : $\left(\dfrac{\sin\beta}{\beta} \right)^2, \ [\beta = \dfrac{ka\sin\theta}{2}]$

② 간섭성분 : $\left(\dfrac{\sin N\alpha}{\sin\alpha} \right)^2, \ [\alpha = \dfrac{kd\sin\theta}{2}]$

(3) 회절격자

$$\Delta = a(\sin\theta_i + \sin\theta_m) = \begin{cases} m\lambda & ; 보강조건 \\ \dfrac{2m+1}{2}\lambda & ; 상쇄조건 \end{cases}$$

4 편광

(1) 편광 종류

① $s(TE)$편광 : 전기장이 입사면에 수직

② $p(TM)$편광 : 자기장이 입사면에 수직

(2) 브루스터 각

입사각이 θ_B일 때 굴절각을 θ_r이라 하면 $\theta_B + \theta_r = \dfrac{\pi}{2}$를 만족한다.

입사광선이 브루스터각(편광각)으로 입사할 경우 $p(TM)$편광된 빛의 반사율은 0이다.

(3) 편광 법칙

① 편광 제1법칙 : 자연광이 선형편광판을 통과할 때 빛의 세기

$$I = \frac{1}{2}I_0$$

② 말뤼스 법칙 : 선형편광된 빛이 편광방향과 ϕ만큼 틀어진 편광판을 통화할 때 빛의 세기

$$I' = I\cos^2\phi$$

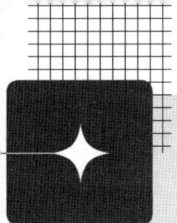

핵심 기출문제

◆ 정답 및 해설 68~80쪽

1 파동 기본, 정상파, 도플러 효과

2005-16

01 그림은 한 줄로 된 기타의 기타 줄이 기본 진동으로 정상파를 만드는 모습이다. 기타 줄의 길이는 L이고, 기타 줄에서 파동의 속도는 v_0이다.

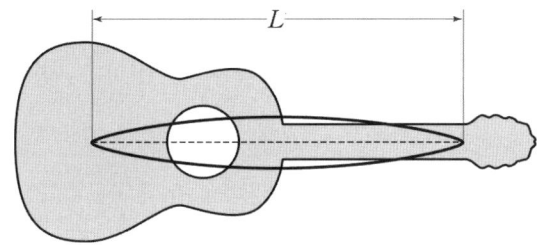

1) 이때 발생되는 음파의 진동수와 파장을 구하시오. (단, 공기 중에서 음파의 속도는 v_s이다.)

2) 여름철과 겨울철에 기타에서 발생되는 음파의 파장을 비교하여 정성적으로 설명하시오. (단, 기타에서 발생되는 정상파의 진동수는 변하지 않는다.)

2010-21

02 그림은 한쪽 끝이 닫힌 원통 A와 양쪽 끝이 열린 원통 B 사이에서, 음원이 원통 B를 향해 일정한 속력 v로 직선운동 하는 모습을 나타낸 것이다. 음원과 원통 A, B는 모두 일직선상에 있고 두 원통의 길이는 모두 L이다. 두 원통에는 각각 기본 진동수의 정상파가 형성되었으며, 음속은 v_0이다.

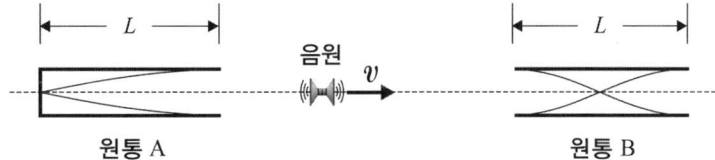

이때 음원의 속력 v는? (단, 정상파의 배와 원통의 끝은 일치한다.)

① $\frac{1}{6}v_0$

② $\frac{1}{5}v_0$

③ $\frac{1}{4}v_0$

④ $\frac{1}{3}v_0$

⑤ $\frac{1}{2}v_0$

2018-A04

03 그림은 매질과 두 개의 평면거울로 구성된 레이저 공진기가 공기 중에 놓여있는 것을 모식적으로 나타낸 것이다. 두 거울 사이의 거리는 $1.5\,\mathrm{m}$ 이고 매질의 길이는 $1.0\,\mathrm{m}$ 이다. 공기의 굴절률은 1.0 이고, 매질의 굴절률은 1.5 이다.

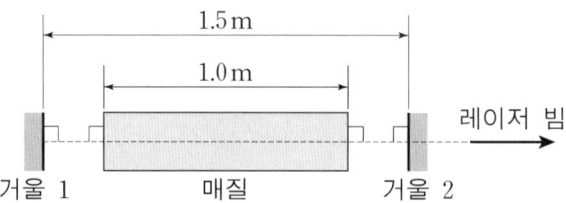

레이저 빔이 거울 1에서 거울 2로 진행할 때의 광경로 길이(optical path length) L을 구하고, 공진기 내부에서 정상파 조건을 만족하는 종 모드(longitudinal mode)들 중에서 이웃한 두 모드 사이의 진동수 차 $\Delta \nu$를 구하시오. (단, 공기에서 빛의 속력은 $3.0 \times 10^8\,\mathrm{m/s}$ 이다. 매질 표면에서 반사는 무시하고, 레이저 빔은 거울 면에 수직이다.)

2017-A03

04 그림은 압력변화가 사인파 형태인 두 음파가 같은 세기로 관측점에 도달할 때 측정한 압력변화 ΔP를 시간에 따라 나타낸 것이다.

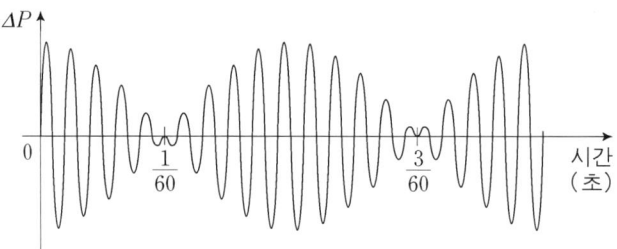

맥놀이 진동수 f_b를 쓰고, 두 음파의 진동수를 구하시오.

(단, $\sin A + \sin B = 2\sin\left(\dfrac{A+B}{2}\right)\cos\left(\dfrac{A-B}{2}\right)$ 이다.)

2 간섭

2004-17

05 다음 그림은 마이컬슨 간섭계의 개략도이다.

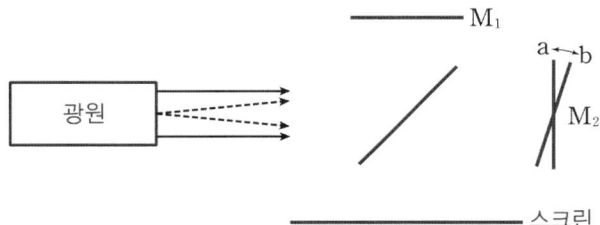

다음의 세 경우에 스크린에서 관찰하게 될 개략적인 간섭무늬 중 가장 적절한 것을 〈보기〉에서 한 개씩만 고르시오.

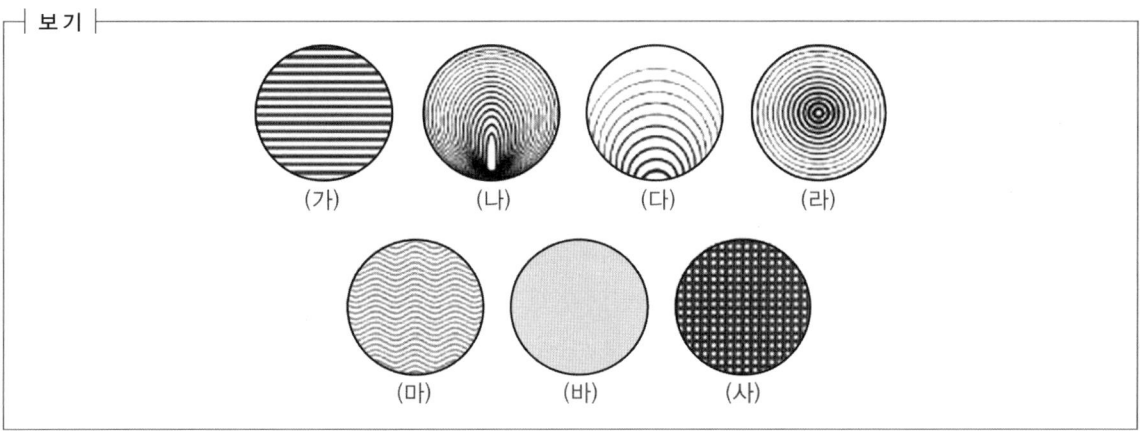

1) 평행광(그림에서 실선으로 표시된 것)이 거울 M_1과 M_2(a 위치)에 수직으로 입사할 때:

2) 평행광이 M_1에는 수직으로 입사하나 M_2(b 위치)에는 경사지게 입사할 때:

3) 점광원에서 발생된 빛(그림에서 점선으로 표시된 것)이 거울 M_1과 M_2(a 위치)에 입사할 때:

2005-13

06 두 장의 유리판 사이에 두께가 다른 두 개의 토막을 아래 왼쪽 그림과 같이 설치한 후 위에서 관찰한 결과, 아래 오른쪽 그림과 같이 10개의 밝은 간섭무늬가 관찰되었다. 두꺼운 토막의 두께가 $10.0\mu\text{m}$, 사용한 빛의 파장이 500nm일 때, 얇은 토막의 두께를 구하시오. (단, 정확도를 빛의 반파장 범위 내에서 구하시오.)

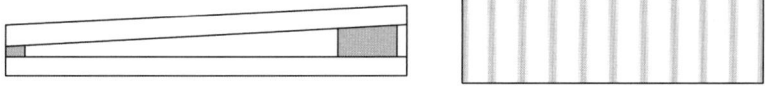

07

2006-21

그림과 같이 지면으로부터 높이 $H(=30\text{m})$인 지점에 라디오파 송신기가 있고, 수평 거리 $L(=600\text{m})$ 떨어진 지점에 수신기가 같은 높이에 설치되어 있다. 수신기는 송신기에서 직접 송출된 신호와 지면에서 반사된 신호를 동시에 검출한다. 라디오파는 지면에서 반사될 때 $180°$의 위상변화가 일어난다고 한다. 수신기에서 검출된 두 파의 경로 차, 두 파가 보강 간섭을 일으킬 조건, 보강 간섭이 일어나는 가장 긴 파장을 각각 구하시오. (단, $L \gg H$와 $\sqrt{1+x^2} \approx 1 + \frac{1}{2}x^2$을 이용하시오.)

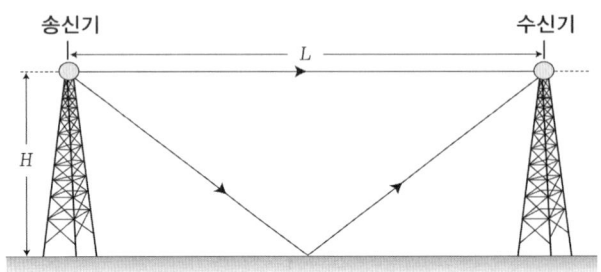

1) 두 파의 경로 차:

2) 보강 간섭 조건:

3) 가장 긴 파장:

08

2008-18

그림과 같이 하나의 레이저 빛에서 단일슬릿(S_1)에 의해 나누어진 빛이 삼중슬릿(S_2)을 지나 세 개의 서로 다른 경로를 통해 스크린상의 한 점 P에 도달하였다.

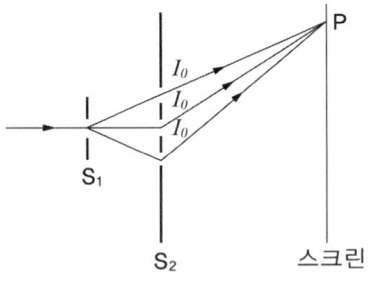

S_2를 통과한 빛은 모두 평면파이고 빛의 세기는 각각 I_0이다. 서로 인접한 세 경로로 P점에 도달한 세 빛의 위상이 순차적으로 $60°$만큼씩 증가할 때, 세 빛의 간섭에 의한 P점에서의 빛의 세기를 I_0로 나타내시오.

09

2009-33

그림 (가)는 작은 홈이 파인 식탁 유리에 유리판을 덮고 단색광을 비출 때 간섭무늬가 생긴 것을 나타낸다. 그림 (나)는 홈과 유리판에 단색광을 수직으로 비춘 측면도와 유리판에 생긴 간섭무늬를 나타낸다.

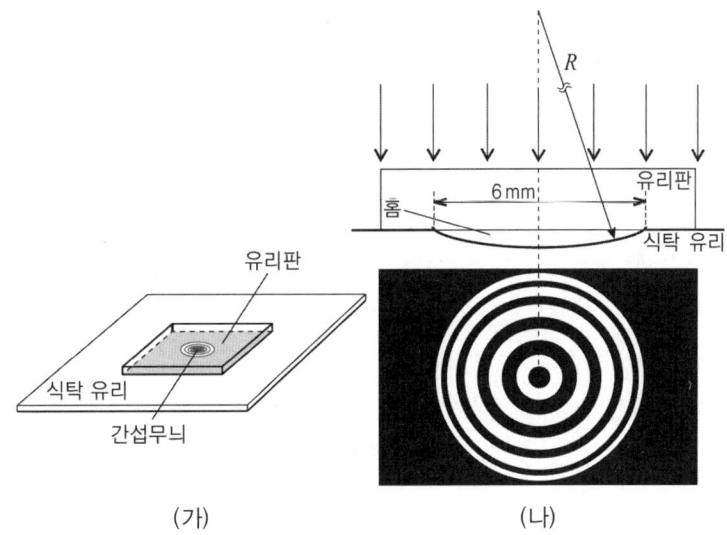

(가)　　　　　　　(나)

홈의 지름은 6mm이고 단색광의 파장이 600nm일 때, 홈의 곡률반지름 R에 가장 가까운 값은? (단, 홈 안의 굴절률은 1이다.)

① 1.5m 　　　　　　② 3m

③ 6m 　　　　　　④ 9m

⑤ 12m

10 `2010-19`

그림 (가)와 같이 이중슬릿에 단색광을 비추어 생긴 간섭무늬를 스크린에서 관찰한다. 그림 (나)는 $\lambda_1 = 630\text{nm}$인 단색광을 비추었을 때 스크린에 생긴 3차 밝은 간섭무늬와, 파장이 λ_2인 단색광을 비추었을 때 스크린에 생긴 4차(5번째) 어두운 간섭무늬가 스크린에서 같은 위치 P에 생긴 것을 나타낸 것이다. 점 A는 이중슬릿의 두 슬릿으로부터 거리가 같은 스크린상의 한 점이다.

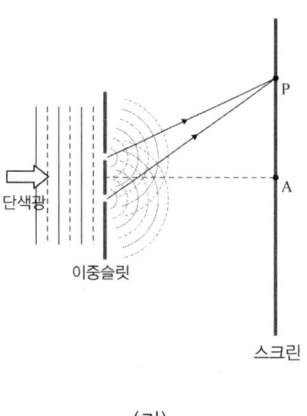

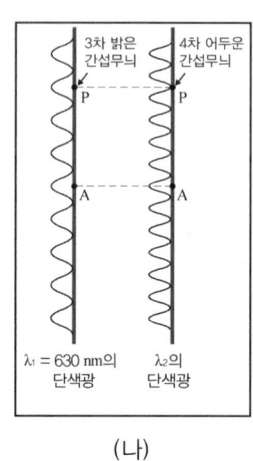

(가)   (나)

이때 단색광의 파장 λ_2는? (단, 두 단색광은 평면파이고, 이중슬릿에 수직으로 입사한다.)

① 420nm   ② 440nm
③ 470nm   ④ 500nm
⑤ 520nm

11

그림과 같이 파장 λ_0인 s-편광된 레이저광을 공기에서 유전체 박막으로 브루스터각보다 작은 입사각으로 입사시켰다. 이 유전체 박막에서 다중 반사된 레이저광을 렌즈로 스크린 위의 P 점에 모았다. 유전체 박막은 균일하고, 두께는 일정하다.

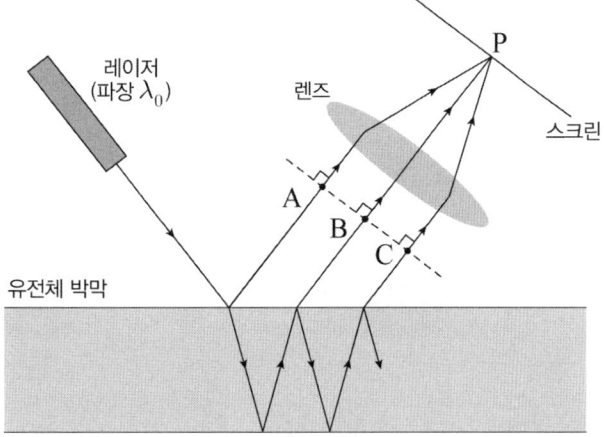

P 점에서 밝기가 최대가 되는 가장 얇은 유전체 박막의 경우, 반사광의 경로상의 점 A, B, C 를 지나는 빛에 대한 설명으로 옳은 것만을 〈보기〉에서 모두 고른 것은?

┤ 보기 ├

ㄱ. A 와 B 에서의 광경로차는 $\dfrac{\lambda_0}{4}$ 이다.

ㄴ. A 와 B 를 지나는 광선은 P 점에서 보강 간섭을 한다.

ㄷ. A 와 C 를 지나는 광선은 P 점에서 보강 간섭을 한다.

① ㄱ   ② ㄴ

③ ㄷ   ④ ㄱ, ㄴ

⑤ ㄴ, ㄷ

2017-B04

12 그림은 곡률반지름 R인 평면 볼록 렌즈를 평면 유리에 접촉시킨 후, 단색광의 수직 조명을 이용하여 반사에 의한 간섭무늬를 얻는 뉴턴 고리 간섭계를 나타낸 것이다. 렌즈와 평면 유리 사이에는 굴절률 n인 기름으로 채워져 있고, d_m은 간섭 차수가 m일 때의 기름 두께이며, r_m은 간섭무늬 반지름이다. 빔가르개는 입사광을 수직 하방으로 향하게 하며, 공기 중에서 입사광의 파장은 λ_0이다.

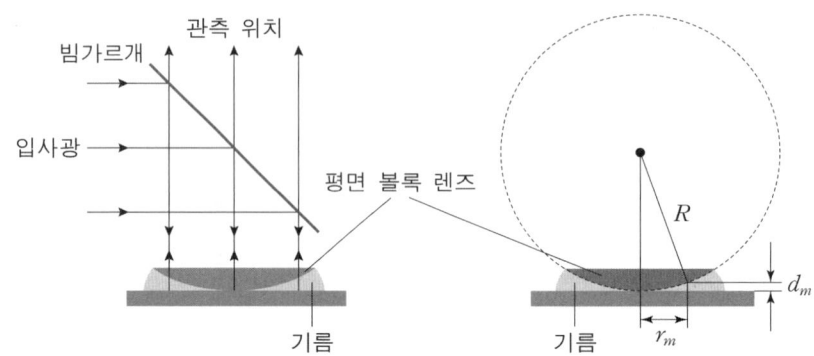

보강 간섭이 일어날 조건을 쓰고, $r_m^2 = 2Rd_m - d_m^2 \simeq 2Rd_m\ (R \gg d_m)$을 사용하여 간섭 차수가 m일 때 보강 간섭무늬의 반지름 r_m을 풀이 과정과 함께 구하시오. (단, 기름의 굴절률은 n은 평면 볼록 렌즈 및 평면 유리의 굴절률보다 작다.)

2012-36

13 그림은 xz평면에 놓인 거울로부터 거리 d만큼 떨어진 점광원 S에서 나온 파장 λ인 빛이, S로부터 거리 L만큼 떨어진 스크린상에 형성한 간섭무늬에 대한 빛의 세기 분포를 나타낸 것이다. S에서 나온 빛이 공기(굴절률 1) 중에서 S → Q 경로와 S → P → Q 경로를 각각 지나서 스크린상에 3번째 밝은 간섭무늬를 형성하였다. 점 P는 거울면에 있고, 점 Q는 3번째 밝은 간섭무늬의 가장 밝은 지점이다. S, P, Q는 yz평면상의 점들이다. 점 O는 yz평면에서 거울과 스크린이 만나는 지점이다.

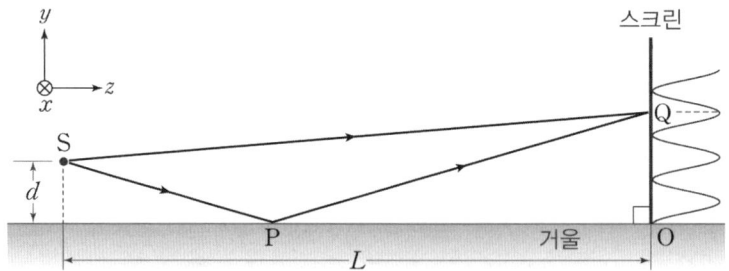

이에 대한 설명으로 옳은 것만을 〈보기〉에서 있는 대로 고른 것은? (단, $L \gg d \gg \lambda$이고, 스크린은 xy평면에 평행하다.)

보기
ㄱ. 두 경로 S → Q와 S → P → Q의 경로차는 3λ이다.
ㄴ. 다른 조건은 그대로 두고, d만 증가시키면 Q는 O에서 멀어진다.
ㄷ. 다른 조건은 그대로 두고, λ만 증가시키면 Q는 O에서 멀어진다.

① ㄱ   ② ㄷ

③ ㄱ, ㄴ   ④ ㄴ, ㄷ

⑤ ㄱ, ㄴ, ㄷ

14 2013-26

그림은 파장이 λ인 레이저 광선, 반투명 거울 M_0, 고정된 거울 M_1, 움직이는 거울 M으로 구성된 마이컬슨 간섭계를 모식적으로 나타낸 것이다. M_0에서 M, M_1까지의 거리가 각각 L, L_1일 때 스크린상의 점 P에서 밝은 간섭무늬가 관측되었다.

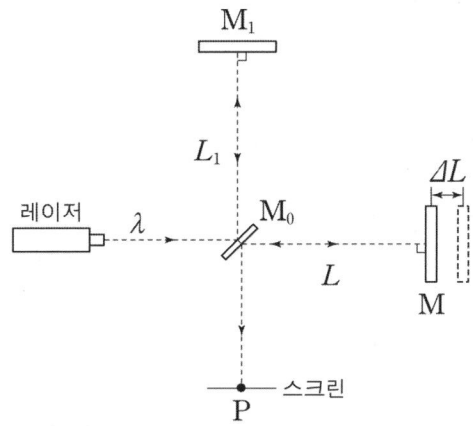

M을 ΔL만큼 오른쪽으로 이동시키는 동안 밝은 간섭무늬가 m번 나타났을 때, 측정되는 파장 λ로 가장 적절한 것은? (단, 빛은 M, M_1의 앞면에서 반사되며, 실험은 진공에서 이루어진다.)

① $\dfrac{1}{4}\dfrac{\Delta L}{m}$

② $\dfrac{1}{2}\dfrac{\Delta L}{m}$

③ $\dfrac{\Delta L}{m}$

④ $\dfrac{2\Delta L}{m}$

⑤ $\dfrac{4\Delta L}{m}$

2019-A13

15 그림은 파장이 λ인 평면 단색광이 4중 슬릿을 통과하여 스크린에 간섭무늬를 만든 것을 개략적으로 나타낸 것이다. 점 O는 중앙 극대점이고, 점 P, Q는 각각 O에 이웃한 첫 번째 극소점과 첫 번째 주요 극대점(first principal maximum)이다. ℓ_1과 ℓ_2는 각각 첫 번째 슬릿과 네 번째 슬릿으로부터 Q에 도달하는 단색광의 경로이다. 슬릿의 폭은 a이고, 슬릿 사이의 간격은 d로 일정하며, 슬릿과 스크린 사이의 거리는 L이다.

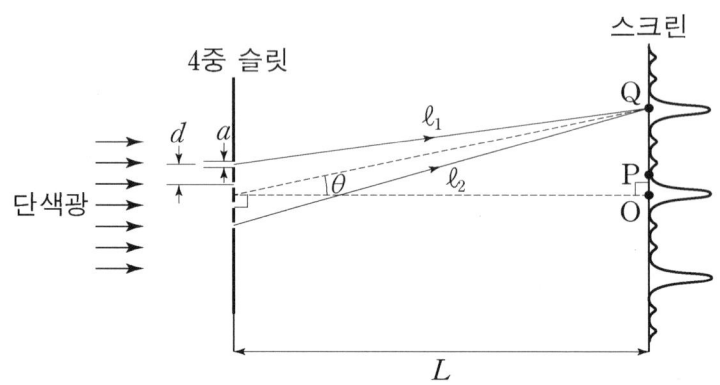

〈자료〉를 참고하여 O에서의 빛의 세기를 I_0으로 나타내고, O와 P 사이의 거리와 O와 Q 사이의 거리를 각각 구하시오. 그리고 $|\ell_2 - \ell_1|$을 λ로 나타내시오. (단, $L \gg d \gg a$이다.)

자료

프라운호퍼 영역에서 다중 슬릿에 의해서 스크린에 만들어진 무늬의 빛의 세기 I는 다음과 같은 근사식으로 표현된다. (단, $d \gg a$이다.)

$$I = I_0 \left(\frac{\sin N\alpha}{\sin \alpha} \right)^2$$

N은 슬릿의 개수이고 α는 $\dfrac{\pi d \sin \theta}{\lambda}$이다. I_0은 $N=1$일 때 O에서의 빛의 세기이다.

2015-B02

16 그림은 진공에 놓여있는 영(T.Young)의 이중슬릿 간섭계를 나타낸 것이다. 점 O는 두 슬릿으로부터 거리가 같은 스크린상의 한 점이다. 파장 λ_0인 단색 평면파를 이중슬릿에 수직으로 비추었더니 O로부터 세 번째 어두운 간섭무늬가 A 지점에 생겼다. 이 간섭계를 굴절률 n인 새로운 매질에 놓았더니 파장은 λ로 변하였고, A 지점에는 O로부터 네 번째 어두운 무늬가 생겼다.

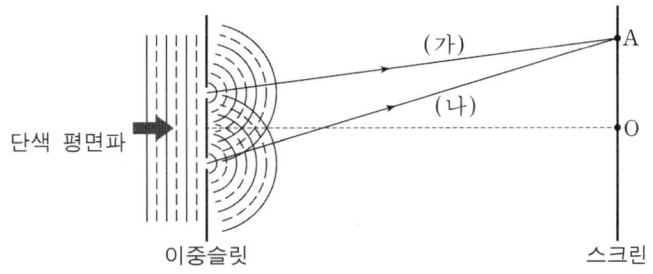

λ와 λ_0의 관계식을 쓰고, 새로운 매질에서의 네 번째 어두운 간섭무늬에 대한 (가)와 (나) 사이의 광경로차 $\triangle$를 쓰시오. 또한 n값을 풀이 과정과 함께 구하시오.

2026-B02

17 그림은 두 슬릿 중심 사이의 거리가 a인 이중슬릿에 단색 평면파가 수직으로 입사하는 간섭 장치를 개략적으로 나타낸 것이다. 슬릿으로부터 스크린 사이의 거리는 $L(L \gg a)$이고, 점 O는 두 슬릿으로부터 거리가 같은 스크린상의 한 점이다. 공기 중에서, 스크린상의 P 지점에 두 번째 밝은 무늬가 위치한 간섭무늬 A가 관찰되었다. 동일한 단색광에 의한 간섭 장치를 굴절률이 n인 액체 속에 완전히 잠기게 했더니, P 지점에 세 번째 어두운 무늬가 위치한 간섭무늬 B가 관찰되었다.

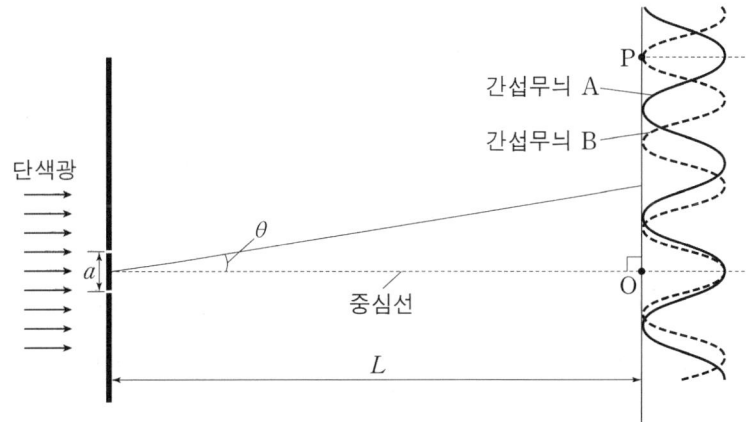

액체의 굴절률 n을 구하시오. 간섭무늬 B의 첫 번째 밝은 무늬가 중심선과 이루는 각도를 θ라고 할 때, n에 대한 θ의 변화율 $\dfrac{d\theta}{dn}$을 n과 θ로 나타내시오. (단, 공기의 굴절률은 1이고, 액체는 정지 상태의 등방성인 투명한 유체이다.) [2점]

2016-A07

18 그림은 동일한 광원에서 나온 2개의 평면파 A, B가 각각 거울 M_1, M_2에서 반사하여 서로 다른 두 경로를 지난 후 점 P에서 중첩하는 모습을 나타낸 것이다. P에서 A, B의 복사조도(세기)는 각각 $I_0, 3I_0$이다. 광원이 결 어긋난(incoherent) 광원인 경우 P에서 중첩된 파동의 복사조도는 I_1이고, 결맞은(coherent) 광원인 경우 P에서 위상차 없이 중첩된 파동의 복사조도는 I_2이다.

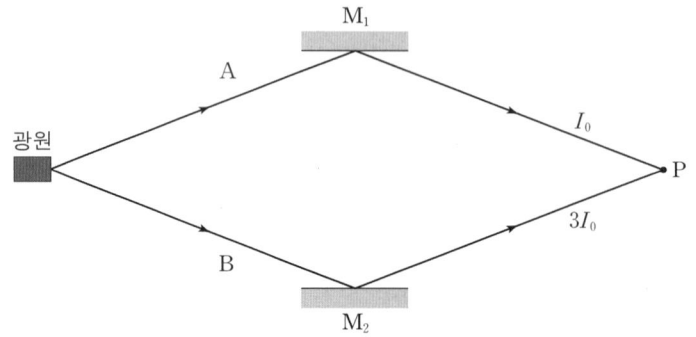

I_1과 I_2를 각각 구하시오. (단, P에 도달한 A, B의 편광과 파장은 같다.)

2020-A11

19 그림 (가)는 영(T. Young)의 이중슬릿 실험에서 파장이 λ인 단색광이 두 슬릿을 통과하여 경로 1, 경로 2를 따라 스크린상의 점 P에 도달한 모습을 나타낸 것이다. P는 중앙 극대점 O와 첫 번째 극소점 사이에 위치한다. 그림 (나)는 (가)에서 각 경로를 따라 P에 도달한 단색광의 전기장의 파동 함수 y_1과 y_2의 파형을 시간 t에 따라 나타낸 것이다. y_1과 y_2의 인접한 극댓값 사이의 시간차는 t_0이다.

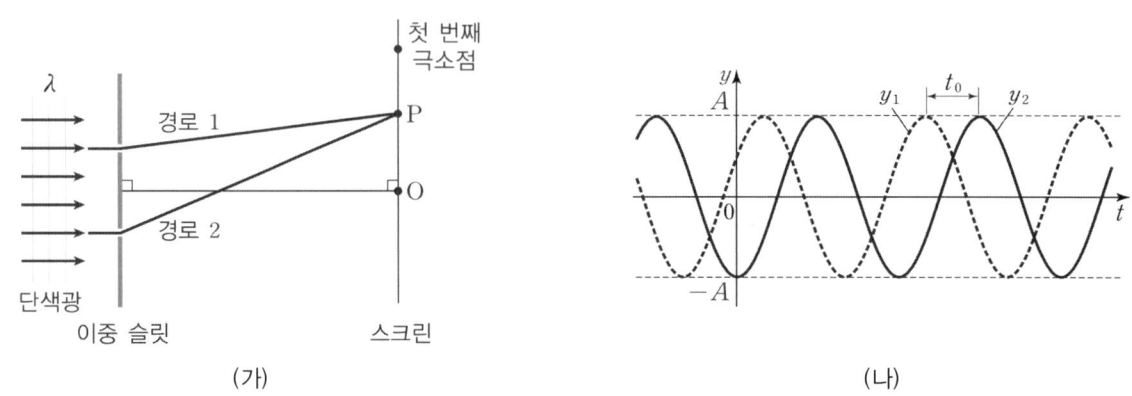

(가)   (나)

y_1과 y_2의 위상차를 t_0, λ, c로 쓰시오. O와 P에서 빛의 세기의 시간에 따른 평균값이 각각 I_O와 I_P일 때, $\dfrac{I_P}{I_O}$를 풀이 과정과 함께 t_0, λ, c로 구하시오. (단, c는 빛의 속력이고, 슬릿 사이의 간격과 λ는 슬릿과 스크린 사이의 거리보다 매우 작다. 슬릿의 폭에 의한 회절 효과는 무시한다.)

| 자료 |

- 단색광의 전기장의 파동 함수는 $y(x,t) = A\sin(kx - \omega t + \delta)$이고, 주기가 T일 때
$$\frac{1}{T}\int_0^T dt\sin^2(\omega t + \delta) = \frac{1}{2}$$ 이다. 여기서 A는 진폭, k는 파수, ω는 각진동수, δ는 위상 상수이다.

- $\sin\alpha + \sin\beta = 2\sin\left(\dfrac{\alpha+\beta}{2}\right)\cos\left(\dfrac{\alpha-\beta}{2}\right)$이다.

2021-A11

20 그림은 파장이 λ인 레이저를 사용하는 마이컬슨 간섭계를 나타낸 것이다. 거울 M_1은 고정되어 있고 거울 M_2는 일정한 속력 v로 움직이며, 스크린에는 시간에 따라 변화하는 간섭무늬가 형성된다. M_1, M_2에서 반사되어, 시간 $t = 0$일 때 점 P에 도달한 두 빛의 광경로차는 d_0이고, P에 밝은 무늬가 형성된다.

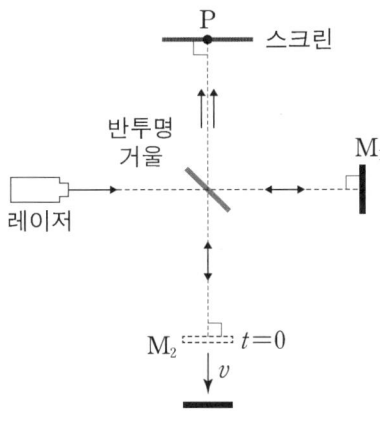

시간 t에서 P에 도달한 두 빛의 광경로차와 위상차를 λ, v, t로 각각 나타내시오. 또한 $\lambda = 600\text{nm}$이고 P에서 1ms 동안 10^4번의 밝은 간섭무늬가 나타날 때, v의 값을 풀이 과정과 함께 구하시오. (단, 실험은 진공에서 이루어진다.)

2025-B01

21 그림 (가)는 공기 중에 파장이 λ인 레이저를 사용하는 마이컬슨 간섭계를 나타낸 것이다. 거울 M_1과 M_2는 반투명 거울에서부터 같은 거리만큼 떨어져 있고, 반투명 거울과 M_2 사이에 굴절률 n인 쐐기 모양의 유리판이 있다. 그림 (나)는 스크린에 나타난 간섭무늬의 일부이고, 그림 (다)는 각도가 α인 쐐기와 광선을 나타낸 것이다.

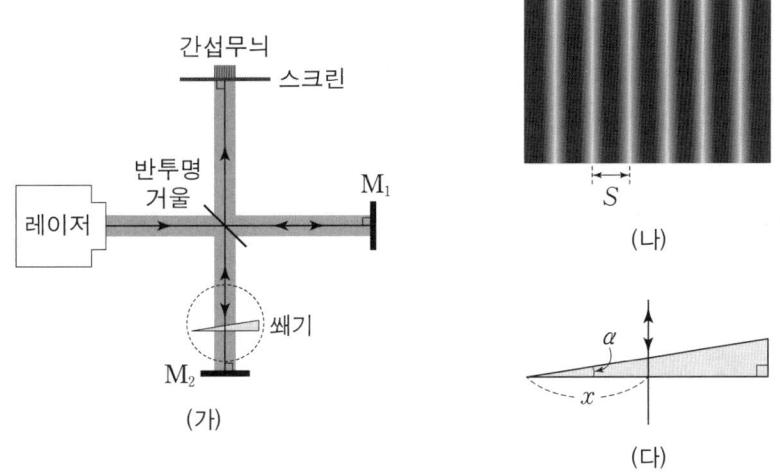

쐐기의 한쪽 끝에서부터 x만큼 떨어진 위치를 통과하여 스크린에 도달하는 빛과 거울 M_1에 반사되어 스크린에 도달하는 빛 사이의 광경로차를 구하시오. 스크린에 형성된 간섭무늬의 이웃한 두 밝은 무늬 사이의 거리 S를 구하시오. α는 충분히 작고, $\tan\alpha \approx \alpha$로 근사한다. (단, 쐐기 표면에서의 반사는 무시한다. 공기의 굴절률은 1이다.)

2013-28

22 그림은 각진동수가 ω이고 평면파인 두 빛이 스크린상의 점 P에 도달하는 것을 나타낸 것이다. 두 빛의 전기장은 각각 $\vec{E_1} = \hat{x}E_0\cos(\vec{k_1}\cdot\vec{r}-\omega t)$, $\vec{E_2} = \hat{y}E_0\cos(\vec{k_2}\cdot\vec{r}-\omega t)$이며, E_0은 실수이고, 점 P에서 두 빛의 세기는 각각 I_0으로 같다.

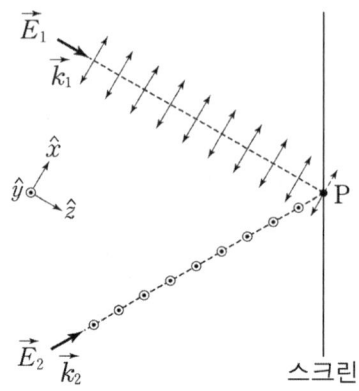

점 P에서 관찰되는 광학적 현상으로 옳은 것만을 〈보기〉에서 있는 대로 고른 것은? (단, $\vec{k_1}$, $\vec{k_2}$는 종이면 위에 있으며 $|\vec{k_1}| = |\vec{k_2}|$를 만족하고, y축은 종이면에 수직이다.)

┤ 보기 ├
ㄱ. 보강 간섭이 일어난다.
ㄴ. 빛의 세기는 $2I_0$이다.
ㄷ. $\vec{E_1}$, $\vec{E_2}$의 진동 방향은 서로 수직이다.

① ㄱ   ② ㄴ
③ ㄱ, ㄷ   ④ ㄴ, ㄷ
⑤ ㄱ, ㄴ, ㄷ

23 2022-A11

그림 (가)와 같이 걸맞은 두 평면 조화파 전기장

$$\overrightarrow{E_1} = E_0\, e^{ik(-x\sin\theta + z\cos\theta)}\, e^{-i\omega t}\, \hat{y}$$

$$\overrightarrow{E_2} = E_0\, e^{ik'(x\sin\theta + z\cos\theta)}\, e^{-i(\omega + \delta\omega)t}\, \hat{y}$$

가 스크린($z = 0$)에 입사하고 있다. 그림 (나)는 간섭무늬가 x축 방향으로 시간에 따라 이동하는 것을 나타낸 것이다.

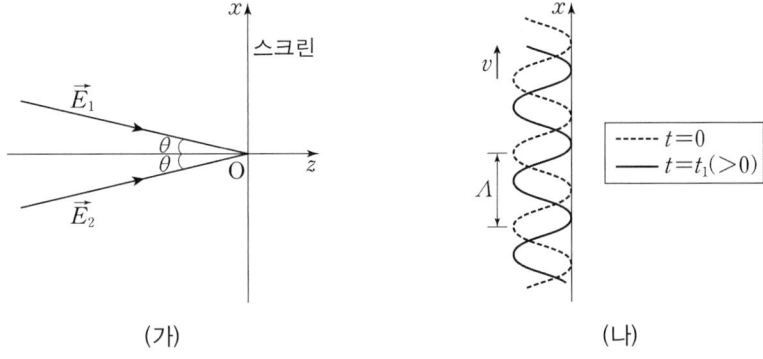

(가)   (나)

근사 조건 $k' \simeq k$를 사용하여 두 파동의 간섭 항이 $\overrightarrow{E_1}^* \cdot \overrightarrow{E_2} + \overrightarrow{E_1} \cdot \overrightarrow{E_2}^* = 2E_0^2 \cos(Kx - \Omega t)$가 되는 K를 풀이 과정과 함께 구하시오. 간섭무늬의 인접한 극대와 극대 사이의 거리 Λ와 이동 속력 v를 $k, \theta, \delta\omega$로 나타내시오. (단, E_0은 상수, k, k'은 파수이고, ω와 $\omega + \delta\omega$는 각진동수이며, $\delta\omega \ll \omega$이다.)

2023-A11

24 그림 (가)는 파장이 λ인 평면 단색광이 5중 슬릿을 통과하여 거리 L만큼 떨어진 스크린 위에 간섭무늬를 만드는 것을 나타낸 것이다. 슬릿의 폭은 모두 a이고 슬릿 사이의 간격은 모두 d이며 점 O는 간섭무늬의 중앙 극대점이다. 그림 (나)는 스크린에 나타난 빛의 세기 I를 $\sin\theta$의 함수로 나타낸 것이다. P는 첫 번째 주요 극대(first principal maximum)를 나타내는 스크린상의 지점이다.

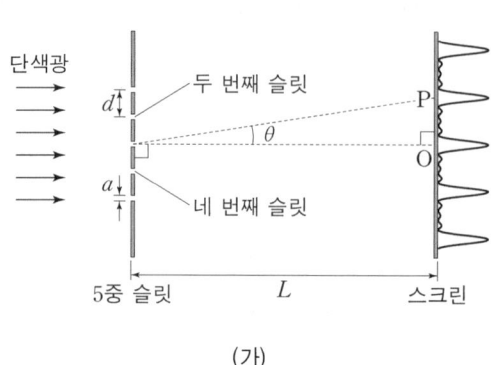

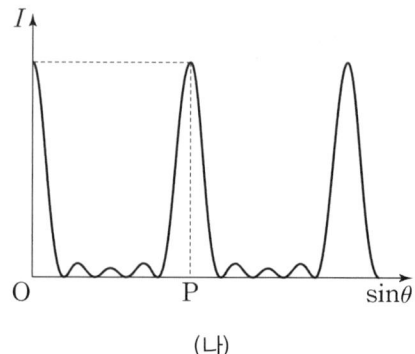

(가)   (나)

P에서 $\sin\theta$의 값을 λ와 d로 나타내고, 〈자료〉를 참고하여 I를 I_0으로 나타내시오. 두 번째 슬릿과 네 번째 슬릿을 막아 5중 슬릿이 3중 슬릿이 되었을 때, 5중 슬릿의 첫 번째 주요 극대가 나타났던 지점 P에서의 I를 풀이 과정과 함께 I_0으로 나타내시오. (단, $a \ll d \ll L$이다.)

┌─ 자료 ├─

- 프라운호퍼 영역에서 슬릿 사이의 거리가 D인 N개의 다중 슬릿에 의한 빛의 세기는 다음과 같은 근사식으로 표현된다.

$$I = I_0 \left(\frac{\sin N\delta}{\sin\delta} \right)^2, \quad \delta = \frac{\pi D \sin\theta}{\lambda}$$

- I_0은 단일슬릿의 경우 극대점에서 빛의 세기이다.

2024-A10

25 그림 (가)는 진공에서의 파장이 λ인 빛을 이용하여 기판 위에 놓인 두께 d인 박막의 반사율을 측정하는 장치를 나타낸 것이다. 기판의 굴절률은 n_s이며 박막의 굴절률은 n이다. 그림 (나)는 $n > n_s$일 때 (가)에서 두께 d를 변화시키며 측정한 반사율을 나타낸 것이다.

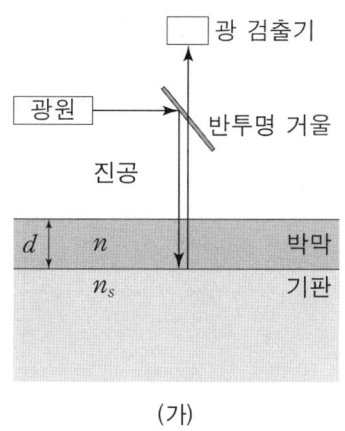

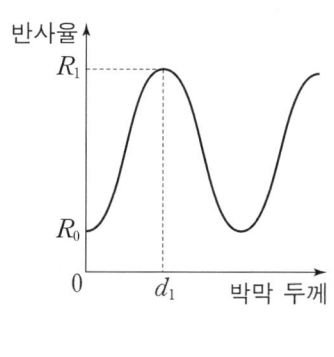

(가)   (나)

반사율이 R_1이 되는 최소 박막 두께 d_1을 풀이 과정과 함께 구하시오. 최소 반사율이 $R_0 = 0.04$이고 최대 반사율이 $R_1 = 0.25$일 때, n_s와 n을 구하시오. (단, 기판으로 투과된 빛은 되돌아오지 않는다. 진공의 굴절률은 1이다.)

┤ 자료 ├

• 그림 (가)와 같은 장치에서 빛의 반사율: $R = \dfrac{n^2(n_s-1)^2\cos^2\delta + (n^2-n_s)^2\sin^2\delta}{n^2(n_s+1)^2\cos^2\delta + (n^2+n_s)^2\sin^2\delta}$, $\left(\delta = 2\pi\dfrac{d}{(\lambda/n)}\right)$

3 회절

2004-08

26 그림과 같이 파장이 λ인 평행 단색광을 폭이 d인 단일슬릿에 각도 α로 입사시켜 회절현상을 관찰하고
자 한다. 슬릿으로부터 멀리 떨어진 스크린에 어두운 무늬가 나타날 조건식을 $\lambda, d, \alpha, \theta$를 이용하여 표
현하시오.

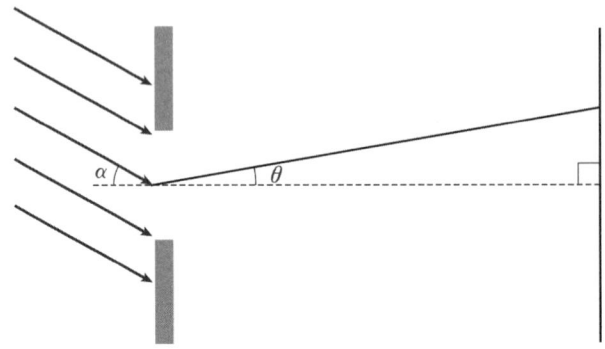

2009-31

27 회절과 관련된 설명 중 옳지 않은 것은?

① 회절은 진행파의 파면이 장애물에 의해서 일부 차단될 때 일어나는 파동 현상이다.

② 분해능이 큰 망원경을 제작하기 위하여 지름이 큰 렌즈를 사용한다.

③ 스크린을 충분히 먼 곳으로부터 장애물 쪽으로 가까이 가져가면 회절무늬의 크기는 변해도 모양은
변하지 않는다.

④ 다중슬릿(회절격자)의 슬릿 사이의 간격을 일정하게 유지하면서 빛이 통과하는 슬릿 수를 증가시
키면 분해능이 커진다.

⑤ 입사 평면파의 파장이 500nm일 때, 슬릿으로부터 충분히 먼 곳에 설치된 스크린에 나타난 회절무
늬는 단일슬릿의 폭이 600nm인 경우가 폭이 800nm인 경우보다 중앙 밝은 영역이 더 넓다.

2010-20

28 그림과 같이 렌즈를 이용하여 파장이 λ인 빛을 내는 두 개의 서로 근접한 별들의 회절무늬를 렌즈의 초점거리 f에 놓은 스크린에서 관찰한다. 한 별의 가장 밝은 회절무늬의 중심이 다른 별의 첫 번째 어두운 회절무늬 중심과 일치할 때, 두 별의 가장 밝은 회절무늬의 중심 사이의 거리 s는 최소 분해 거리이다.

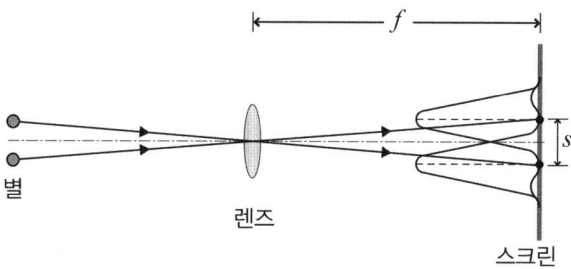

최소 분해 거리 s의 변화에 대한 설명으로 옳은 것을 〈보기〉에서 모두 고른 것은? (단, 렌즈의 수차에 의한 효과는 무시한다.)

보기

ㄱ. λ가 일정할 때, 초점거리가 같고 지름이 작은 렌즈로 바꾸면 s는 감소한다.

ㄴ. λ가 일정할 때, 지름이 같고 초점거리가 긴 렌즈로 바꾸면 s는 감소한다.

ㄷ. 지름과 초점거리가 같은 렌즈를 사용할 때, λ가 작아지면 s는 감소한다.

---

① ㄱ
② ㄷ
③ ㄱ, ㄷ
④ ㄴ, ㄷ
⑤ ㄱ, ㄴ, ㄷ

2016-A08

29 그림은 yz면에 놓여있는 격자선 간격 $2\mu m$를 가지는 반사 회절격자에 파장 λ인 단색 평면파가 수직으로 입사하여 격자면의 법선으로부터 $30\,^\circ$ 방향으로 $+2$차 회절광이 진행하는 것을 나타낸 것이다.

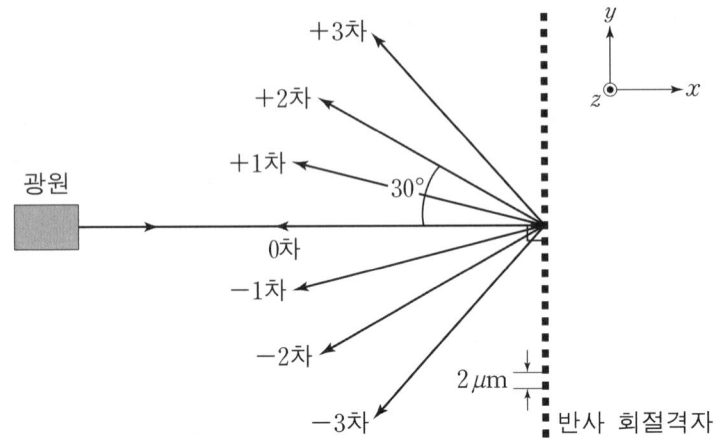

λ를 구하시오. (단, 반사 회절 격자의 격자선 방향은 z축과 평행하고, 회절광은 xy평면에 있다.)

2014-A12

30 그림은 파장 $\lambda = 600\mathrm{nm}$인 단색 평면파를 슬릿 사이의 간격이 $d = 11.4\mu m$, 슬릿의 폭이 $a = 3.8\mu m$인 이중슬릿에 수직으로 입사시킬 때 생기는 회절무늬를 나타낸 것이다. 이중슬릿에 의한 무늬의 밝기는 $\cos^2\phi\left(\dfrac{\sin\beta}{\beta}\right)^2$에 비례하며, $\phi = \dfrac{kd\sin\theta}{2}$, $\beta = \dfrac{ka\sin\theta}{2}$, $k = \dfrac{2\pi}{\lambda}$ 이다.

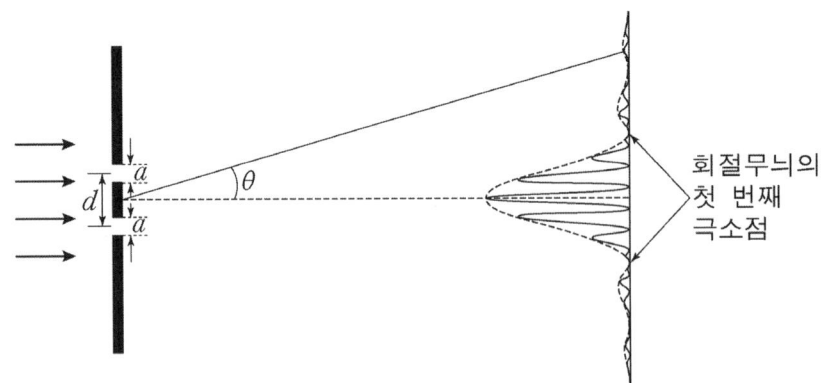

회절무늬의 첫 번째 극소점

위 상황에서 a와 λ는 그대로 두고, 슬릿 사이의 간격 d만 $21.2\mu m$로 바꿀 때, 회절무늬의 첫 번째 극소점 사이에 나타나는 밝은 간섭무늬의 개수를 구하시오. (단, 프라운호퍼 회절만 고려한다.)

4 편광

2003-13

31 그림과 같이 편광되지 않은 헬륨-네온(He-Ne) 레이저가 공기(굴절률 $n_i = 1$) 중에서 투명한 사각형 유리 ($n_t = 1.5$)의 표면으로 입사될 때 빛의 일부는 반사되고 일부는 굴절된다. 이때 입사각 θ_i가 $\tan\theta_i = \dfrac{n_t}{n_i}$를 만족하는 브루스터(Brewster)각이 되면 반사된 빛은 완전히 편광된다.

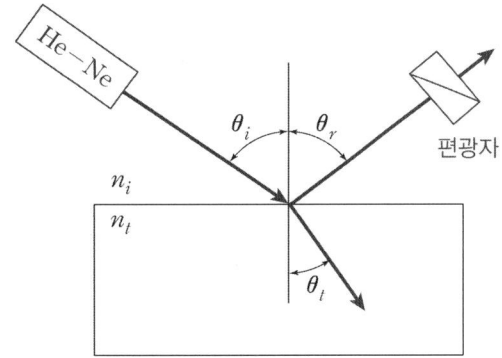

1) 브루스터각에서 반사되는 빛은 입사면(입사된 빛과 반사된 빛이 이루는 면)을 기준으로 할 때, 어느 방향으로 편광되는지 답하시오.

2) 이때 그림의 편광자를 회전하여 빛이 가장 많이 편광자를 투과하는 각도($\theta = 0$)를 찾았다. 다시 편광자를 회전하면서 회전각 θ에 따른 투과도를 측정하여 보았다. 예상되는 투과도를 θ의 함수로 쓰고 아래 그래프에 그리시오. (최대 투과도 = 1)

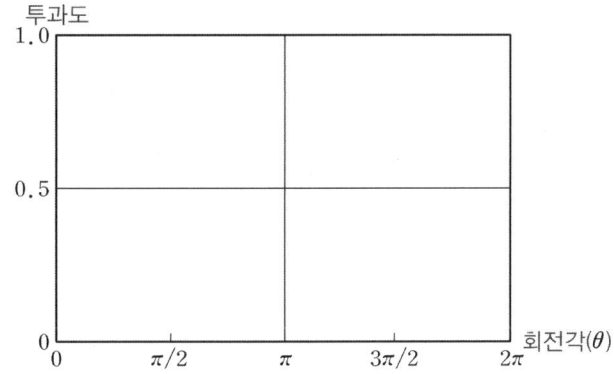

3) 위 그림에서 굴절각 θ_t와 반사각 θ_r 사이에는 $\theta_t + \theta_r = 90°$의 관계가 성립함을 보이시오.

2007-22

32 그림과 같이 세 개의 선편광기가 일렬로 정렬되어 있다. 선편광기의 투과축 방향은 x축에 대해 $\theta_i(i=1,\ 2,\ 3)$의 각도로 배열되어 있다.

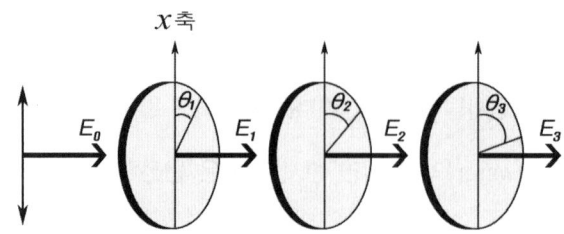

x축과 평행하게 선편광된 전기장이 E_0의 진폭으로 왼쪽에서 입사하여 세 개의 선편광기를 투과한 후의 투과율을 θ_i의 함수로 구하고, $\theta_1 = \dfrac{\pi}{4}$, $\theta_2 = \dfrac{\pi}{2}$, $\theta_3 = \dfrac{3\pi}{4}$ 일 때의 투과율을 계산하시오.

2010-17

33 입사광선의 전기장 진동 방향이 입사광선과 반사광선이 이루는 평면에 수직이면, 이 입사광선은 s-편광된 것이다. 굴절률 n인 유리에서 굴절률이 1인 공기로 s-편광된 광선을 입사시킬 때, 반사율에 대한 설명으로 옳은 것을 〈보기〉에서 모두 고른 것은? (단, $n > 1$이다.)

┤ 보기 ├
ㄱ. 수직입사의 경우, 반사율은 0이다.
ㄴ. 입사광선이 브루스터각(편광각)으로 입사할 경우, 반사율은 0이다.
ㄷ. 입사각이 임계각보다 크면, 반사율은 1이다.

① ㄱ   ② ㄷ
③ ㄱ, ㄴ   ④ ㄴ, ㄷ
⑤ ㄱ, ㄴ, ㄷ

2013-29

34 그림은 z축 방향으로 진행하는 편광되지 않은 단색광이 선형편광자 및 $\frac{1}{4}$ 파장판을 통과하여 거울에서 반사되는 것을 모식적으로 나타낸 것이다. a는 단색광이 선형편광자를 통과한 빛이고, b는 a가 $\frac{1}{4}$ 파장판을 통과한 빛이며, c는 b가 거울에서 반사된 빛이다. 선형편광자의 투과축은 y축과 45° 기울어져 있고, $\frac{1}{4}$ 파장판의 빠른 축은 x축, 느린 축은 y축과 나란하다.

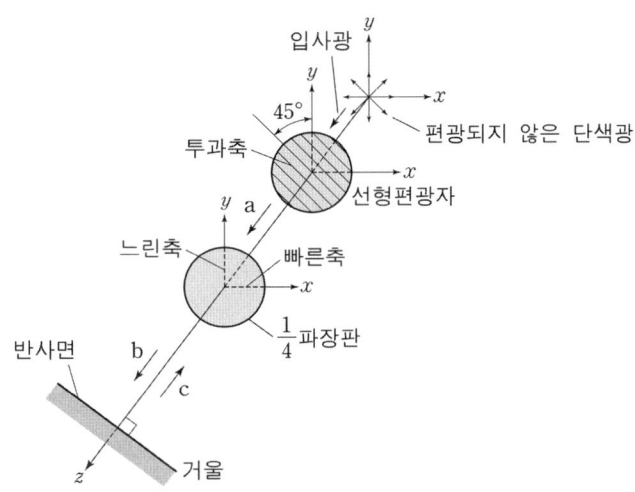

a, b, c에 대한 설명으로 옳은 것만을 〈보기〉에서 있는 대로 고른 것은? (단, 입사광의 파장에서 $\frac{1}{4}$ 파장판 및 선형편광자는 이상적으로 동작하며, 거울은 유전체 거울이다.)

┤ 보기 ├

ㄱ. a의 세기는 입사광 세기의 $\frac{1}{2}$ 이다.

ㄴ. b는 원형편광된 빛이다.

ㄷ. b와 c의 위상차는 90° 이다.

① ㄱ ② ㄴ
③ ㄱ, ㄴ ④ ㄱ, ㄷ
⑤ ㄴ, ㄷ

2017-A06

35 양(+)의 z축 방향으로 진행하는 전자기파의 전기장이 $\vec{E}(z,t) = (E_0\,\hat{x} + iE_0\,\hat{y})e^{i(kz-\omega t)}$일 때, 이 전자기파의 편광 상태(종류와 방향)를 쓰시오. (단, E_0은 실수인 상수이고, $e^{i\theta} = \cos\theta + i\sin\theta$ 이다.)

2011-36

36 그림과 같이 선형편광판 A, B, C를 평행하게 설치하고, A에 수직으로 빛을 입사시켰다. A와 C의 투과축(편광축)은 서로 직교하고, B는 크기 ω인 일정한 각속도로 회전한다. 시간 $t = 0$에서 A와 B의 투과축은 일치한다.

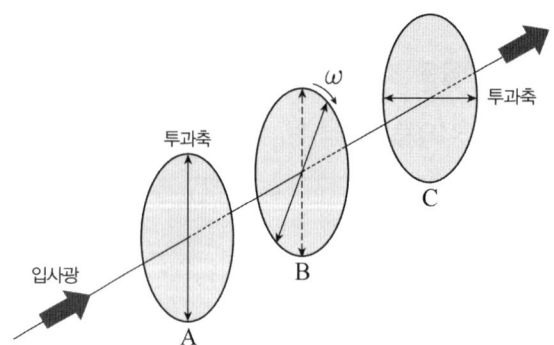

A를 투과한 직후의 빛의 세기를 I_A, C를 투과한 직후의 빛의 세기를 I_C라 할 때, $\dfrac{I_C}{I_A}$는?

① $\dfrac{1}{4}\sin^2(2\omega t)$　　　　　② $\dfrac{1}{2}\sin^2(2\omega t)$

③ $\sin^2(2\omega t)$　　　　　④ $\dfrac{1}{4}\sin^2(\omega t)$

⑤ $\dfrac{1}{2}\sin^2(\omega t)$

37 2012-35

그림은 간격이 d_1인 평행한 두 광선이 공기(굴절률 1)에서 유리(굴절률 n)로 입사각 θ로 입사하여 굴절각 ϕ로 굴절한 후, 간격이 d_2인 평행광선이 된 것을 나타낸 것이다.

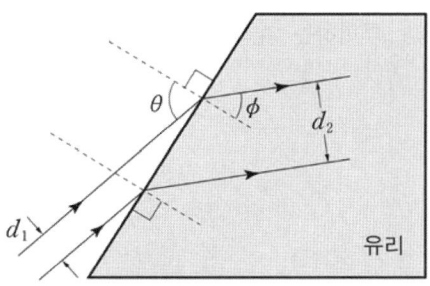

이에 대한 설명으로 옳은 것만을 〈보기〉에서 있는 대로 고른 것은? (단, 두 광선은 동일 입사면에 있고 단색광이다.)

┤ 보 기 ├

ㄱ. $\sin\theta = n\sin\phi$이다.

ㄴ. $\dfrac{d_2}{d_1} = \dfrac{\cos\phi}{\cos\theta}$ 이다.

ㄷ. θ가 브루스터(Brewster) 각이면, $\dfrac{d_2}{d_1} = n$이다.

① ㄱ   ② ㄷ

③ ㄱ, ㄴ   ④ ㄴ, ㄷ

⑤ ㄱ, ㄴ, ㄷ

38

2014-A11

그림은 빛이 굴절률 $n_1 = 1.0$인 공기 중에서 굴절률 $n_2 = 1.5$인 물질로 경계면에 수직하게 입사하는 것을 나타낸 것이다. 물질은 $z \geq 0$인 공간에 채워져 있으며, 입사하는 빛은 x축으로 편광된 평면파이다. 입사하는 빛, 반사하는 빛, 투과하는 빛의 전기장 벡터와 자기장 벡터는 각각 다음과 같으며 $\dfrac{\omega}{k_1} = c$, $\dfrac{\omega}{k_2} = \dfrac{c}{n_2}$ 이다.

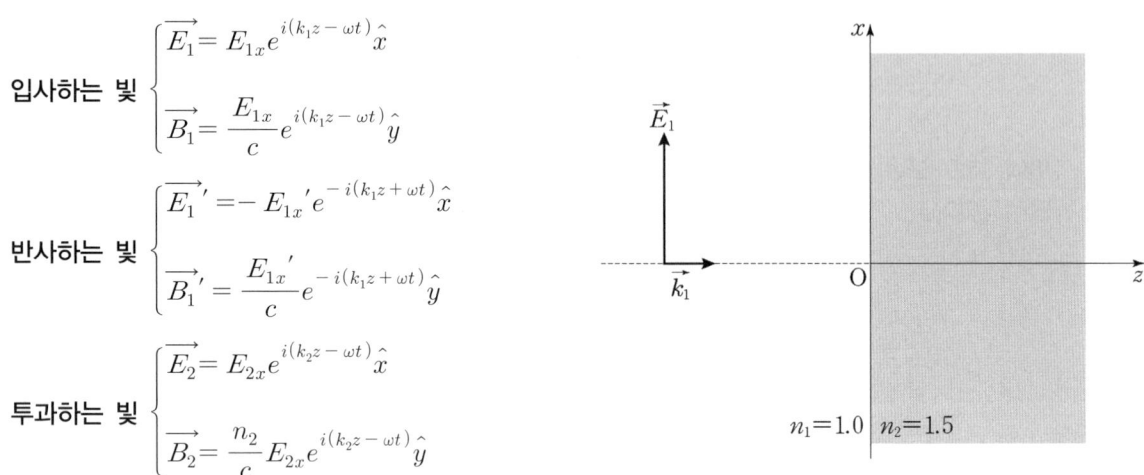

입사하는 빛 $\begin{cases} \overrightarrow{E_1} = E_{1x} e^{i(k_1 z - \omega t)} \hat{x} \\ \overrightarrow{B_1} = \dfrac{E_{1x}}{c} e^{i(k_1 z - \omega t)} \hat{y} \end{cases}$

반사하는 빛 $\begin{cases} \overrightarrow{E_1}' = - E_{1x}' e^{-i(k_1 z + \omega t)} \hat{x} \\ \overrightarrow{B_1}' = \dfrac{E_{1x}'}{c} e^{-i(k_1 z + \omega t)} \hat{y} \end{cases}$

투과하는 빛 $\begin{cases} \overrightarrow{E_2} = E_{2x} e^{i(k_2 z - \omega t)} \hat{x} \\ \overrightarrow{B_2} = \dfrac{n_2}{c} E_{2x} e^{i(k_2 z - \omega t)} \hat{y} \end{cases}$

입사하는 빛과 투과하는 빛의 전기장 진폭의 비 $\dfrac{E_{2x}}{E_{1x}}$ 를 구하시오.

2022-A09

39 그림과 같이 유전율이 각각 ϵ_1, ϵ_2인 유전체 1, 유전체 2가 있다. 유전체 내의 전기장은 경계면($z=0$)에 수직으로 진행한다. E_0은 상수이고, $k_j = k_0\sqrt{\dfrac{\epsilon_j}{\epsilon_0}}$ 는 유전체 $j(=1, 2)$에서의 파수이며, k_0, ϵ_0, μ_0은 각각 진공에서의 파수, 유전율, 투자율이다.

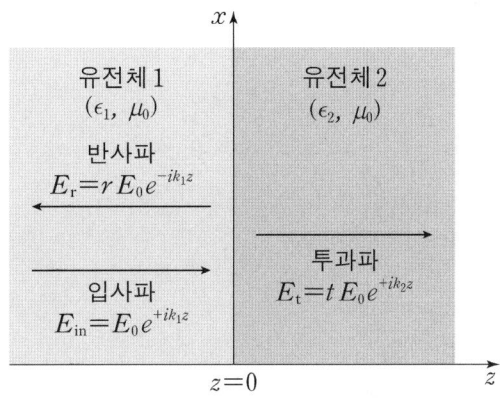

반사 계수 r과 투과계수 t를 〈자료〉의 경계조건들을 사용하여 풀이 과정과 함께 k_1과 k_2로 구하시오. 투과율 $T = \dfrac{I_t}{I_{in}}$를 k_1과 k_2로 나타내시오(I_t : 투과파의 세기, I_{in} : 입사파의 세기). (단, ϵ_1, ϵ_2는 양의 실수이며, 유전체는 균일하고 등방적이고 선형적이다.)

---| 자료 |---

• 경계조건: $E_1(z)\,|\,_{z=0} = E_2(z)\,|\,_{z=0}$, $\dfrac{dE_1(z)}{dz}\bigg|_{z=0} = \dfrac{dE_2(z)}{dz}\bigg|_{z=0}$

$\quad E_j(z)$는 유전체 $j(=1, 2)$ 영역의 전체 전기장이다.

• 유전율 ϵ인 유전체에서 전기장의 세기(intensity) I는 $\sqrt{\epsilon}\,|E(z)|^2$에 비례한다.

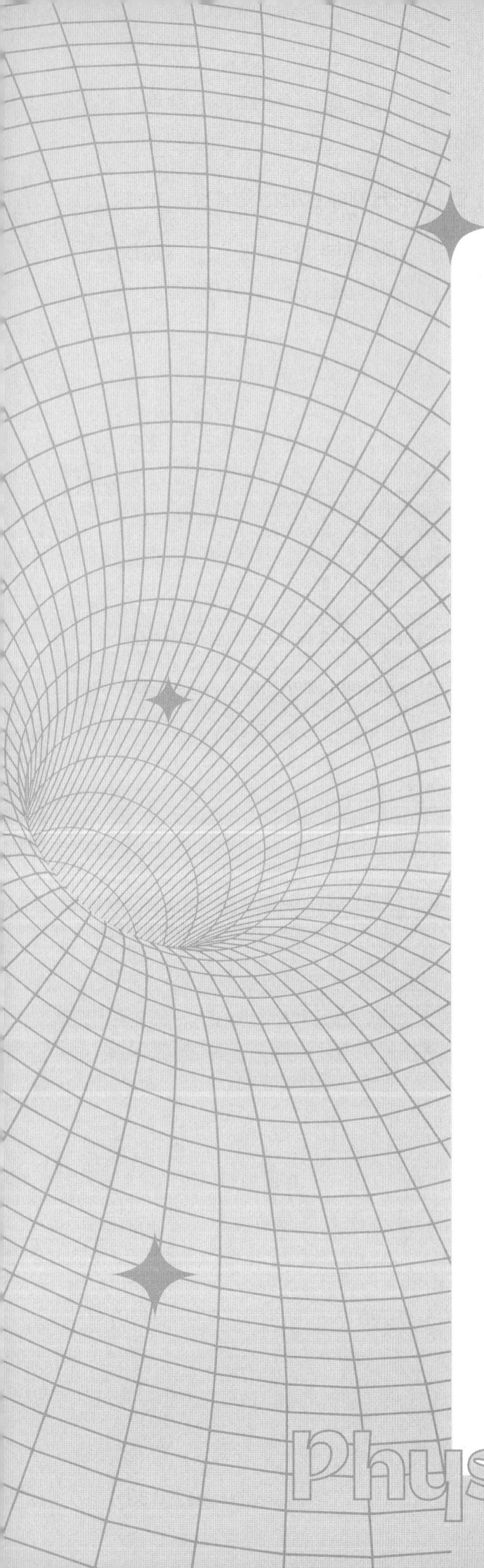

정승현
전공물리 기출문제집

Physics

CHAPTER

07

전기회로

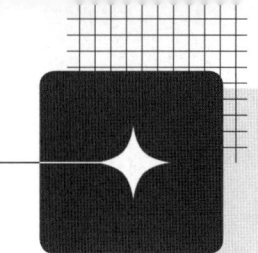

핵심 이론정리

1 키르히호프 법칙

(1) 제1법칙

분기점에서 들어가는 전류와 나오는 전류의 합은 동일하다.

$$\Sigma I_i = 0$$

(2) 제2법칙

임의의 닫힌회로에서 폐회로의 각 소자를 통한 전위차의 합은 0이다.

$$\Sigma E_i = \Sigma I_i R_i$$

2 직류 R, L, C 회로

(1) 저항

$$R = \rho \frac{L}{A} \quad : \rho = \text{비저항}, \ A = \text{단면적}, \ L = \text{길이}$$

$$\left(\rho = \frac{1}{\sigma} \quad \sigma = \text{전기전도도} \right)$$

(2) 축전기 전기용량

$$C = \epsilon_0 \frac{A}{d}$$

① 직렬연결 : $\dfrac{1}{C} = \dfrac{1}{C_1} + \dfrac{1}{C_2}$

② 병렬연결 : $C = C_1 + C_2$

③ 축전기 단자전압 : $V_C = \dfrac{Q}{C}$

④ 축전기 저장 에너지 : $U = \dfrac{1}{2} QV = \dfrac{1}{2} CV^2 = \dfrac{1}{2} \dfrac{Q^2}{C}$

⑶ 코일(인덕터)

① 자체 유도계수 : $L = \dfrac{N\phi_B}{I}$

② 코일의 단자전압 : $V_L = L\dfrac{dI}{dt}$

③ 코일 저장 에너지 : $U = \dfrac{1}{2}LI^2$

3 교류 회로

- 교류전원 $\varepsilon(t) = V_0\sin\omega t$, 전류 $I(t) = I_0\sin(\omega t + \phi)$
- 저항의 개념
  실 저항 : R, 리액턴스 : 교류(허수) 저항 → X_C, X_L, 임피던스 : 실 저항과 리액턴스의 합성 Z

⑴ 저항 R

① 단자전압 : $V_R = IR$
   저항의 단자전압은 전체 전류와 위상이 동일

② 평균 소비전력 : $\overline{P_R} = \langle V_R(t)I(t)\rangle_t = \dfrac{1}{2}V_{R0}I_0$

⑵ 축전기 C

① 축전기 리액턴스 : $X_C = \dfrac{1}{i\omega c}$

② 축전기 단자전압 : $V_C = IX_C$
   축전기의 단자전압은 전류의 위상보다 $\dfrac{\pi}{2}(90°)$ 느리다.

③ 평균 소비전력 : $\overline{P_C} = \langle V_C(t)I(t)\rangle_t = 0$
   축전기에서 한 주기 동안 소비되는 에너지는 없다.

⑶ 인덕터 L

① 리액턴스 : $X_L = i\omega L$

② 인덕터 단자전압 : $V_L = IX_L$
   축전기의 단자전압은 전류의 위상보다 $\dfrac{\pi}{2}(90°)$ 빠르다.

③ 평균 소비전력 : $\overline{P_L} = \langle V_L(t)I(t)\rangle_t = 0$
   인덕터에서 한 주기 동안 소비되는 에너지는 없다.

(4) **직렬 RLC회로**

교류전원 $\varepsilon(t) = V_0 \sin \omega t$, 전류 $I(t) = I_0 \sin(\omega t + \phi)$

① 임피던스: $Z = \sqrt{R^2 + \left(\omega L - \dfrac{1}{\omega C}\right)^2}$

② 전류의 진폭: $I_0 = \dfrac{V_0}{Z}$

③ 전원과 전류의 위상차 ϕ

$$\tan \phi = \frac{|X_L| - |X_C|}{R}$$

④ 공명진동수 f_R: 전류의 진폭이 최대가 될 때의 진동수

임피던스가 최솟값이 되어야 하므로 $|X_L| = |X_C| \rightarrow \omega_R L = \dfrac{1}{\omega_R C} \rightarrow \omega_R = \dfrac{1}{\sqrt{LC}}$

$$f_R = \frac{1}{2\pi\sqrt{LC}}$$

공명진동수에서 임피던스는 $Z = R$이고 전원과 전류의 위상차 $\phi = 0$이다.

4 상호유도

(1) **상호유도계수**

$$M_{12} = M_{21} = \frac{N_2 \phi_2}{I_1} = \frac{N_1 \phi_1}{I_2}$$

(2) **유도기전력**

$$\varepsilon_1 = -N_1 \frac{d\phi_1}{dt} = M\frac{dI_2}{dt}$$
$$\varepsilon_2 = -N_2 \frac{d\phi_2}{dt} = M\frac{dI_1}{dt}$$

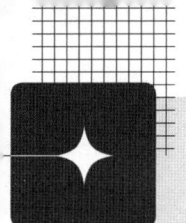

핵심 기출문제

◐ 정답 및 해설 81~91쪽

1 키르히호프 법칙

2005-10

01 그림과 같은 전기회로에서 30Ω의 저항에 흐르는 전류 I_3를 구하시오.

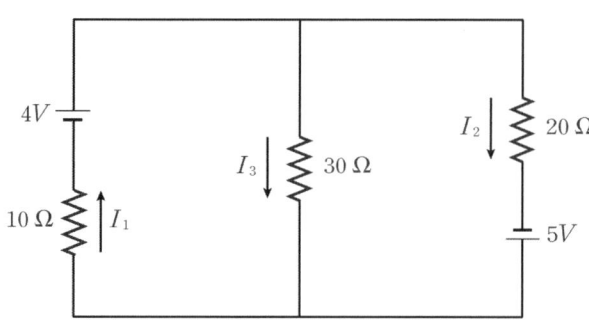

2019-A05

02 그림은 저항 R인 저항기, 인덕턴스 L인 인덕터, 기전력이 ε인 직류 전원이 연결된 회로를 나타낸 것이다. 스위치 S를 닫으면 각 부분에 전류 I_1, I_2, I_3이 흐른다.

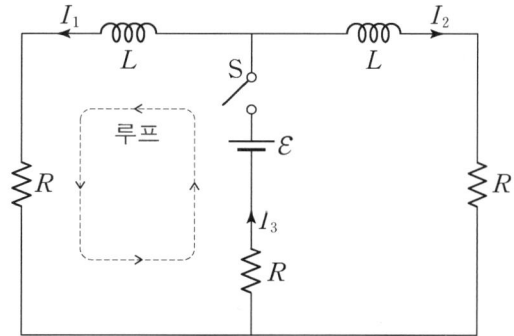

스위치 S를 닫았을 때 그림의 루프(loop)에 대한 키르히호프의 전압 법칙을 쓰고, 이후 충분한 시간이 지났을 때 왼쪽 인덕터에 흐르는 정상 전류(steady-state-current)를 구하시오.

2015-A04(서술형)

03 그림은 축전기, 저항, 인덕터가 연결된 회로를 나타낸 것이다. 스위치 S를 닫기 전 모든 도선에 흐르는 전류는 0이고, 시간 $t=0$일 때 S를 닫았더니 축전기 전하 q가 시간에 따라 변하였다.

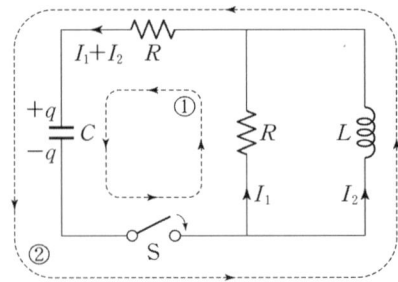

I_1, I_2, q 사이의 관계식을 쓰고, 루프(loop) ①과 루프 ② 각각에 대해 키르히호프의 전압 법칙을 쓰시오. 이로부터 축전기 전하 q에 대한 2차 미분방정식을 유도하여 제시하시오. (단, 회로에 있는 L 이외의 자체 유도 효과는 무시한다.)

2014-A04(서술형)

04 그림은 기전력이 각각 ε_1, ε_2인 2개의 직류 전원과 저항값이 각각 R, r, r인 3개의 저항으로 구성된 회로를 나타낸 것이다. 각 도선에는 I, I_1, I_2의 전류가 흐르고 있다.

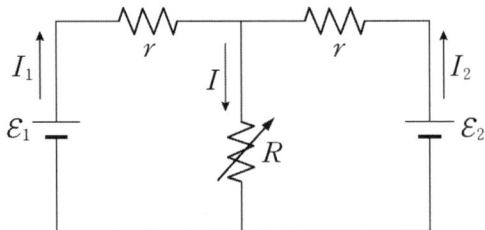

I를 풀이 과정과 함께 ε_1, ε_2, r, R로 나타내고, R가 변할 때 저항값 R인 저항의 소비전력이 최대가 되는 조건을 R와 r 사이의 관계식으로 나타내시오.

05 2021-A02

그림과 같은 회로에서 가변 저항 R_X의 저항값을 조절하여 전류계에 흐르는 전류가 0이 되도록 하였다. $V_1 = 9\text{V}$, $V_2 = 5\text{V}$, $R = 100\Omega$이다.

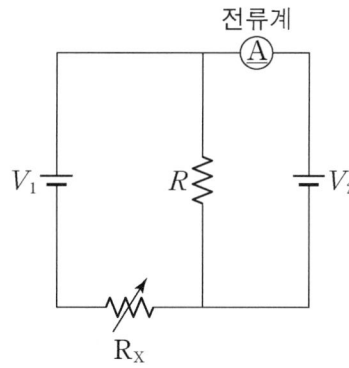

이때 가변 저항 R_X에 흐르는 전류와 저항값을 각각 구하시오.

06 2024-B02

그림과 같이 저항값이 각각 3Ω, 3Ω, 2Ω인 저항, 기전력이 각각 4V, 1V인 전원이 연결된 회로가 있다. 저항값이 2Ω인 저항에 흐르는 전류의 세기와 소모 전력을 구하시오.

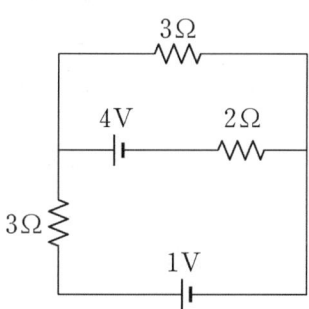

2 직류 R, L, C 회로

2003-10

07 다음 그림은 축전기들을 연결한 회로이다.

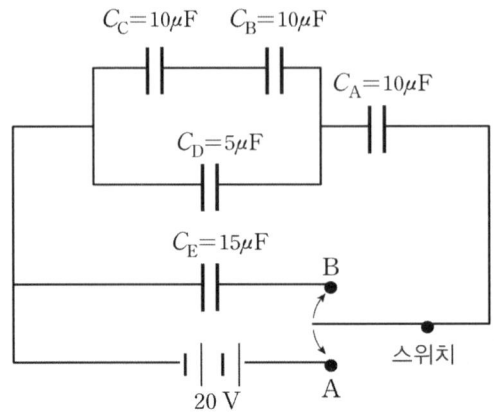

1) 스위치를 A에 연결하여 20 V의 전위차를 갖는 직류 전원으로 축전기들을 완전히 충전시켰다. 충전 후 축전기 C_A와 C_B에서의 전압강하 V_A와 V_B를 구하시오.

2) 충전이 완전히 이루어진 다음에 A에 연결된 스위치를 떼어서 B에 연결하였다. 축전기 C_E 양단의 전위차를 구하시오.

2007-18

08 평행한 두 금속판(길이 L, 폭 ω, 간격 d)으로 만들어진 축전기 속에 유전체판(길이 L, 폭 ω, 두께 d, 유전율 ε)이 채워져 있었다. 두 금속판은 전지에 의하여 전위차 V로 유지되고 있다. 그림은 유전체판이 길이(L) 방향으로 당겨져, 길이 x만큼 금속판 사이에 남아 있는 것을 나타내고 있다.

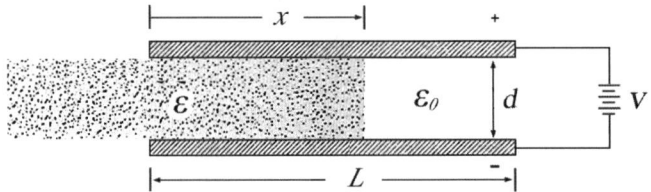

남아 있는 길이 x가 $\dfrac{L}{2}$일 때 축전기에 저장된 전기 에너지를 계산하고, 이 위치($x = \dfrac{L}{2}$)에서 유전체 판을 살며시 놓아 유전체 판이 $\dfrac{L}{4}$의 거리만큼 움직였을 때 유전체 판의 운동 에너지를 계산하시오. (단, 공기의 유전율은 ε_0라 하고, 금속판과 유전체판 사이의 마찰력, 중력, 축전기의 가장자리 효과는 무시한다.)

1) $x = \dfrac{L}{2}$일 때 축전기의 전기 에너지 :

2) $\dfrac{L}{4}$의 거리만큼 움직였을 때 유전체 판의 운동 에너지 :

09 2023-A09

그림은 한 변의 길이가 L인 정사각형 두 도체 판이 거리 d만큼 떨어져 있고, 그 사이에 유전율 $2\epsilon_0$, 길이 L, 두께 d인 유전체가 너비 x만큼 채워진 평행판 축전기를 나타낸 것이다. 축전기에 충전된 전하는 Q로 일정하다. 유전체에는 알짜전하가 없고, $x = 0$일 때 축전기의 전기용량은 $\epsilon_0 \dfrac{L^2}{d}$ 이다.

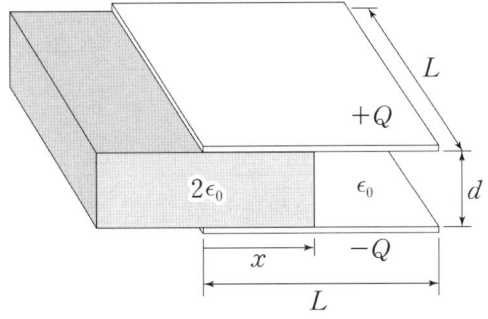

평행판 축전기에 저장된 전기 에너지 $U(x)$를 풀이 과정과 함께 Q를 포함하여 구하시오. 또한 $U(x)$로부터 유전체에 작용하는 힘의 크기와 방향을 구하시오. (단, ϵ_0은 진공의 유전율이다. 유전체는 균일하고 등방적이며 선형적이다.)

10 2009-18

그림은 반지름 a인 금속구가 반지름 b인 금속 구껍질로 둘러싸여 있는 동심 구형 축전기이다.

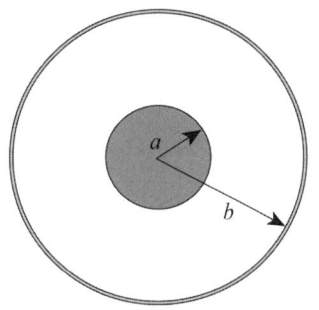

이 축전기에 관한 설명으로 옳은 것을 〈보기〉에서 모두 고른 것은?

┤ 보기 ├
ㄱ. 축전기에 충전된 전하량을 일정하게 유지하면서 b를 증가시키면 축전기에 저장되는 전기 에너지는 증가한다.
ㄴ. 축전기의 전위차를 일정하게 유지하면서 a를 감소시키면 축전기에 저장되는 전기 에너지는 증가한다.
ㄷ. 축전기의 전위차를 일정하게 유지하면서 $a < r < b$인 공간을 선형 유전체로 채우면 축전기에 저장되는 전기 에너지는 증가한다.

① ㄱ   ② ㄴ
③ ㄱ, ㄴ   ④ ㄱ, ㄷ
⑤ ㄴ, ㄷ

11 2009-20

그림은 크기 R_1, R_2인 두 저항, 인덕턴스 L인 인덕터 및 스위치 S가 전압 V인 전지에 연결된 회로를 나타낸다. 전지의 내부저항은 무시한다.

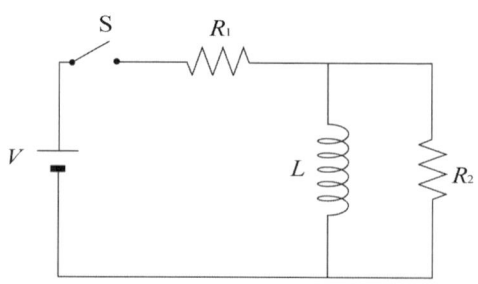

회로에 대한 설명으로 옳은 것을 〈보기〉에서 모두 고른 것은?

┤ 보기 ├

ㄱ. S를 닫는 순간 인덕터에 걸리는 전압은 0이다.

ㄴ. S를 닫는 순간 R_1을 흐르는 전류는 $\dfrac{V}{R_1 + R_2}$이다.

ㄷ. 시간이 충분히 지났을 때, 인덕터에 걸리는 전압은 $\dfrac{R_2}{R_1 + R_2}V$이다.

① ㄱ   ② ㄴ
③ ㄷ   ④ ㄱ, ㄴ
⑤ ㄴ, ㄷ

12 2010-22

그림과 같이 기전력 ε인 기전력원, 저항값 R인 저항, 자체 인덕턴스 L인 인덕터, 전기용량 C인 축전기로 이루어진 회로를 구성하였다. 회로에서 스위치 S를 a로 연결하여 축전기를 전하량 Q_0로 충전한 후, 스위치 S를 a에서 b로 연결하였다.

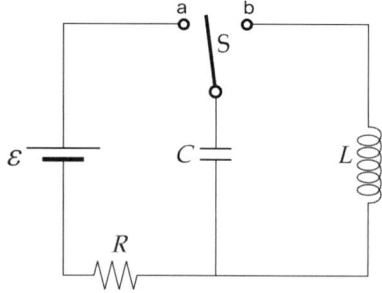

이에 대한 설명으로 옳은 것을 〈보기〉에서 모두 고른 것은? (단, 전자기파의 방출은 무시한다.)

┤ 보기 ├

ㄱ. RC 회로에서 충전하는 동안, 축전기에 저장된 에너지는 기전력원이 한 일과 같다.

ㄴ. LC 회로에서 전류의 진폭은 $\dfrac{Q_0}{\sqrt{LC}}$이다.

ㄷ. LC 회로에서 전기 에너지와 자기 에너지의 합은 일정하다.

① ㄱ   ② ㄴ
③ ㄱ, ㄴ   ④ ㄴ, ㄷ
⑤ ㄱ, ㄴ, ㄷ

13 2013-21

그림은 면적이 같은 두 개의 평행한 원형 도체판 사이에 전기전도도 σ_1, 두께 d_1인 물질 1과 전기전도도 σ_2, 두께 d_2인 물질 2가 각각 채워져 있는 것을 나타낸 것이다. 두 도체판 사이의 전압은 V이다.

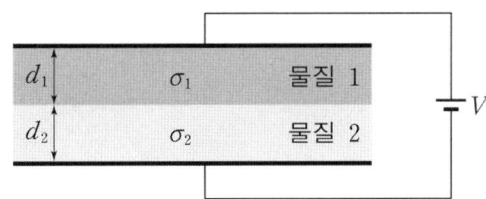

전류가 정상 상태로 흐를 때, 도체판 사이의 전류 밀도 크기는? (단, 두 물질은 모두 균일하고 등방적이며 선형적이고, 가장자리 효과는 무시한다.)

① $\dfrac{V\sigma_1\sigma_2}{d_1\sigma_2 + d_2\sigma_1}$

② $\dfrac{V(\sigma_1 + \sigma_2)^2}{d_1\sigma_2 + d_2\sigma_1}$

③ $\dfrac{V\sigma_1\sigma_2}{d_1\sigma_1 + d_2\sigma_2}$

④ $V\left(\dfrac{\sigma_1}{d_1} + \dfrac{\sigma_2}{d_2}\right)$

⑤ $V\left(\dfrac{\sigma_1}{d_2} + \dfrac{\sigma_2}{d_1}\right)$

14 2011-26

그림과 같이 저항값 R인 저항과 전기용량 C인 축전기가 기전력 ε인 직류 전원에 직렬로 연결되어 있다. 스위치 S를 닫기 전 축전기의 전하량은 0이고, 시간 $t = 0$일 때 S를 닫았다.

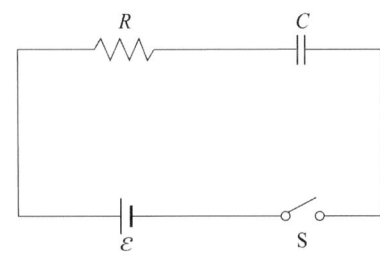

직류 전원으로부터 축전기에 공급되는 전력 P의 시간에 따른 변화를 개략적으로 나타낸 그래프 중 가장 적절한 것은?

①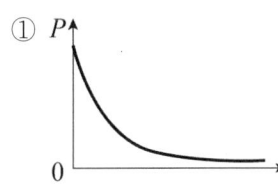

②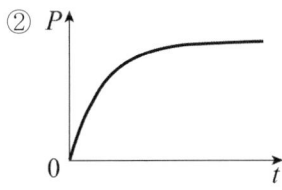

③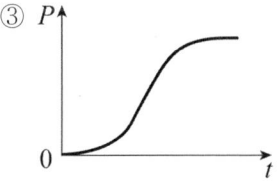

④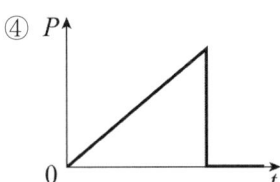

⑤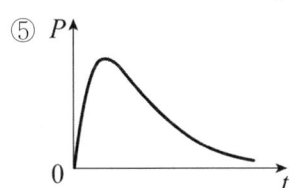

2012-22

15 그림은 기전력 ε인 직류 전원, 인덕턴스 L인 인덕터, 저항값이 각각 $R, R, 2R$인 세 개의 저항으로 구성된 회로를 나타낸 것이다. 시간 $t = 0$에 스위치 S를 닫고 난 직후 직류 전원이 공급하는 전력은 P_0이고, S를 닫고 나서 $t = \infty$에서 직류 전원이 공급하는 전력은 P_∞이다.

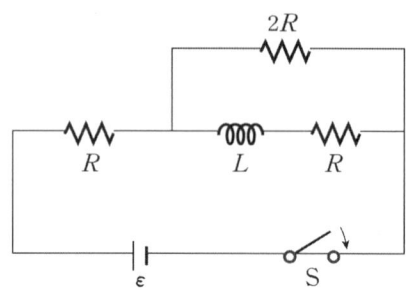

$\dfrac{P_\infty}{P_0}$는? (단, 스위치를 닫기 전 회로에 흐르는 전류는 0이고, 인덕터에 의한 자체 유도 이외의 자체 유도 효과는 무시한다.)

① 1

② $\dfrac{4}{3}$

③ $\dfrac{3}{2}$

④ $\dfrac{9}{5}$

⑤ 2

16 2012-23

그림은 수평면상에 놓인 폭이 l인 ⊏자 모양의 도선 위에서 저항이 없는 도체 막대가 외력에 의하여 일정한 속력 v_0으로 폐회로를 이루며 오른쪽으로 운동하는 것을 나타낸 것이다. ⊏자 모양 도선에는 저항값이 R인 저항과 전기용량이 C인 축전기가 연결되어 있으며, 크기가 B인 균일한 자기장이 수평면에 수직인 방향으로 들어가고 있다. 막대가 등속운동을 시작하는 순간($t = 0$)에 축전기에 충전된 전하량은 0이다.

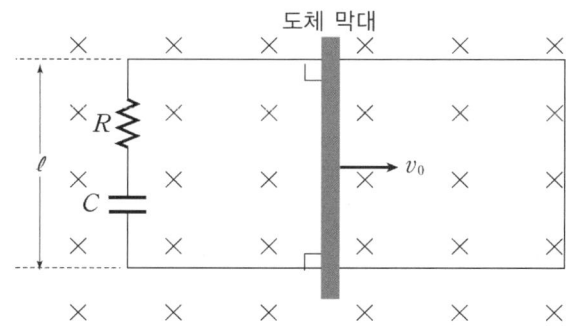

$t \geq 0$일 때, 이에 대한 설명으로 옳은 것만을 〈보기〉에서 있는 대로 고른 것은? (단, 자체 유도 효과와 모든 마찰은 무시한다.)

─┤ 보기 ├─

ㄱ. 도체 막대에 작용하는 자기력의 크기는 일정하다.

ㄴ. $t = \infty$일 때, 축전기에 저장되는 전기 에너지는 $\frac{1}{2}CB^2\ell^2v_0^2$이다.

ㄷ. $t = 0$부터 $t = \infty$까지 외력이 도체 막대에 해준 일은 $2CB^2\ell^2v_0^2$이다.

① ㄱ   ② ㄴ

③ ㄱ, ㄷ   ④ ㄴ, ㄷ

⑤ ㄱ, ㄴ, ㄷ

17 2019-A11

그림은 반지름이 각각 a, b인 도체 원통 껍질 사이에 유전율이 ϵ인 유전체가 일부 채워진 동축 축전기를 나타낸 것이다. 도체 원통 껍질의 길이는 L이고, 유전체는 $\frac{L}{2}$만큼 채워져 있다. 두 도체 사이의 전위차는 V로 일정하다. 반지름이 a인 도체 원통 껍질의 단위 길이당 전하량은 진공 부분에서 λ_0이다. 유전체에는 알짜전하가 없고, 진공의 유전율은 ϵ_0이다.

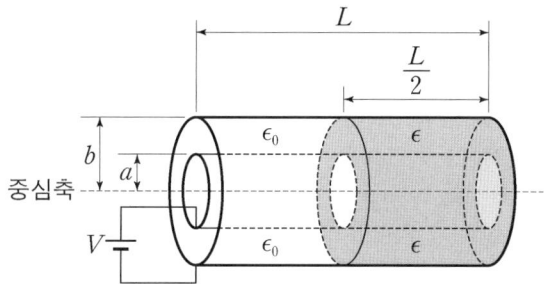

전위차 V를 풀이와 함께 구하시오. 그리고 반지름이 a인 도체 원통 껍질의 총 전하량 Q와 축전기의 전기용량 C를 구하시오. (단, 유전체는 균일하고 등방적이며 선형적이다. 가장자리 효과는 무시한다.)

2022-B09

18 그림 (가)는 인덕턴스 L인 인덕터, 저항 R인 저항기, 전기용량 C인 축전기와 전압이 V로 일정한 전원이 직렬로 연결된 LRC 회로를 나타낸 것이다.

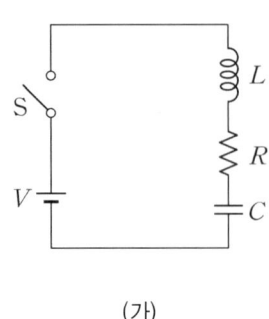

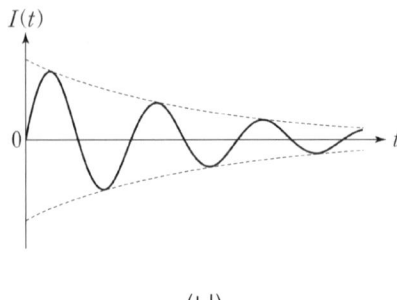

(가)   (나)

전류가 미급 감쇠(underdamping) 진동하기 위한 L, R, C의 관계식을 〈자료〉를 이용하여 풀이 과정과 함께 구하시오. 회로의 스위치 S를 닫은 후, 회로에는 그림 (나)와 같이 미급 감쇠 진동하는 전류 $I(t) = A e^{-\frac{R}{2L}t} \sin \omega t$가 관측되었다. 이때 ω를 L, R, C로 나타내고, A를 구하시오. (단, 축전기는 $t = 0$일 때 충전되어 있지 않다.)

┤ 자료 ├

- 전류에 대한 미분방정식: $L\dfrac{d^2 I}{dt^2} + R\dfrac{dI}{dt} + \dfrac{I}{C} = 0$
- 초기 조건: $I(0) = 0$, $\left.\dfrac{dI(t)}{dt}\right|_{t=0} = \dfrac{V}{L}$

2025-B06

19 그림은 전기용량이 각각 C와 $2C$인 두 축전기, 저항이 R인 저항기, 전압이 V로 일정한 전원, 스위치 S로 구성된 회로를 나타낸 것이다. 충전 전에는 두 축전기의 전하량은 각각 0이다.

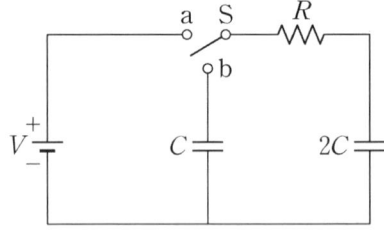

S를 a에 연결하여 전기용량이 $2C$인 축전기를 완전히 충전하고, S를 a에서 b로 연결한 순간($t = 0$)부터 시간 t 후에 전기용량이 $2C$인 축전기에 저장된 전하량 $q(t)$를 풀이 과정과 함께 구하시오. 회로에 흐르는 전류의 시간상수 τ를 구하고, $t = 0$에서 τ까지 저항기에서 소비된 에너지 E_R을 구하시오.

3 교류 회로

2005-17

20 그림은 오실로스코프의 모양을 간략하게 그린 것이다. 그래프와 같은 전기 신호를 입력시킬 때, 선택 스위치의 위치에 따라 오실로스코프에 나타나는 신호의 모양을 개략적으로 그리시오. (단, 오실로스코프는 신호의 모양을 충분히 정확하게 측정할 수 있으며, 선택 스위치는 현재 AC에 있고, DC나 GND로 바꿀 수 있다.)

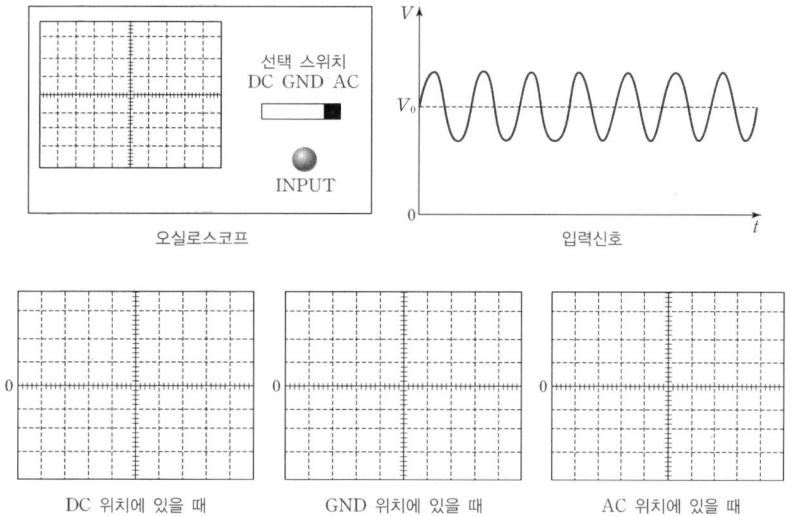

오실로스코프   입력신호

DC 위치에 있을 때   GND 위치에 있을 때   AC 위치에 있을 때

2007-16

21 그림과 같이 저항 R, 인덕턴스 L인 인덕터와 전기용량 C인 축전기로 구성된 회로에 교류 전압 $V(t) = V_0 \sin(\omega t), (V_0 \neq 0)$가 가해지고 있다.

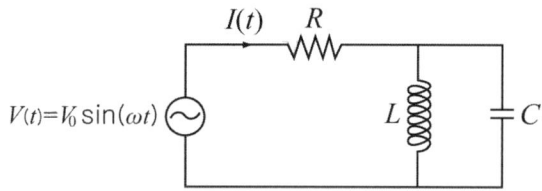

이 회로의 임피던스 크기 $|Z|$와 정상 상태(steady state)의 전류의 진폭 I_0을 구하고, $I_0 = 0$이 될 전기용량 C를 구하시오.

1) 임피던스의 크기 $|Z|$:

2) 전류의 진폭 I_0 :

3) $I_0 = 0$이 될 전기용량 C :

2008-14

22 그림과 같이 전압이 시간에 따라 $V_0\sin(\omega t)$로 변하는 교류전원에 저항값이 R인 저항, 인덕턴스 L_1, L_2인 두 개의 인덕터를 연결하였다. 두 인덕터 사이의 상호인덕턴스는 무시한다.

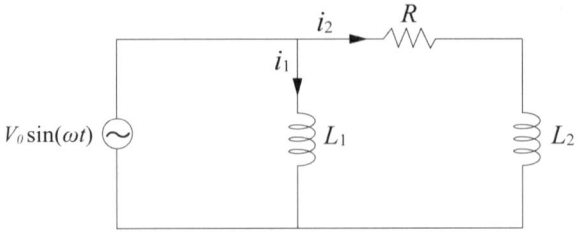

두 인덕터에 각각 흐르는 전류 i_1, i_2를 구하고, 전원과 i_2 사이의 위상차 δ를 구하시오.

(참고 : $A\sin\theta \pm B\cos\theta = \sqrt{A^2+B^2}\sin(\theta\pm\alpha)$이고, $\alpha = \tan^{-1}\left(\dfrac{B}{A}\right)$이다.)

1) 전류 i_1 :

2) 전류 i_2, 위상차 δ :

2020-B06

23 그림은 저항 R인 저항기, 인덕턴스 L인 인덕터, 전기용량 C인 축전기, 전압 $V(t) = V_0\sin(2\pi f_0 t)$인 교류전원이 직렬로 연결된 회로를 나타낸 것이다. f_0은 공명진동수이다.

$$R \quad L \quad C$$
$$V(t) = V_0\sin(2\pi f_0 t)$$

f_0을 L, C로 나타내고, 전원이 공급하는 전력 $P(t)$를 구하시오. 또한 축전기의 리액턴스가 $X_C = 5R$일 때, 인덕터에 걸린 전압 $V_L(t)$을 풀이 과정과 함께 구하시오.

2013-25

24 그림 (가)는 블랙박스에 사인파(sine wave) 신호발생기가 연결된 것을 나타낸 것이다. 블랙박스 안에는 저항 R인 저항기, 전기용량 C인 축전기, 자체 인덕턴스 L인 코일로 이루어진 회로가 들어 있다. 그림 (나)는 신호발생기의 진동수를 변화시키면서 블랙박스의 출력 전압을 측정한 결과를 나타낸 것이다. (나)에서 f_0은 $\dfrac{1}{2\pi\sqrt{LC}}$ 이다.

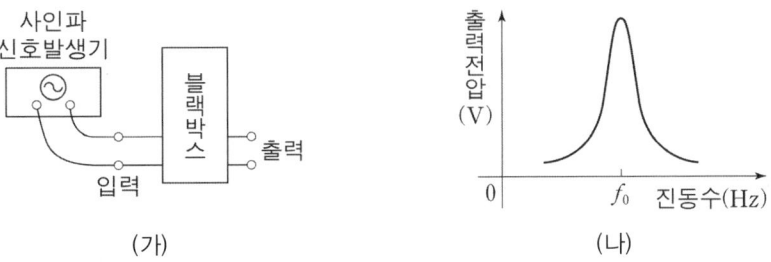

(가) (나)

블랙박스 안의 전기회로로 옳은 것만을 〈보기〉에서 있는 대로 고른 것은? (단, 블랙박스의 입력전압은 진동수에 관계없이 항상 일정하며, 입력 및 출력 전압은 실효 전압이다.)

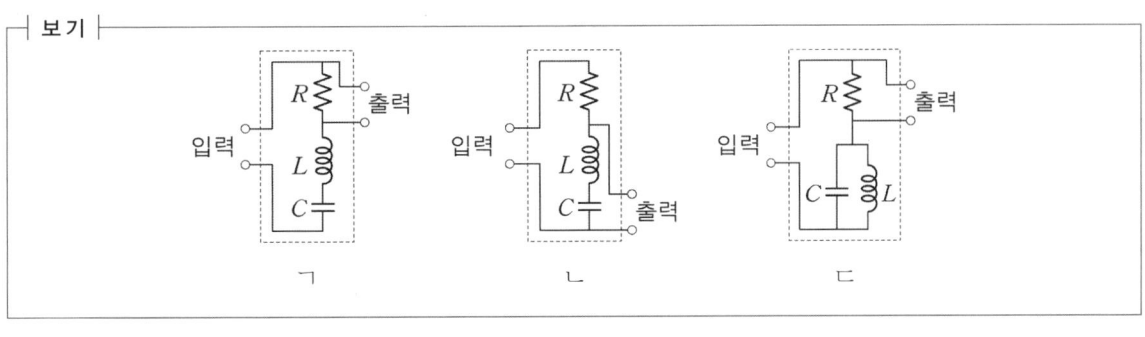

① ㄱ

② ㄴ

③ ㄷ

④ ㄱ, ㄷ

⑤ ㄴ, ㄷ

2023-A02

25 그림은 주상변압기와 주택이 송전선으로 연결된 모습을 나타낸 것이다. 주상변압기에서 공급하는 전력은 공급전압이 110V인 경우와 220V인 경우 동일하고, 송전선의 저항값은 R로 일정하다. 공급전압이 110V와 220V일 때, 송전선에 흐르는 전류는 각각 I_1, I_2이고, 송전선에서 발생하는 손실 전력은 각각 P_1, P_2이다.

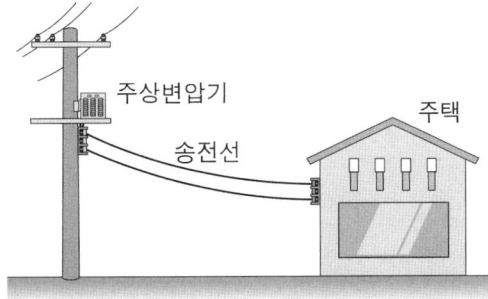

$\dfrac{I_2}{I_1}$ 와 $\dfrac{P_2}{P_1}$ 를 각각 구하시오. (단, 전압과 전류는 제곱 평균 제곱근 값이고, 전력은 평균값이다.)

2026-B07

26 그림은 전압 $V(t) = V_0 \sin(\omega t)$인 교류전원, 저항 R인 저항기, 전기용량 C인 축전기, 인덕턴스 L인 인덕터, 스위치 S로 구성한 회로를 나타낸 것이다. V_0은 교류전원의 최댓값이고 ω는 교류전원의 각진동수이다.

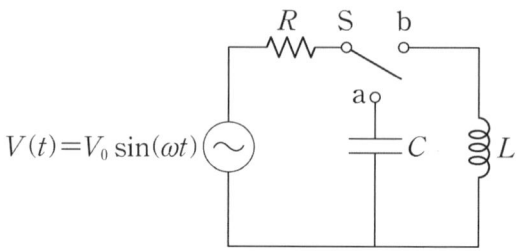

S를 a에 연결할 때 저항기에서 소비되는 평균 전력 P_a를 V_0, ω, R, C로 나타내시오. 〈자료〉를 이용하여 이 교류 회로의 전력인자(역률) $\cos\phi$를 ω, R, C로 나타내시오. S를 b에 연결하고 $L = R^2 C$일 때 저항기에서 소비되는 평균 전력 $P_b = \dfrac{P_a}{2}$가 되는 교류전원의 각진동수 $\omega_0 (\omega_0 > 0)$을 풀이 과정과 함께 R와 C로 나타내시오. (단, 교류 전류는 정상 상태이고, 인덕터에 의한 자체 유도 이외의 전자기 유도는 무시한다. ϕ는 전원의 전압과 전류 사이의 위상각이다.) [4점]

┤ 자료 ├
교류전원이 회로에 공급한 평균 전력 $P = I_{rms} V_{rms} \cos\phi$이고, f_{rms}는 주기함수 $f(t) = f_0 \sin(\omega t)$의 제곱 평균 제곱근(root-mean-square)이다.

4 상호유도

2003-17

27 반지름이 a인 속이 빈 토로이드에 코일이 N번 감겨있다(코일 A). 이 토로이드의 단면의 반지름은 $b(b \ll a)$이다. 이 토로이드의 일부분을 n번 감싸는 반지름이 $c(c \ll a, c > b)$인 코일이 있다(코일 B). 여기서 토로이드 외부의 자기장은 무시한다. 자유 공간의 투자율은 μ_0이며, SI 단위를 사용한다.

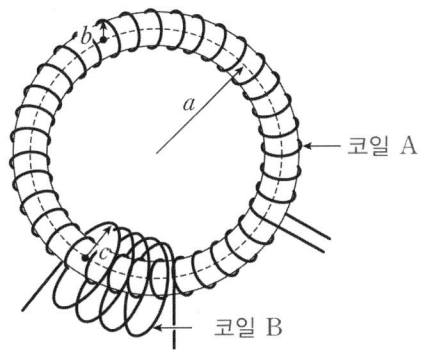

1) 앙페르의 법칙을 써서 코일 A에 전류 I_A가 흐를 때, 토로이드 내부에서의 자기장 세기를 구하시오.

2) 코일 A와 코일 B 사이의 상호인덕턴스를 구하시오.

3) 위 2)의 결과를 이용하여 코일 B에 전류 $I_B = I_0 \cos \omega t$가 흐를 때 전류 I_B에 의해서 코일 A에 유도되는 기전력을 구하시오.

28 2009-24
그림은 가로와 세로의 길이가 각각 ω, l인 직사각형 회로가 무한 직선 도선으로부터 수직거리 a만큼 떨어져 같은 평면에 놓여있는 것을 나타낸다. 무한 직선 도선에는 전류 I_1이 흐르고 직사각형 회로에는 전류 I_2가 흐른다.

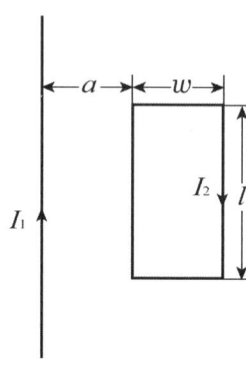

상호인덕턴스(mutual inductance) M은?

① $\dfrac{\mu_0 l}{2\pi} \ln\left(1 + \dfrac{\omega}{a}\right)$

② $\dfrac{\mu_0 l}{2\pi} \ln\left(1 + \dfrac{a}{\omega}\right)$

③ $\dfrac{\mu_0 a}{2\pi} \ln\left(1 + \dfrac{l}{\omega}\right)$

④ $\dfrac{\mu_0 a}{2\pi} \ln\left(1 + \dfrac{\omega}{l}\right)$

⑤ $\dfrac{\mu_0 \omega}{2\pi} \ln\left(1 + \dfrac{a}{l}\right)$

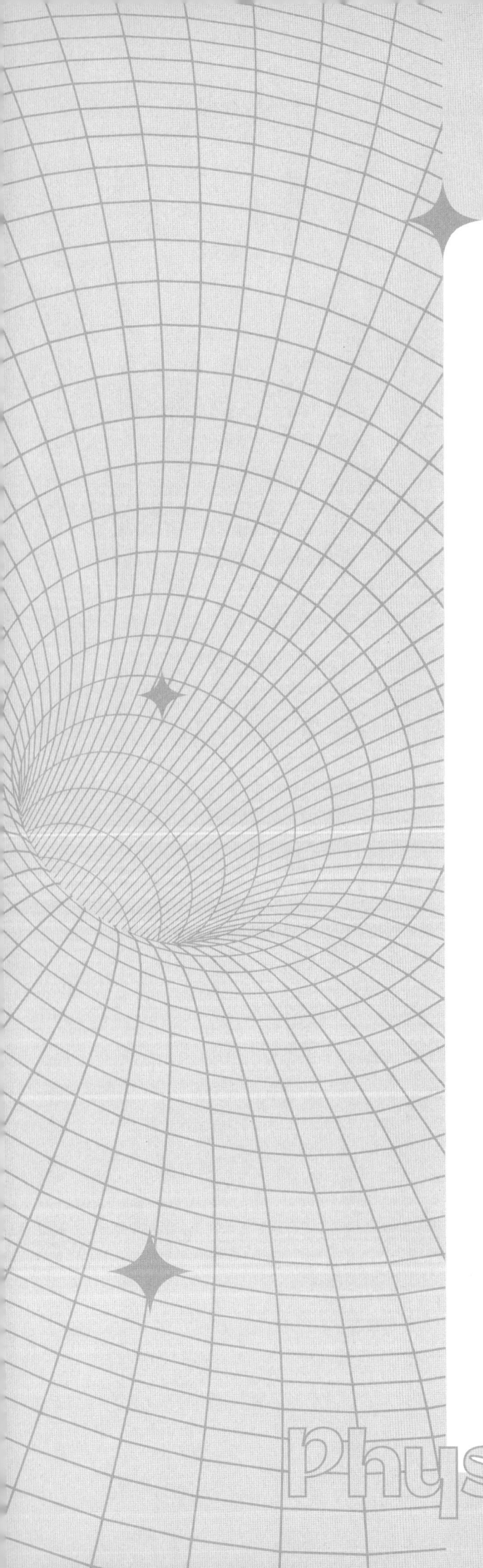

정승헌
전공물리 기출문제집

Physics

CHAPTER

08

기본 전자기학

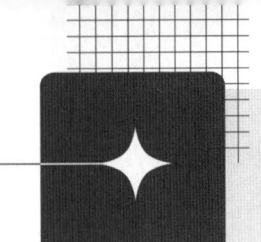

핵심 이론정리

1 전기장 가우스 법칙과 전기적 퍼텐셜

전기장의 가우스 법칙

$$\int \vec{E} \cdot \vec{da} = \frac{1}{\epsilon_0} \int \rho \, dV$$

퍼텐셜(전위)의 정의 $\vec{E} = -\vec{\nabla} V$로부터

$$V = -\int_{기준}^{r} \vec{E} \cdot \vec{dr}$$

전위는 기준점으로부터 적분 함수이다. 전위는 퍼텐셜 에너지와 관계되기 때문에 연속함수이다.

(1) 구형 전하 분포(ρ) 전기장과 전위

① $\vec{E} = \begin{cases} \dfrac{\rho}{3\epsilon_0} r & ; r \leq R \\[2mm] \dfrac{\rho R^3}{3\epsilon_0 r^2} & ; r > R \end{cases}$

② $V = \begin{cases} \dfrac{2\rho}{3\epsilon_0}(2R^2 - r^2) & ; r \leq R \\[2mm] \dfrac{\rho R^3}{3\epsilon_0 r} & ; r > R \end{cases}$

(2) 무한한 길이의 선전하 밀도 λ의 전기장과 전위

① $\vec{E} = \dfrac{\lambda}{2\pi\epsilon_0 r} \hat{\rho}$

② $V = -\dfrac{\lambda}{2\pi\epsilon_0} \ln\rho + V_0$; 선전하 분포에서는 $r = 0, r = \infty$에서 발산하므로 임의의 기준점에서 V_0로 정의하여 전위를 정의한다. 전위는 실질적으로 차이값 ΔV가 의미를 갖는다.

(3) 무한한 평면의 면전하 밀도 σ의 전기장과 전위

① $\vec{E} = \dfrac{\sigma}{2\epsilon_0} \hat{n}$

② $V = -\dfrac{\sigma}{2\epsilon_0} z$; 선전하 분포에서는 $r = 0, r = \infty$에서 발산하므로 임의의 기준점에서 V_0로 정의한다.

2 영상 전하법

거울 대칭과 같은 방식으로 가상의 전하를 활용하여 전기장 및 전위를 구하는 방법

(1) 전하가 받는 힘은 이미지 전하로부터 받는 힘의 벡터 합이다.

(2) 퍼텐셜 에너지는 이미지 전하가 움직이므로 유의해야 한다.

> - 이미지 전하를 모두 포함한 전체 퍼텐셜 $E = \sum_{ij} E_{ij} (i < j \,;\, 전하\ 번호)$
>
> - 전하의 퍼텐셜 에너지 $E_p = \dfrac{실제\ 전하\ 개수}{실제\ 전하\ 개수 + 이미지\ 전하\ 개수} \times (전체\ E_p)$

3 비오-사바르 법칙

전류의 흐름이 일반적인 경우 자기장을 구하는 방법

$$B = \int \frac{\mu I \vec{dl} \times \hat{r}}{4\pi r^2}$$

(1) 균일한 전류 I가 흐르는 유한 직선 도선에서의 자기장

$$B_{직선} = \frac{\mu_0 I}{4\pi d}(\cos\alpha_2 - \cos\alpha_1)$$

(2) 균일한 전류 I가 흐르는 반경이 R인 원형 도선으로부터 중심에서 z만큼의 위치에서의 자기장

$$B_{원형} = \frac{\mu_0 I R^2}{2(R^2 + z^2)^{3/2}}$$

※ 중심각이 ϕ인 호 모양의 도선 중심에서 자기장: $B_{중심} = \dfrac{\mu_0 I}{2R}\left(\dfrac{\phi}{2\pi}\right)$

(3) 균일한 전류 I가 흐르는 길이 L이고 반경이 a인 솔레노이드 내부 중심 P에서의 자기장 (감은 밀도 $n = \dfrac{N}{L}$)

$$B_{솔레} = \frac{\mu_0 n I}{2}(\cos\theta_2 - \cos\theta_1)$$

4 앙페르 법칙

대칭성이 존재하는 전류 분포에서 자기장

$$\int \vec{B} \cdot d\vec{l} = \mu_0 \int J da$$

5 패러데이 법칙

자기장 선속의 시간변화는 유도기전력을 발생

유도기전력 : $V = -N\dfrac{d\phi_B}{dt}$

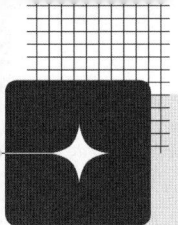

핵심 기출문제

◆ 정답 및 해설 92~106쪽

1 전기장 가우스 법칙과 전기적 퍼텐셜

2003-15

01 아래 그림과 같이 전하 Q가 균일하게 분포된 속이 빈 구의 중심에 점전하 q가 놓여있다. 이 구의 내부 반지름은 a이고 외부 반지름은 b이다. 여기서 자유공간의 유전률은 ϵ_0이며, SI 단위를 사용한다.

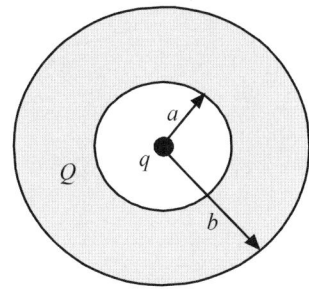

1) 구의 중심에서의 거리를 r이라 할 때 $r < a$인 영역에서의 전기장 세기 E를 구하시오.

2) $a < r < b$인 영역에서의 전기장 세기 E를 구하시오.

3) 점전하 q를 구의 중심에서 오른쪽으로 $\dfrac{a}{2}$만큼 이동시키는 데 요구되는 일 W를 구하시오.

02
2004-11

그림과 같이 반지름이 R인 원형 고리의 $\frac{1}{4}$은 $+Q$로 대전되고 나머지 $\frac{3}{4}$은 $-Q$로 대전되어 있다. 전하들은 각각의 영역에서 균일하게 분포되어 있고, 연결 부분은 절연되어 있다. 다음 물음에 답하시오.

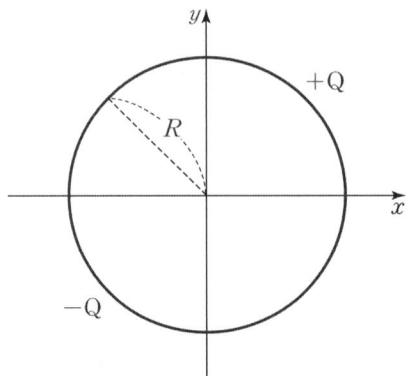

1) 원의 중심에서 전기장의 방향을 화살표로 아래 그림에 표시하시오.

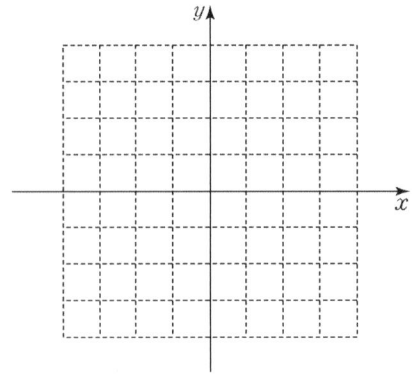

2) 원의 중심에서 전기장의 세기를 구하시오. 풀이 과정을 쓰시오.

2005-20

03 그림과 같이 안쪽 반지름이 R_1이고 바깥쪽 반지름이 R_2인 가운데가 뚫린 두께를 무시할 수 있는 얇은 원판에 전하 Q가 균일하게 분포되어 있다. 다음 물음에 답하시오.

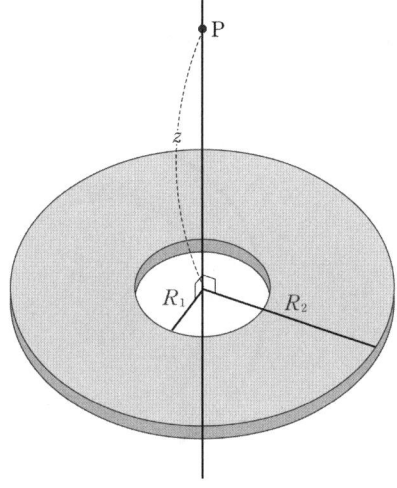

1) 원판의 중심에서 중심축을 따라 z만큼 떨어진 점 P에서 전기장의 크기를 구하시오.

2) $z \gg R_2$의 경우에 전기장의 크기를 구하시오.

04

2006-14

그림과 같이 반지름 a인 도체구 A가 내부 반지름 b, 외부 반지름 c인 도체 구껍질 B로 둘러싸여 있다. 그 바깥은 반지름 d인 얇은 도체 구껍질 C로 둘러싸여 있으며, 세 도체는 모두 중심이 같다. A에 전하 $+Q$를 대전시킬 때, 구간 (i) $a < r < b$, (ii) $b < r < c$, (iii) $c < r < d$에서 전기장의 세기 $E(r)$을 구하고, A와 C 사이의 전위차를 계산하시오. 또, A와 B 사이의 전기용량을 C_1, B와 C 사이의 전기용량을 C_2라 할 때, A와 C 사이의 전기용량을 C_1과 C_2로 나타내시오.

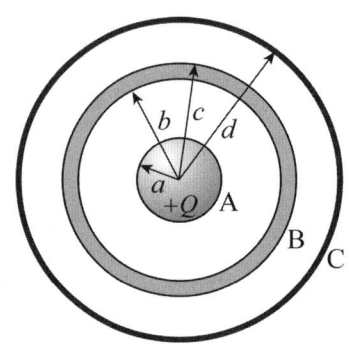

1) 전기장의 세기 :

2) 전위차 :

3) 전기용량 :

05

2007-15

그림은 반지름이 a이고 원점을 중심으로 xy평면에 고정된 가느다란 고리에 총 전하량 Q인 양전하가 고르게 분포되어 있는 것을 나타낸다.

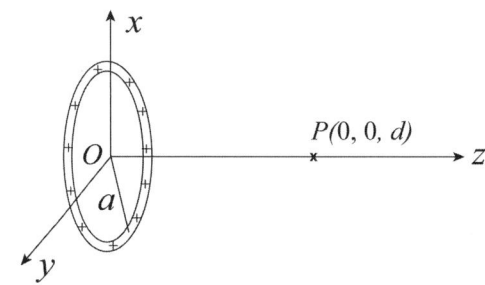

P점을 $(0, 0, d)$라 할 때 P점에서의 전위를 구하시오. 질량이 m이고 양전하 q인 입자를 P점에 정지 상태로 놓으면 전하 q는 z축을 따라 운동을 하게 된다. 고리로부터 무한히 먼 곳에서 전하 q의 속력을 구하시오. (단, 공기의 유전율은 ϵ_0라 하고, 공기 저항과 중력은 무시한다.)

1) P점에서의 전위 :

2) 무한히 먼 곳에서 전하 q의 속력 :

정승현 전공물리 기출문제집 ✦

06 균일한 자기장 $\vec{E_0} = E_0 \hat{z}$이 있는 공간에 반지름이 a인 대전된 도체구를 두었다. 도체구의 중심을 구면 좌표계의 원점으로 잡으면 도체구 외부의 전위는

$$V(r, \theta) = \frac{A}{r} - E_0 r \cos\theta + \frac{E_0 a^3}{r^2} \cos\theta, \ (r \geq a)$$

로 주어진다고 한다. 여기서 A는 상수이다. $V(r, \theta)$로부터 도체구 외부에서의 전기장 $\vec{E}$와 도체구 표면에서의 총 전하량 Q를 계산하시오. (단, $\vec{\nabla}\psi = \hat{r}\frac{\partial\psi}{\partial r} + \hat{\theta}\frac{1}{r}\frac{\partial\psi}{\partial\theta} + \hat{\varphi}\frac{1}{r\sin\theta}\frac{\partial\psi}{\partial\varphi}$이고, 공기의 유전율은 ϵ_0라 한다.)

1) 도체구 외부의 전기장 :

2) 총 전하량 :

07 그림은 면전하 밀도 $+\sigma$로 균일하게 대전된 얇고 무한히 넓은 두 개의 절연체판이 각각 xz평면과 yz평면에 놓여있는 것을 나타낸 것이다. 점 a, b, c는 xy평면상에 있는 정사각형 격자상의 지점을 나타낸다.

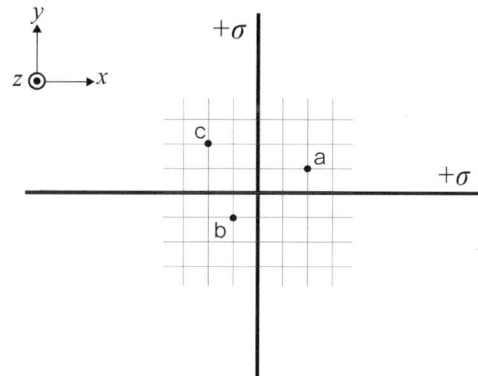

이에 대한 설명으로 옳은 것을 〈보기〉에서 모두 고른 것은? (단, 판의 두께와 전기장에 의한 판의 분극은 무시한다.)

┤ 보기 ├
ㄱ. a에서 전기장의 방향은 $+y$축 방향이다.
ㄴ. b와 c에서 전기장의 크기는 같다.
ㄷ. a와 b 사이의 전위차 $(V_a - V_b)$와 c와 a 사이의 전위차 $(V_c - V_a)$는 같다.

① ㄱ   ② ㄴ
③ ㄷ   ④ ㄱ, ㄴ
⑤ ㄴ, ㄷ

08

2012-20

그림은 총 전하량 Q로 대전된 반지름이 R인 구를 나타낸 것이다. 구의 중심 O로부터의 거리 r에 따른 전하밀도 $\rho(r)$는 $r \leq R$ 일 때 $\rho(r) = \rho_0 r$이고, $r > R$ 일 때 $\rho(r) = 0$이다. ρ_0은 양의 상수이다.

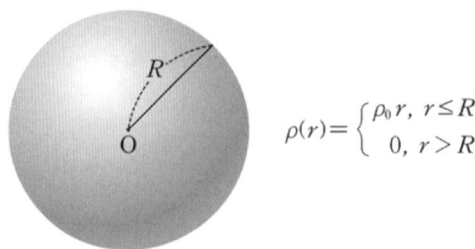

$$\rho(r) = \begin{cases} \rho_0 r, & r \leq R \\ 0, & r > R \end{cases}$$

구의 내부에서 거리 r에 따른 전위 $V(r)$는? (단, $V(\infty) = 0$이다. $k = \dfrac{1}{4\pi\epsilon_0}$ 이고, ϵ_0은 진공의 유전율이다.)

① $\dfrac{kQ}{3R^4}(4R^3 - r^3)$

② $\dfrac{kQ}{2R^4}(3R^3 - r^3)$

③ $\dfrac{kQ}{R^4}(2R^3 - r^3)$

④ $\dfrac{kQ}{3R^3}(4R^2 - r^2)$

⑤ $\dfrac{kQ}{2R^3}(3R^2 - r^2)$

09

2011-20

그림과 같이 전기적으로 중성인 도체 속에 구형의 공간(cavity) A, B, C 가 있다. A 의 중심에는 양(+)의 점전하 q_1이 있고, B 의 내부에는 양(+)의 점전하 q_2가 중심에서 벗어난 한 지점에 있으며, C 의 내부에는 전하가 없다.

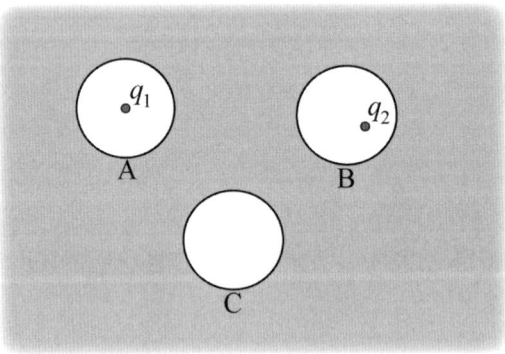

이에 대한 설명으로 옳은 것만을 〈보기〉에서 모두 고른 것은?

┤ 보 기 ├
ㄱ. q_1에 작용하는 전기력은 0이다.
ㄴ. A 내부의 전기장은 B 내부의 q_2 위치에 무관하다.
ㄷ. C 의 경계면에 분포하는 총전하량은 $q_1 + q_2$이다.

① ㄱ

② ㄴ

③ ㄱ, ㄴ

④ ㄴ, ㄷ

⑤ ㄱ, ㄴ, ㄷ

2016-A03

10 그림은 전하량 $Q, -Q$로 대전된 평행판 축전기의 왼쪽 극판이 용수철 상수 k인 용수철에 연결되어 용수철이 x만큼 늘어나 평형상태로 정지해 있는 모습을 나타낸 것이다. 각 극판의 면적은 A이다.

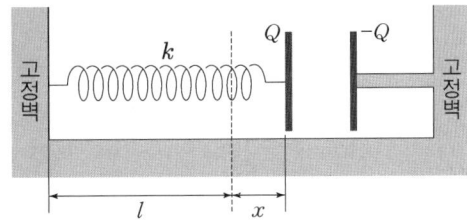

용수철의 늘어난 길이 x를 구하시오. (단, 용수철의 늘어나지도 줄어들지도 않은 길이는 l이다. 진공의 유전율은 ϵ_0이다. 극판 두께, 가장자리 효과, 중력은 무시한다. 고정벽과 용수철은 축전기와 절연되어 있다.)

2015-A05

11 그림은 면전하 밀도 σ인 얇은 부도체판과, 윗면과 아랫면의 면전하 밀도의 합이 5σ인 도체판이 나란하게 마주 보고 있는 것을 나타낸 것이다. 두 판의 면적이 무한히 커서 도체판 각 면과 부도체판에 전하는 균일하게 분포되어 있고, 부도체판 위쪽 영역(Ⅰ)의 전기장의 크기는 E_0이다.

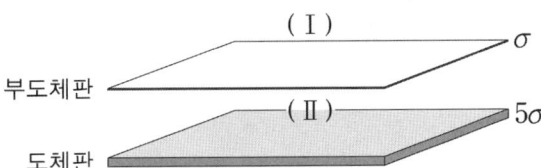

도체판 윗면의 면전하 밀도를 구하고, 부도체판과 도체판 사이 영역(Ⅱ)의 전기장의 크기를 E_0으로 나타내시오.

2024-B06

12 그림은 균일한 면전하 밀도 $-\sigma_0$으로 대전된 무한 평면에 반지름 a인 원형 구멍을 뚫은 평면과 균일한 면전하 밀도 σ_1로 대전된 무한 평면이 나란히 놓여있는 것을 나타낸 것이다. 공간의 유전율은 ϵ_0이고, 두 평면은 $2a$만큼 떨어져 있다. 지점 A에서 전기장과 전위가 모두 0일 때, $\dfrac{\sigma_1}{\sigma_0}$과 지점 B에서 전기장의 크기를 구하고, B에서 전위를 풀이 과정과 함께 구하시오.

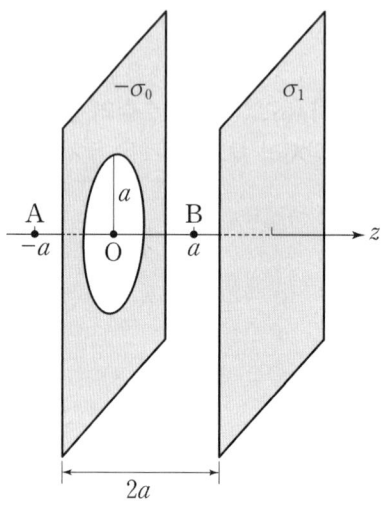

┤ 자료 ├

- 반지름 R인 원판에 전하가 σ로 균일하게 대전되어 있을 때, 원판의 중심을 원점으로 하고 원판에 수직인 z축 상의 점에서 전기장은 아래와 같다.

$$\vec{E}(z) = \frac{\sigma}{2\epsilon_0}\left(1 - \frac{|z|}{\sqrt{z^2 + R^2}}\right)\frac{z}{|z|}\hat{z}$$

- $\displaystyle \int \frac{x}{\sqrt{x^2 + \alpha^2}}\,dx = \sqrt{x^2 + \alpha^2} + C$

2026-B09

13 그림과 같이 길이가 L이고 반지름이 각각 $a, 4a$인 도체 원통 껍질 사이에 유전율이 다른 두 유전체로 채워져 있는 모습을 나타낸 것이다. $a < r < 2a$의 유전율 ε_1이고, $2a < r < 4a$의 유전율은 $\varepsilon_2 = 2\varepsilon_1$이다. r는 원통의 중심축으로부터 거리이다. $r = a$와 $r = 4a$ 사이의 전위차는 V_0로 일정하다.

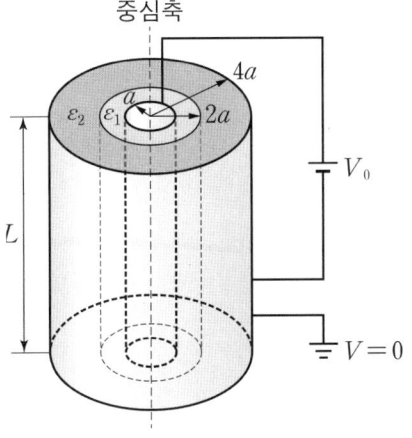

$a \le r \le 4a$에서, 전위는 다음과 같다.

$$V(r) = \begin{cases} A \ln\left(\dfrac{a}{r}\right) + V_0 & (a \le r \le 2a) \\ B \ln\left(\dfrac{a}{r}\right) & (2a \le r \le 4a) \end{cases}$$

A와 B는 상수이다. 〈자료〉를 이용하여, $\dfrac{A}{B}$를 구하고, $a < r < 2a$에서 전기장의 크기 $E(r)$을 구하시오. 축전기 전체에 저장된 에너지 U를 풀이 과정과 함께 구하시오. (단, 유전체는 선형성, 균일성, 등방성을 가지며 가장자리 효과는 무시한다.)

┤ 자료 ├

• $r = 2a$에서 $V(r)$와 $\vec{D} \cdot \hat{r}$은 연속이다. $\vec{D}$는 전기 변위(electric displacement)이다.

• 에너지 밀도 : $u = \dfrac{1}{2}\vec{E} \cdot \vec{D}$

2013-2차-1교시-02

14 자연에는 많은 진동 현상들이 존재한다. 〈자료〉는 전기력을 받는 대전된 입자의 단진동에 관한 내용이다.

┤ 자료 ├

그림은 전하량 $-q$로 대전된 질량 m인 입자가 전하량 $+Q$로 균일하게 대전된 반지름 R인 비전도성 원형 고리의 중심축(z축) 상에서 운동하는 것을 나타낸 것이다. z축은 고리의 면에 수직이며 고리의 중심에서 $z=0$이다. 시간 $t=0$일 때, 입자는 $z=h\,(h \ll R)$에서 정지 상태로 출발하였다. (단, 매질의 유전율은 ε_0이며, 중력은 무시한다. 또한 고리는 고정되어 있고 굵기는 무시한다.)

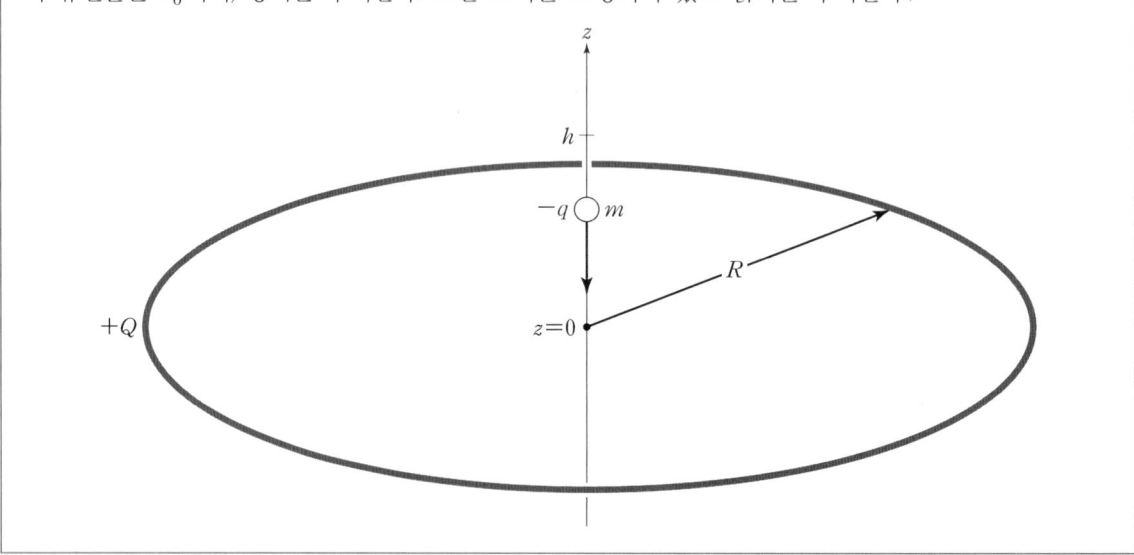

〈자료〉에서 고리가 만드는 z축 상의 전기장을 z의 함수로 구하시오. 전자기파의 발생을 무시할 경우, $h \ll R$일 때, 이 입자의 운동은 단진동으로 근사할 수 있다. 이 경우, 입자의 단진동 운동방정식을 얻고 시간 t에 따른 입자의 위치 $z(t)$와 각진동수 ω, $z=0$에서의 입자의 속력을 구하시오. 만약 전자기파의 발생을 고려할 경우, 이 입자의 운동이 어떻게 될지 추론하시오. (단, $z \ll R$일 때 $\left(1+\dfrac{z^2}{R^2}\right)^n \approx 1$의 근사식을 사용하시오.)

2 영상 전하법

2002-12

15 그림과 같이 전하 $+Q$가 무한히 넓은 완전 도체 평면으로부터 거리 d만큼 떨어져 있다. (이 경우는 도체 평면 대신에 도체 평면 경계로부터 같은 거리 d만큼 떨어진 곳에 $-Q$의 전하가 있는 상황과 같다.) 그림의 a점은 $+Q$와 $-Q$를 잇는 직선이 도체 평면과 수직으로 만나는 곳이다.

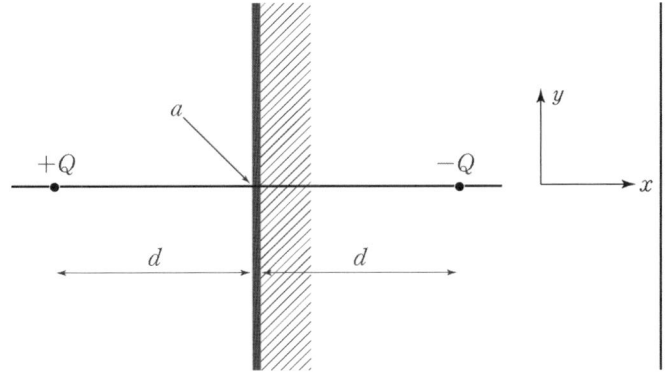

1) 전하 $+Q$와 도체 평면 사이의 영역에 전기력선과 등전위선을 아래에 제시된 그림에 직접 그려보시오. 필요하면 수직 기호를 사용하시오.

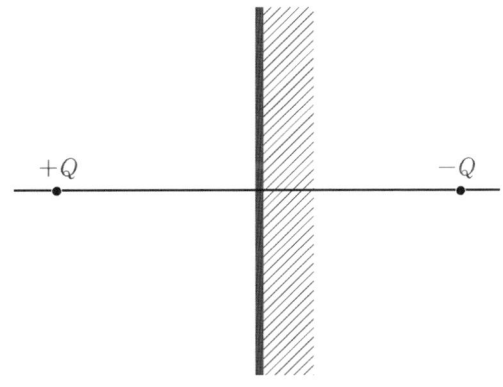

2) 전하 $+Q$와 도체 평면 사이에 작용하는 힘의 크기를 구하시오.

2-1) 여기서 이 같은 힘이 작용하는 이유를 밝히시오.

2-2) a점에서 전기장의 세기를 구하시오. (공기 중에서의 유전상수는 ϵ_0로 두고, MKS 단위를 사용하시오.)

2006-17

16 그림과 같이 점전하 q가 반지름 R인 도체구의 중심으로부터 a만큼 떨어진 곳에 있다. 이때 도체구의 표면에서 전위는 $V(R,\ \theta)=0$이다. 전기 영상법에 의하면 영상 전하 Q는 구면의 중심으로부터 $b=\dfrac{R^2}{a}$ 만큼 떨어진 곳에 있다. 영상 전하 Q의 값을 구하시오. 또, 공간의 임의의 점 P 에서 전하 q와 영상 전하 Q에 의한 전위 $V(r,\theta)$를 구좌표계로 표현하시오.

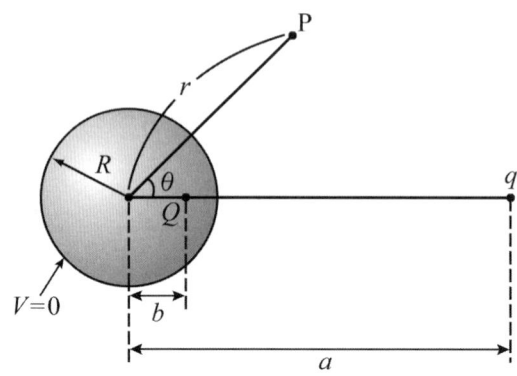

1) 영상 전하 :

2) 전위 :

2008-12

17 그림과 같이 일정한 선전하 밀도 λ로 대전된 반지름 R의 원형 고리가 무한 도체 평면과 나란하게 $z=R$ 인 지점에 놓여있다. 원형 고리의 중심 O에서 전기장 $\overrightarrow{E}$를 구하시오.

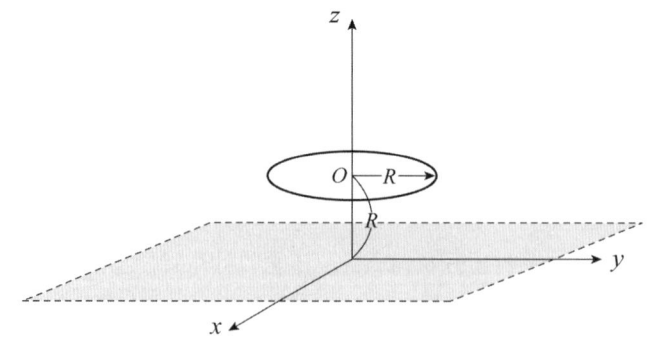

2013-20

18 그림은 무한히 넓은 접지된 도체 평면으로부터 $x = d$인 점 A, $x = 3d$ 점 B에 각각 같은 점전하 q가 진공 속에 놓여있는 것을 나타낸 것이다. B의 전하 q는 고정되어 있다. 점 P는 도체 평면으로부터 $x = 2d$인 점이고, x축은 도체 평면에 수직이다. 점 A, P, B는 x축상에 있다.

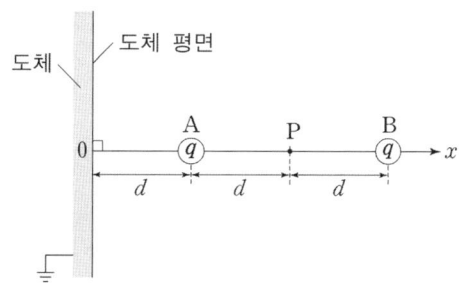

A의 전하 q를 P까지 이동시키기 위하여 필요한 일은? (단, ε_0은 진공의 유전율이다.)

① $\dfrac{1}{4\pi\varepsilon_0}\dfrac{21q^2}{40d}$

② $\dfrac{1}{4\pi\varepsilon_0}\dfrac{27q^2}{40d}$

③ $\dfrac{1}{4\pi\varepsilon_0}\dfrac{31q^2}{40d}$

④ $-\dfrac{1}{4\pi\varepsilon_0}\dfrac{37q^2}{40d}$

⑤ $-\dfrac{1}{4\pi\varepsilon_0}\dfrac{41q^2}{40d}$

2016-A04

19 그림은 접지되어 있지 않고 대전되어 있지도 않은 반지름 a인 도체 구 A의 외부에 전하량이 q인 점전하를 z축상의 한 점 $z = d$에 놓은 모습을 나타낸 것이다.

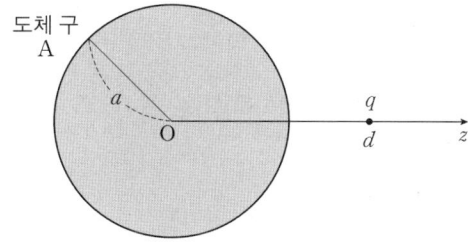

〈자료〉를 참고하여 도체 구 A의 정전 퍼텐셜(전위)을 구하시오. (단, 점전하가 도체구로부터 무한히 멀리 있을 때 도체 구의 퍼텐셜은 0이다. 진공의 유전율은 ϵ_0이다.)

┤ 자료 ├
전하량이 Q인 점전하가 반지름 a인 도체 구의 중심으로부터 s만큼 떨어진 곳에 있고, 도체구가 전위 0으로 접지되어 있을 때, 구면에서의 경계조건을 만족시키기 위한 영상 전하의 전하량과 위치는 각각

$$Q_{영상} = -\frac{aQ}{s} \text{ 와 } s_{영상} = \frac{a^2}{s} \text{ 이다.}$$

3 비오−사바르 법칙

2004-12

20 그림과 같이 한 변의 길이가 L인 정삼각형에 전류 I가 흐르고 있다. 비오-사바르 법칙을 이용하여 다음 물음에 답하시오.

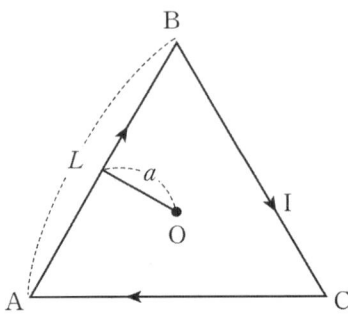

1) 중심 O에서 직선 전류 AB에 의한 자기장의 세기를 I와 L로 나타내시오. 풀이 과정을 쓰시오. (단, a는 한 변에서 중심까지의 수직거리이며 그 길이는 $\dfrac{L}{2\sqrt{3}}$ 이다.)

2) 중심 O에서 정삼각형 전류에 의한 자기장의 세기를 I와 L로 나타내시오.

2006-18

21 그림과 같이 반지름 R인 두 원형 도선이 각각 $z=0$인 평면과 $z=L$인 평면에 놓여있다. 이 도선들의 중심은 z축 위에 있으며, 도선에는 전류 I가 흐르고 있다. 비오-사바르 법칙에 따르면 전류 요소 $I\vec{dl}$로부터 변위 $\vec{r}=r\hat{r}$ 떨어진 점에서 전류에 의한 자기장은 $\vec{dB}=\dfrac{\mu_0 I\vec{dl}\times\hat{r}}{4\pi r^2}$으로 주어진다. 여기서 μ_0는 자유공간의 투자율이다. 비오-사바르 법칙을 이용하여 z축 위 두 도선 사이의 점 P에서 자기장을 구하시오.

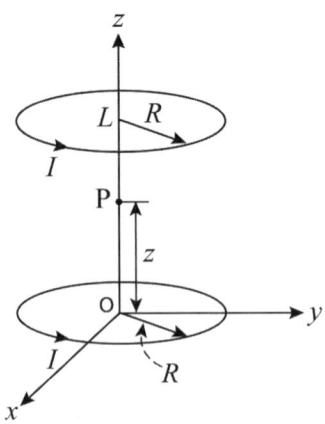

2012-25

22 그림은 길이 L, 반지름 R인 원형 솔레노이드에 일정한 전류 I가 흐르는 것을 나타낸 것이다. 솔레노이드는 가는 코일로 균일하게 감겨있으며, 단위 길이당 코일의 감은 횟수는 n이다. 원점 O는 솔레노이드의 왼쪽 끝의 중심축상에 있고, 점 P는 O로부터 오른쪽으로 $z = 2L$인 중심축상의 지점이다.

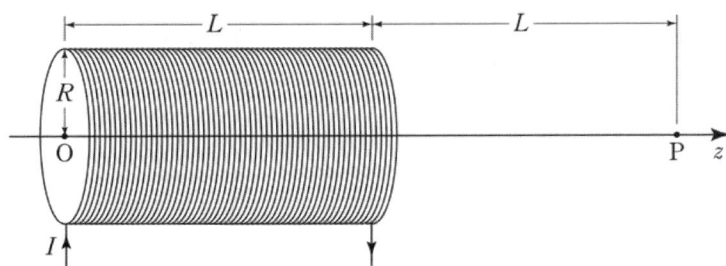

P에서 자기장의 크기는? (단, xy평면에 놓인 반지름 R인 원형 고리에 전류 I가 흐를 때, 고리의 중심축인 z축을 따라 고리의 중심에서 거리 z_0인 점에서 자기장의 크기는 $\dfrac{\mu_0 I R^2}{2(z_0^2 + R^2)^{3/2}}$이다. μ_0은 진공의 투자율이며, $\displaystyle\int \dfrac{dx}{(x^2 + R^2)^{3/2}} = \dfrac{x}{R^2\sqrt{x^2 + R^2}}$ 이다.)

① $\mu_0 nIL\left(\dfrac{1}{\sqrt{4L^2 + R^2}} - \dfrac{1}{2\sqrt{L^2 + 4R^2}}\right)$

② $\mu_0 nIL\left(\dfrac{1}{\sqrt{4L^2 + R^2}} - \dfrac{1}{2\sqrt{L^2 + R^2}}\right)$

③ $\mu_0 nIL\left(\dfrac{2}{\sqrt{4L^2 + R^2}} - \dfrac{1}{\sqrt{L^2 + 4R^2}}\right)$

④ $\mu_0 nIL\left(\dfrac{2}{\sqrt{4L^2 + R^2}} - \dfrac{1}{\sqrt{L^2 + R^2}}\right)$

⑤ $\mu_0 nIL\left(\dfrac{1}{\sqrt{L^2 + R^2}} - \dfrac{1}{\sqrt{L^2 + 4R^2}}\right)$

2021-B10

23 그림과 같이 반지름이 a 이고 전류 I 가 서로 같은 방향으로 흐르는 두 개의 원형 코일이 거리 a 만큼 떨어져 z 축상에 놓여있다.

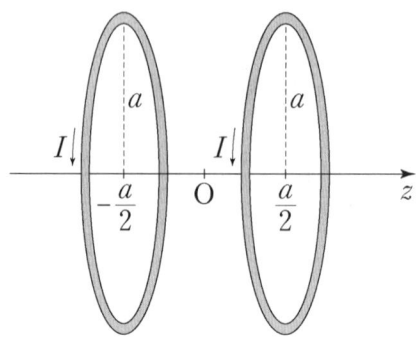

z 축상의 원점 O 에서 자기장의 크기를 풀이 과정과 함께 구하시오. 또한 자기 쌍극자 모멘트 $\vec{m} = m\hat{z}$ 을 갖는 입자를 O 에 놓을 때, 입자의 자기 퍼텐셜 에너지를 풀이 과정과 함께 구하시오. (단, 공간의 투자율은 μ_0 이고, 코일의 굵기는 무시하며, 코일 면은 z 축과 수직이다.)

┤ 자료 ├

전류 I 가 흐르는 도선의 일부분 $d\vec{l}$ 로부터 $r\hat{r}$ 만큼 떨어진 위치에서 $Id\vec{l}$ 에 의한 자기장은 $d\vec{B} =$ $\dfrac{\mu_0}{4\pi} \dfrac{Id\vec{l} \times \hat{r}}{r^2}$ 이다.

4 앙페르 법칙

2002-13

24 그림과 같이 반경 R의 원형 단면을 갖는 두 개의 긴 원통 모양의 직선 도선들이 있다. 각 도선에는 전류 I가 단면에 균일하게 분포되어 흐르며, 전류의 방향은 종이면을 뚫고 나오는 방향이다. 두 도선의 중심축은 $4R$만큼 떨어져 있다. 도선은 비자성체이며, 도선의 자기투자율은 진공의 자기투자율 μ_0와 같다고 가정한다.

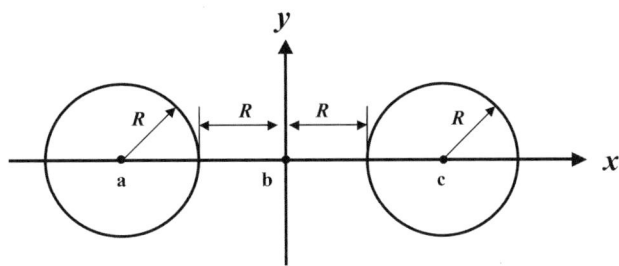

1) x축상의 a점, b점, 그리고 c점에서 자기장의 세기 B를 구하시오.

2) 균일하게 분포된 전류 I가 흐르는 단일 원통형 직선 도선 주위의 자기장 B와 도선 중심으로부터의 거리가 r 사이의 관계는 다음 그림과 같다.

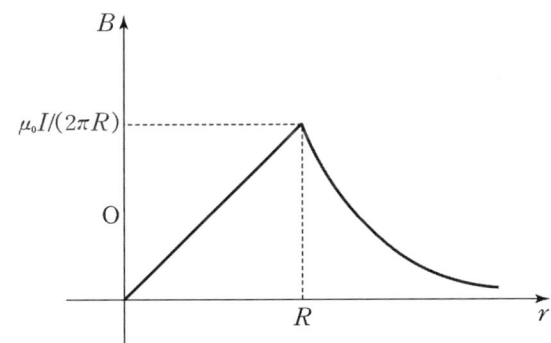

두 도선의 중심을 잇는 직선상의 위치 x에 따른 자기장의 세기 B를 아래에 주어진 그래프 위에 개략적으로 그려보시오. (단, 그래프의 원점은 b점과 일치하며, 자기장의 방향이 $+y$축을 향하면 양의 값을 가진다고 가정한다.)

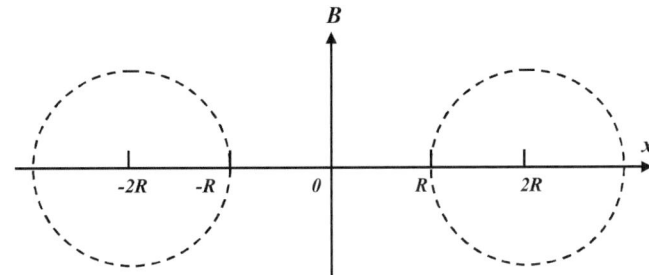

2009-22

25 그림은 직선 도선 위에 나침반을 올려놓은 것을 나타낸다. 나침반 바늘은 도선의 중심축으로부터 거리 r 만큼 떨어진 곳에 있으며, 도선의 방향과 지구 자기장 $B_{지구}$ 의 방향이 일치할 때 나침반 바늘이 도선과 $30°$ 가 되었다.

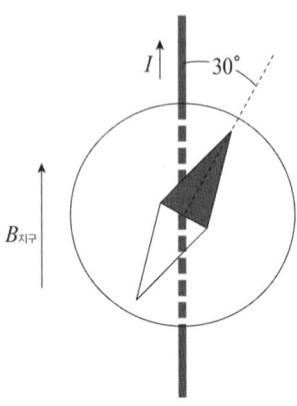

도선에 흐르는 전류는? (단, μ_0 는 진공의 투자율이다.)

① $\dfrac{2\pi}{\mu_0} r B_{지구}$ 　　　　　② $\dfrac{\sqrt{3}\,\pi}{\mu_0} r B_{지구}$

③ $\dfrac{4\pi}{\sqrt{3}\,\mu_0 r} B_{지구}$ 　　　　④ $\dfrac{2\pi}{\sqrt{3}\,\mu_0} r B_{지구}$

⑤ $\dfrac{1}{2\pi\mu_0 r} B_{지구}$

2011-23

26 그림과 같이 일정한 전류 I가 흐르는 두 무한 직선 도선이 x축으로부터 각각 거리 d만큼 떨어져 y축과 교차한다. 전류는 xy평면에서 수직으로 나오는 방향으로 흐른다.

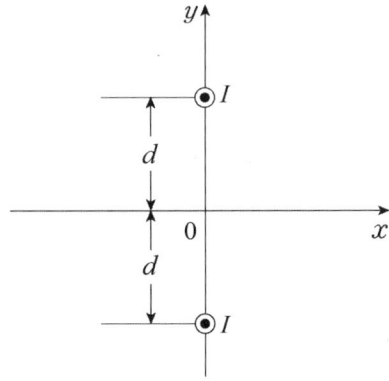

x축상에서 이 전류에 의한 자기장의 크기가 최대가 되는 곳의 x값은?

① 0

② $\pm \dfrac{d}{4}$

③ $\pm \dfrac{d}{2}$

④ $\pm \dfrac{d}{\sqrt{2}}$

⑤ $\pm d$

2013-19

27 그림과 같이 반지름 a인 반원 모양의 도선을 포함한 x축상의 무한직선 도선에 전류 I_0이 오른쪽 방향으로 흐르며, x축으로부터 a만큼 떨어진 위치에 놓여 x축과 평행한 무한직선 도선에 전류 I가 오른쪽 방향으로 흐른다. 두 도선은 xy평면상에 고정되어 있고, 반원의 중심은 원점 O 이다.

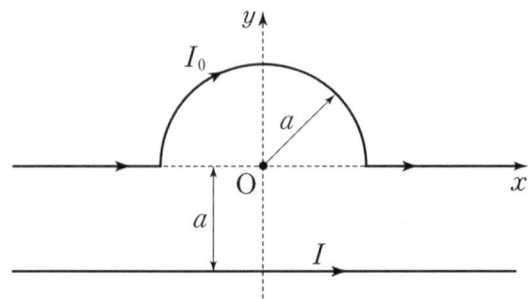

점 O 에서 두 도선에 의한 자기장의 세기가 0일 때, 전류 I는?

① $\dfrac{\pi}{4}I_0$ ② $\dfrac{\pi}{2}I_0$

③ $\dfrac{3\pi}{4}I_0$ ④ πI_0

⑤ $\dfrac{5\pi}{4}I_0$

2019-A06

28 그림과 같이 세기가 I로 일정한 전류가 반지름이 R인 무한히 긴 원통 도선에 균일하게 흐르고 있다. 도선의 투자율은 μ_0이다. $\hat{\rho}$, $\hat{\phi}$, $\hat{z}$ 는 각각 원통좌표계의 단위벡터이다.

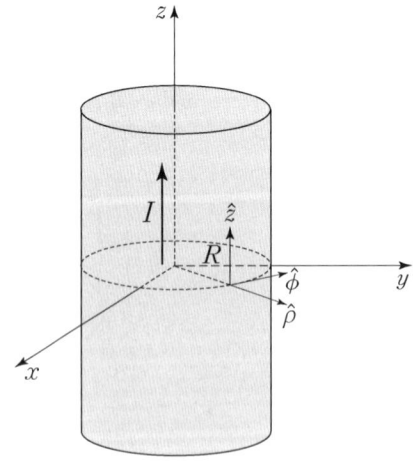

도선 내부$(\rho \leq R)$에서의 자기장의 크기 $B(\rho)$와 방향을 구하시오.

2010-37

29 그림은 기전력 ε인 기전력원, 전기용량 C인 축전기, 저항값 R인 저항 및 스위치 S로 구성된 RC 회로를 나타낸 것이다. 축전기는 반지름 a인 두 개의 원형 도체판으로 만들어진 간격 $d(d \ll a)$인 평행판 축전기이며, 점 P는 도체판의 중심축으로부터 거리 $b(b \ll a)$인 지점이다. 회로의 시간상수는 $\tau = RC$ 이다.

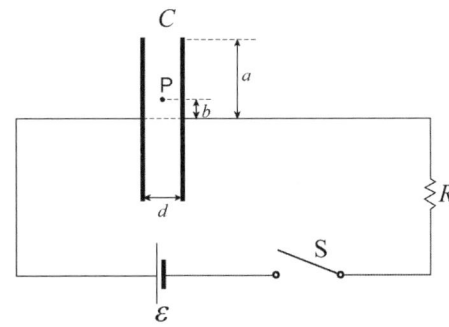

시간 $t = 0$에서 스위치를 닫았을 때, P점에서 시간 t에 따른 자기장(magnetic induction)의 크기 B는? (단, 두 도체판 사이의 매질의 투자율은 μ_0이다.)

① $\left(\dfrac{\mu_0 b \varepsilon}{4\pi a^2 R}\right)e^{-\frac{t}{\tau}}$　　　　　　　② $\left(\dfrac{\mu_0 b \varepsilon}{2\pi a^2 R}\right)e^{-\frac{t}{\tau}}$

③ $\left(\dfrac{\mu_0 \varepsilon}{4\pi b^2 R}\right)e^{-\frac{t}{\tau}}$　　　　　　　④ $\left(\dfrac{\mu_0 \varepsilon}{2\pi b^2 R}\right)e^{-\frac{t}{\tau}}$

⑤ $\left(\dfrac{\mu_0 b \varepsilon}{4\pi a R}\right)e^{-\frac{t}{\tau}}$

2026-A01

30 그림은 두께가 $2d$인 무한히 넓은 도체판이 xy평면에 평행하게 놓인 모습을 나타낸 것이다.

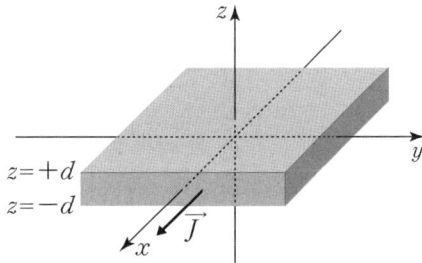

도체판에 흐르는 부피 전류 밀도 $\vec{J}$는 다음과 같다.

$$\vec{J} = \begin{cases} \alpha|z|\hat{x} & (|z| \le d) \\ 0 & (|z| > d) \end{cases}$$

$z = -\dfrac{d}{2}$, $z = \dfrac{3d}{2}$에서 자기장의 크기를 각각 구하시오. (단, α는 양의 상수이고, 도체판 내부와 외부의 투자율은 진공의 투자율 μ_0으로 같다.)

5 패러데이 법칙

2004-13

31 그림과 같이 균일한 자기장($B = 0.10\,T$) 내에서 정사각형 코일(한 변의 길이 10cm, 감긴 수 $n = 100$)의 회전축이 자기장에 수직인 방향에 대하여 θ만큼 기울어진 상태로 분당 3,600회 회전할 때, 코일에 발생하는 유도기전력의 크기를 시간 t의 함수로 구하시오. 풀이 과정을 쓰시오.

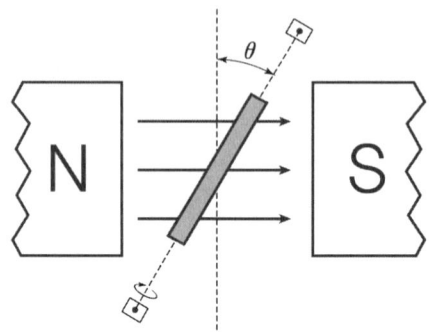

2005-22

32 일정한 전류 I가 흐르는 무한 직선 도선과 저항 R이 연결된 ⊏자형 금속 레일이 같은 평면 위에 그림과 같이 놓여있다. 레일 위에는 좌우로 자유롭게 움직일 수 있는 직선 도선 A B가 무한 직선 도선과 나란하게 놓여있다. 다음 물음에 답하시오.

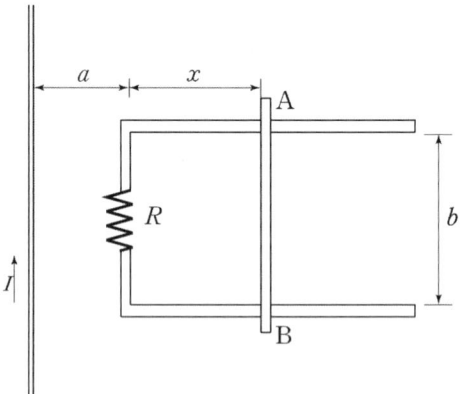

1) 직선 도선 A B를 오른쪽으로 당길 때, 회로에 흐르는 전류의 방향이 시계 방향인지 반시계 방향인지를 쓰고, 그 이유를 설명하시오. (단, 법칙의 이름은 쓰지 마시오.)

2) 시각 $t = 0$에서 직선 도선 A B를 $x = 0$인 지점으로부터 일정한 속력 v_0로 오른쪽으로 당길 때, 회로에 생기는 기전력의 크기를 시간의 함수로 구하시오.

2006-22

33 시간에 따라 변하는 자기장이 z축으로부터의 거리 ρ에 따라서 $\vec{B}=\begin{cases} B_0\cos(\omega t)\hat{z} & (\rho \le a) \\ 0 & (\rho > a) \end{cases}$으로 주어

진다. 여기서 B_0와 ω는 상수이다. 아래 그림은 이 자기장을 $t=0$인 순간에 $z=0$인 평면에 나타낸 것이다. 그림의 실선과 같이 원점을 중심으로 하며 반지름이 $b(b<a)$인 $z=0$ 평면 위의 닫힌 경로 C (그림의 실선)를 따라 임의의 시간 t에서 $\oint_C \vec{E} \cdot d\vec{l}$을 계산하고, 그 결과를 이용하여 $\rho = b$, $\phi = 0$, $z = 0$인 점 P에서 전기장 벡터 $\vec{E}$를 구하시오.

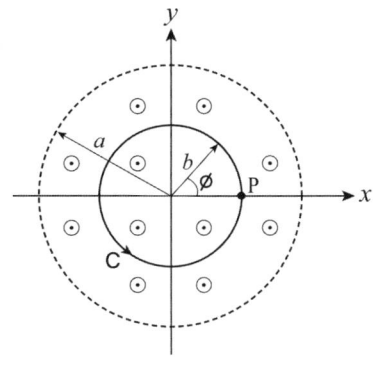

1) $\oint_C \vec{E} \cdot d\vec{l}$:

2) 전기장 :

34 그림은 종이면에 수직인 방향으로 들어가는 크기가 B인 균일한 자기장 속에서, 종이면에 놓여 있는 반지름이 각각 ℓ, 2ℓ인 두 원형 도선 위를 도체 막대가 O를 중심으로 일정한 각속도 ω로 회전하는 것을 나타낸 것이다. 두 원형 도선은 저항 R로 연결되어 있다.

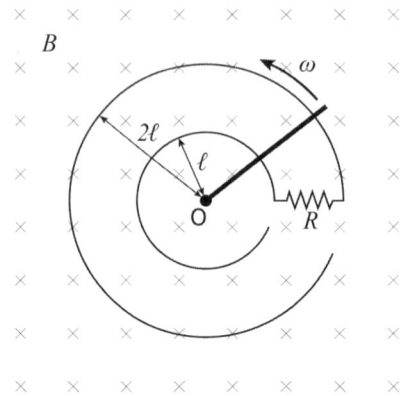

도체 막대가 원형 도선 위에 있는 동안, 원형 도선과 도체 막대 및 저항으로 이루어진 고리에 유도되는 기전력의 크기는?

① $\dfrac{1}{2}\ell^2 B\omega$

② $\ell^2 B\omega$

③ $\dfrac{3}{2}\ell^2 B\omega$

④ $2\ell^2 B\omega$

⑤ $\dfrac{5}{2}\ell^2 B\omega$

35

2008-13

그림과 같이 반지름 a, 전기저항 R인 반원 모양의 회로가 O점을 중심으로 xy평면상에서 일정한 각속도 ω로 회전하고 있다. 자기장은 xy평면에 수직하며, $x \geq 0$이고 $y \geq 0$인 공간에만 균일하게 존재한다. 자기장의 세기는 B이고, 지면에서 수직으로 나오는 방향이다.

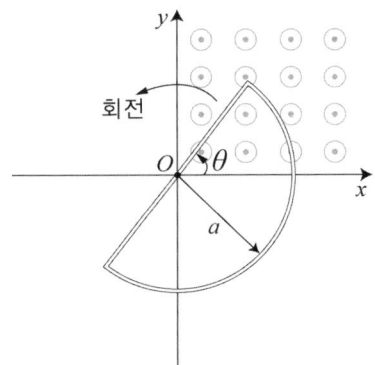

1) 회로에서 유도되는 최대전류 I_0를 구하시오.

2) $\theta (0 \leq \theta \leq 2\pi)$에 따른 전류 I를 그래프로 그리시오. (단, 반시계 방향으로 흐르는 전류를 양(+)로 하고, 각 θ는 x축으로부터 반시계 방향으로 잰다.)

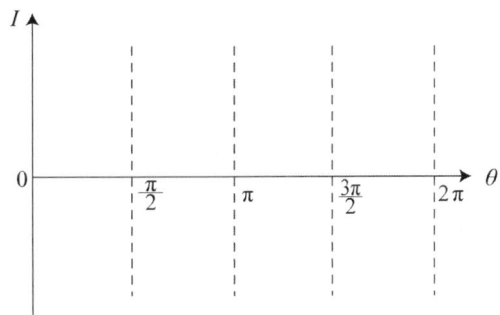

2014-A09

36 그림은 세기가 B로 균일한 자기장 영역에 놓여있는 반원 모양의 도체와 도체 막대가 접촉하여 이루어진 회로를 나타낸 것이다. 반원의 반지름은 a이며, 저항값 R_1, R_2의 두 저항이 그림과 같이 연결되어 있다. 자기장의 방향은 종이면에 수직으로 들어가는 방향이며, 도체 막대는 반원의 지름을 이등분한 점 O를 중심으로 반시계 방향으로 일정한 각속도 ω로 회전한다.

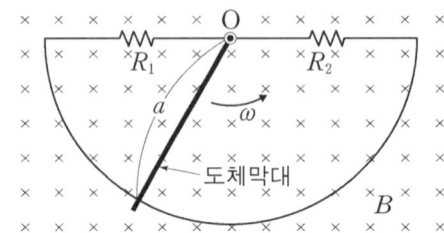

도체 막대에 흐르는 전류의 크기를 구하시오. (단, 반원 모양의 도체는 고정되어 있으며, 명시된 저항 이외의 저항과 자체 유도에 의한 효과는 무시하고, 도체 막대가 반원을 벗어나는 경우는 고려하지 않는다.)

2011-34

37 그림과 같이 저항 R이 연결되어 있고 폭이 ℓ인 ㄷ자 모양의 도선이 균일한 자기장 속에서 수평면상에 고정되어 있다. 자기장의 크기는 B이고 방향은 연직상방이다. 이 도선 위에는 도선과 직사각형 모양의 폐회로를 이루며 수평 방향으로 움직일 수 있는 도체 막대가 놓여있다. 이 막대는 수평 방향의 실과 도르래를 거쳐 질량 m인 추와 연결되어 있다. 이 막대는 운동을 시작하여 충분한 시간이 지난 후 속력이 종단 속력에 접근한다.

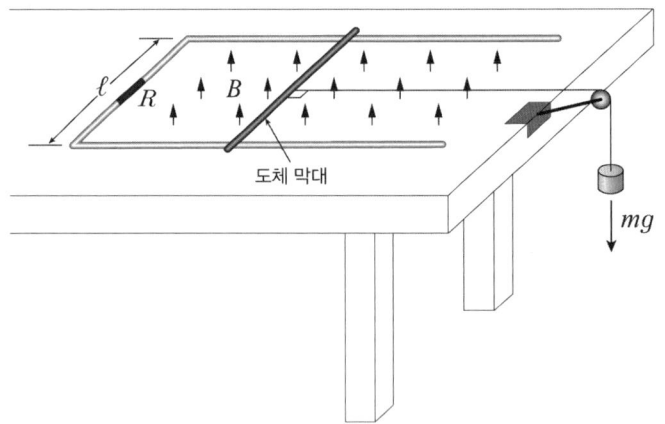

이 막대의 종단 속력은? (단, g는 중력 가속도이고, 실은 늘어나지 않으며, 실과 도르래의 질량, 추의 크기, 공기 저항 및 모든 마찰은 무시한다.)

① $\dfrac{mgR}{2B^2\ell^2}$ ② $\dfrac{mgR}{B^2\ell^2}$

③ $\dfrac{2mgR}{B^2\ell^2}$ ④ $\dfrac{4mgR}{B^2\ell^2}$

⑤ $\dfrac{6mgR}{B^2\ell^2}$

38 2013-22

그림과 같이 길이가 각각 a, b인 두 도체 막대가 두 원형 도체 고리와 접촉하며, 두 고리를 수직으로 통과하는 크기가 B인 균일한 자기장 속에서 두 고리의 중심 O, O′을 중심으로 회전한다. 두 막대의 각속도의 방향은 같고, 크기는 모두 ω로 일정하다. O, O′은 도선으로 연결되어 있고, 두 고리는 저항과 도선으로 연결되어 회로를 형성하며, 저항 양단의 점 P, Q에서 전위는 각각 V_P, V_Q이다.

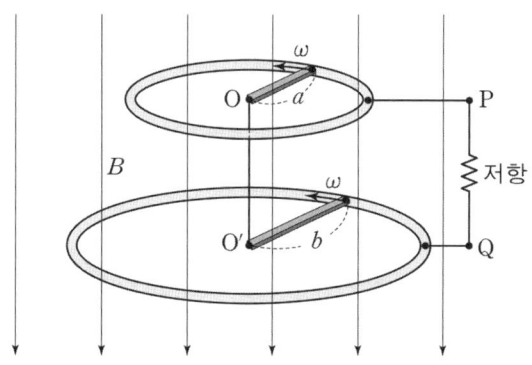

$(V_\mathrm{P} - V_\mathrm{Q})$는? (단, 두 고리는 고정되어 있으며, 막대와 고리의 굵기는 무시한다.)

① $\dfrac{1}{2}\omega B(a^2 - b^2)$

② $\dfrac{1}{2}\omega B(b^2 - a^2)$

③ $\omega B(a^2 - b^2)$

④ $\omega B(b^2 - a^2)$

⑤ $\dfrac{3}{2}\omega B(a^2 - b^2)$

39 2017-A10

그림은 비저항 ρ, 반지름 a인 도선으로 만들어진 반지름 b인 원형 고리가 평면에 놓여있고, 이 평면에 수직으로 균일한 자기장 $B(t) = B_0\sin\omega t$가 걸려 있는 것을 나타낸 것이다.

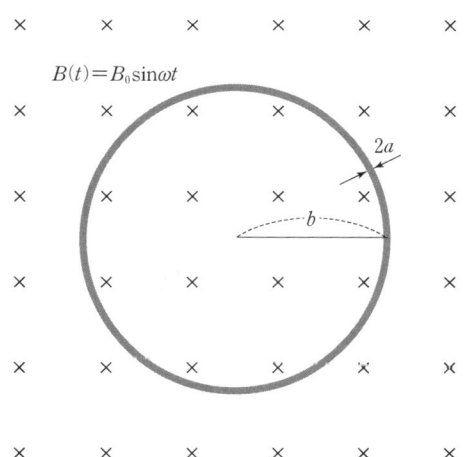

고리를 통과하는 자기 선속 Φ와 고리에 유도되는 전류 I를 풀이 과정과 함께 구하고, Φ와 I가 각각 0이 되는 두 시각의 최소 간격을 구하시오. (단, B_0은 상수, $b \gg a$이고, 고리의 자체 유도 효과는 무시한다.)

2019-B06

40 그림과 같이 반지름이 R인 도체 원형 고리가 $z = 0$인 xy평면에 놓여있고, 고리 내부 영역($\rho \leq R$)에서만 자기장 $\vec{B}(t) = \beta t \hat{z}$가 걸려 있다. β는 양의 상수이다. $\hat{\rho}, \hat{\phi}, \hat{z}$는 원통좌표계의 단위벡터이다.

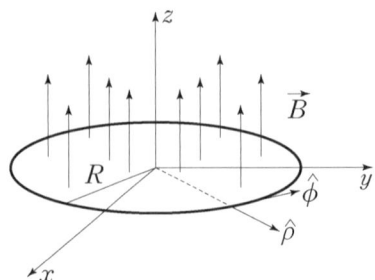

고리 내부 영역($\rho \leq R$)과 고리 외부 영역($\rho > R$)에서 유도 전기장의 크기를 풀이 과정과 함께 각각 구하시오. 또한 고리에 유도되는 유도기전력의 크기와 유도전류의 방향을 각각 구하시오. (단, 고리의 굵기는 무시하고 모양은 변형되지 않으며, 자기장은 충분히 천천히 변한다.)

2016-B06

41 그림 (가)는 반지름이 각각 $d, 4d$인 원통 껍질로 이루어진 무한히 긴 동축 도선을 나타낸 것이다. 원통의 축은 z축과 같으며, 내부와 외부의 껍질에는 일정한 전류 I_0이 서로 반대 방향으로 흐르고 있다. 그림 (나)는 저항 R가 연결된 길이 L이고 폭이 d인 직사각형 회로가 (가)의 두 껍질 사이 xz평면에 고정되어 있는 모습을 나타낸 것이다.

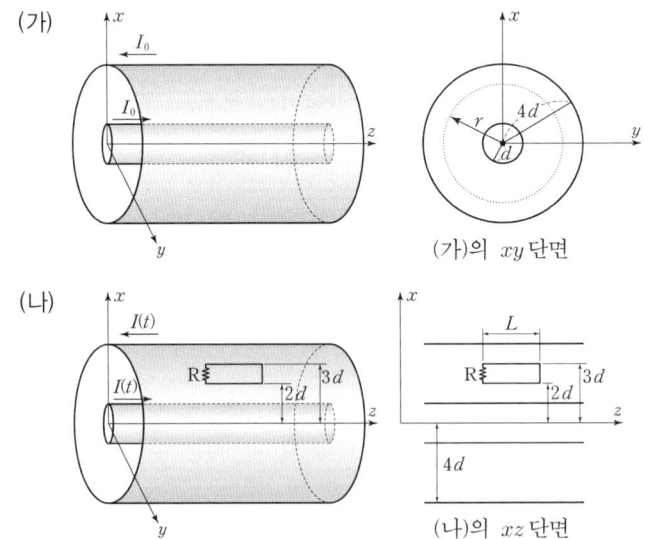

(가)에서 두 껍질 사이 원통 축으로부터의 거리 $r(d < r < 4d)$에서의 자기장 세기 $B(r)$를 풀이 과정과 함께 구하시오. 또한 (나)에서 각 껍질에 흐르는 전류의 세기가 시간 t에 따라 $I(t) = I_0(1 + at)$로 변할 때 R 양단에 전위차를 풀이 과정과 함께 구하시오. (단, 껍질 사이 공간의 투자율은 μ_0이다. a는 상수이고 $I(t)$는 천천히 변하여 변위 전류는 무시한다.)

2021-B07

42 그림은 저항이 R인 정사각형 모양의 도체 고리가 균일한 중력장과 자기장 영역에서 운동하는 모습을 시간에 따라 나타낸 것이다. $t=0$일 때 자기장 영역 밖에서 고리를 가만히 놓았더니, $t=t_1$일 때 고리가 완전히 자기장 영역으로 들어갔다. 자기장의 크기는 B이고, 방향은 종이면에 수직으로 들어가는 방향이다. 고리의 질량은 m, 한 변의 길이는 ℓ이다.

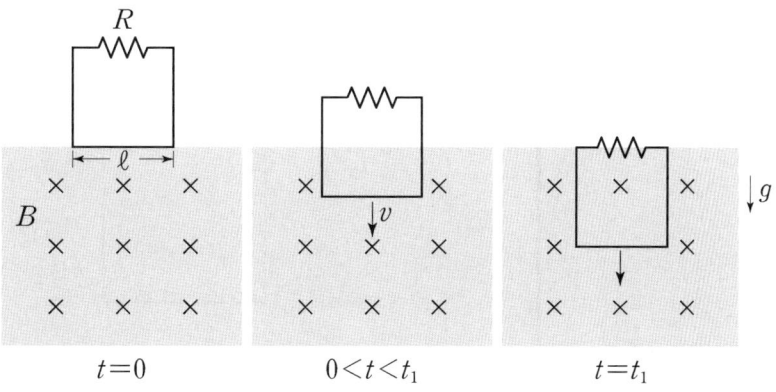

$0 < t < t_1$일 때, 고리에 작용하는 자기력의 방향을 쓰고, 자기력의 크기를 고리의 속력 v로 나타내시오. 이때 시간에 따른 유도전류의 크기를 풀이 과정과 함께 구하시오. (단, 중력 가속도의 크기는 g이고, 공기 저항과 고리의 자체 유도는 무시하며, 고리는 연직면상에서 운동한다.)

2023-B09

43 그림과 같이 시간 t에 따라 변하는 자기장이 $\vec{B}(t) = B_0 \sin\omega t\, \hat{y}$로 균일한 공간에, 저항 R인 금속 고리를 직각으로 구부려 xy평면과 xz평면에 고정하였다. 고리 각 변의 길이는 a이고, B_0과 ω는 양의 상수이다.

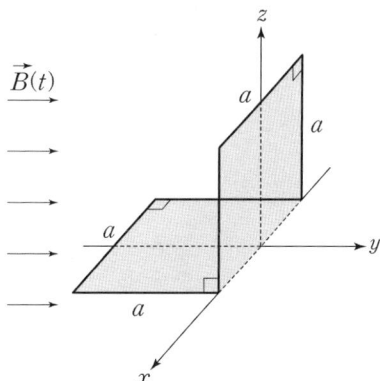

고리를 통과하는 자기 선속과 고리에 유도되는 전류의 크기를 각각 구하시오. 또한 $\omega t = 2\pi$일 때, 고리의 자기 쌍극자 모멘트를 풀이 과정과 함께 구하시오. (단, 고리의 자체 유도는 무시한다.)

2024-A11

44 그림은 xy평면상에서 무한히 긴 직선 도선에 $-y$방향으로 일정한 전류 I가 흐르고, 한 변의 길이 a인 정사각형 도체 고리가 도선으로부터 x만큼 떨어진 지점을 일정한 속도 $\vec{v} = v\hat{x}$으로 움직이고 있는 한 순간을 나타낸 것이다. 이때 고리를 통과하는 자기선속 $\varPhi$를 구하시오. 고리에 유도되는 기전력을 풀이 과정과 함께 구하고, 유도전류의 방향을 구하시오. (단, 고리의 자체 유도는 무시하고, 공간의 투자율은 μ_0이다.)

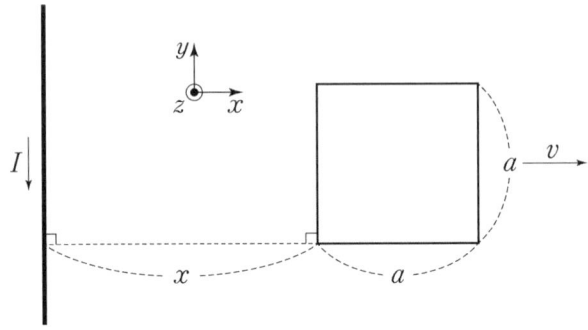

2025-B08

45 그림은 중력장과 자기장 영역에서 직사각형 금속 고리가 $-y$방향으로 일정한 속력 v로 연직면인 xy평면에서 운동하는 순간의 모습을 나타낸 것이다. 이때 고리의 밑변의 위치는 $y(t)$이다. 가로와 세로의 길이가 각각 a, b인 고리는 질량이 m, 저항이 R이다.

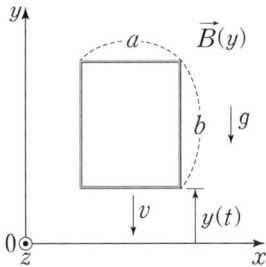

자기장 $\vec{B}(y) = -B_0\dfrac{y}{a}\hat{z}$일 때, 고리를 통과하는 자기 선속 $\Phi(y)$와 고리에 유도되는 기전력의 크기 ε을 각각 구하시오. 또한 중력이 고리에 한 일률 P를 풀이 과정과 함께 m, g, b, B_0, R로 나타내시오. (단, g는 중력 가속도의 크기이고, 고리의 회전은 없고, 자체 유도는 무시한다.)

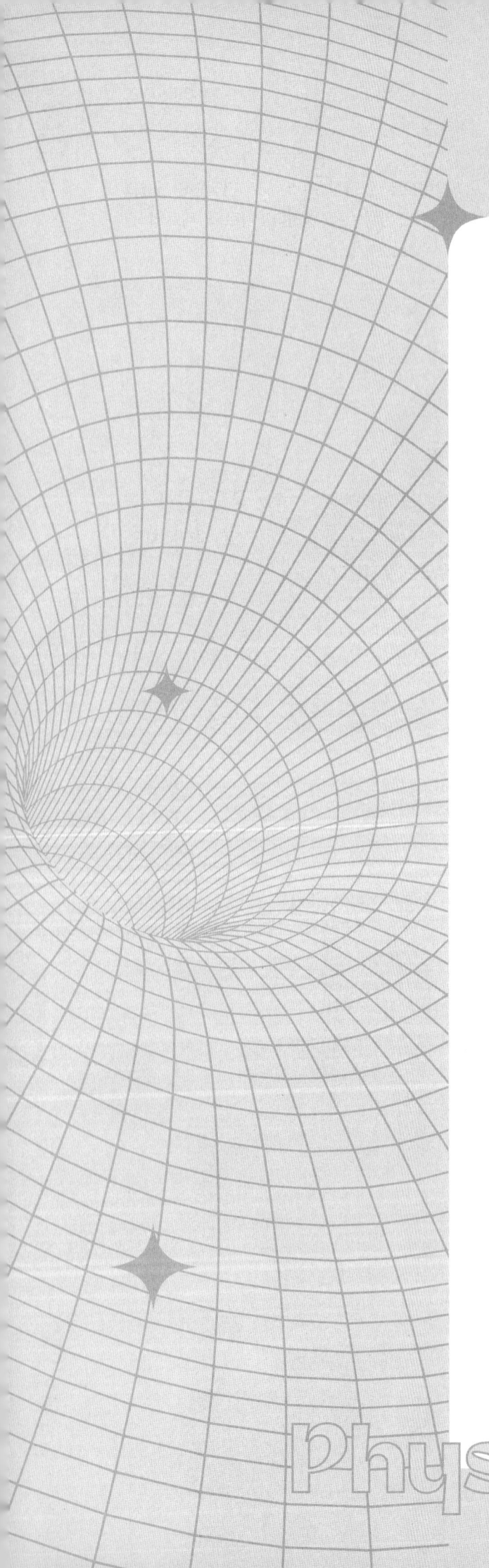

정승헌
전공물리 기출문제집

Physics

심화 전자기학

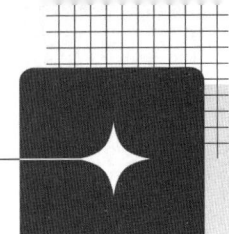

핵심 이론정리

1 맥스웰 방정식

맥스웰 방정식은 실험 법칙을 맥스웰이 수식적으로 아름답게 정리한 것이다.

(1) 쿨롱의 법칙

$$F = \frac{kQq}{r^2} = qE \rightarrow \nabla \cdot E = \frac{\rho}{\epsilon}$$

(2) 패러데이 법칙

$$V = -N\frac{d\phi_B}{dt} \rightarrow \nabla \times E = -\frac{\partial B}{\partial t}$$

(3) 비오-사바르 법칙

$$B = \int \frac{\mu I d\vec{l} \times \hat{r}}{4\pi r^2} \rightarrow \nabla \cdot B = 0$$

(4) 앙페르 법칙

$$\int B\,dl = \mu I \rightarrow \nabla \times B = \mu J + \mu\epsilon\frac{\partial E}{\partial t}$$

맥스웰 방정식의 이해

$\nabla \cdot E = \frac{\rho}{\epsilon}$: 전하의 존재는 전기장을 발생시킨다.

$\nabla \times E = -\frac{\partial B}{\partial t}$: 자기장의 시간변화는 전기장을 발생시킨다.

$\nabla \cdot B = 0$: 자기홀극은 불가능하다. (N, S극은 항상 쌍으로 존재)

$\nabla \times B = \mu J + \mu\epsilon\frac{\partial E}{\partial t}$: 전류는 자기장을 발생시킨다. (변위 전류 밀도 $J_d = \epsilon_0\frac{\partial E}{\partial t}$)

(5) 벡터 퍼텐셜

$$B = \nabla \times A \rightarrow \int A\,dl = \int B\,da$$

2 로렌츠 힘

(1) 전기력

$$\vec{F}_E = q\vec{E}$$

(2) 자기력

$$\vec{F}_B = I\vec{L} \times \vec{B} = q\vec{v} \times \vec{B}$$

(3) 전체 로렌츠 힘

$$\vec{F} = q\vec{E} + q\vec{v} \times \vec{B}$$

3 편극 및 전기 쌍극자 모멘트

(1) 편극 $P = \dfrac{p}{V}$

단위 부피당 쌍극자 모멘트

① 선형 유전체 맥스웰 방정식 : $D = \epsilon_0 E + P = \epsilon E$

② 편극의 정의 : $P = (\epsilon - \epsilon_0) E$

(2) 편극 전하 밀도

$\sigma_b = \vec{P} \cdot n'$; $n' =$ 유전체 밖을 향하는 단위벡터

(3) 전기장 에너지

$$U_E = \int \frac{\epsilon_0}{2} E^2 dV$$

4 자기화 및 자기 쌍극자 모멘트

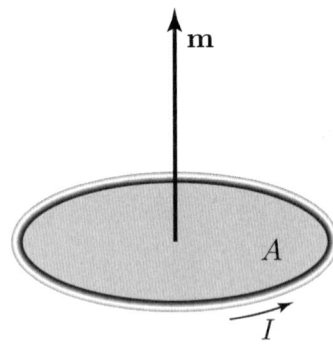

전류가 흐르는 폐회로는 자기장을 생성하고, 이 효과에 의해서 자기 쌍극자 모멘트 $\vec{m}$을 발생시킨다. 외부 자기장 $\vec{B}$에 의해서 자기 쌍극자 모멘트는 돌림힘을 받는다.

$$\vec{\tau} = \vec{m} \times \vec{B} \;;\; \vec{m} = I\vec{A} = IA\hat{n} \quad (A\text{는 폐회로의 면적})$$

그리고 이때의 퍼텐셜 에너지는 $U = -\vec{m} \cdot \vec{B}$로 정의된다.

단위 부피당 퍼텐셜 에너지는

$$u = \frac{U}{V} = -\frac{\vec{m}}{V} \cdot \vec{B}$$

이때, 단위부피당 자기 쌍극자 모멘트를 자기화(Magnetization)라 한다.

$$\vec{M} = \frac{\vec{m}}{V}$$

맥스웰 방정식(시간 비 의존 $\frac{\partial E}{\partial t} = 0$일 때)

$$\nabla \times B = \mu_0 J_f$$

그런데 물질이 존재하면 $M \to \frac{B}{\mu}$의 단위를 가지는 자기화가 생성되므로

$$\nabla \times B = \mu_0 (J_f + J_m) \to J_m = \nabla \times M$$

$$\nabla \times \left(\frac{B}{\mu_0} - M \right) = J_f$$

$H = \frac{B}{\mu_0} - M$ 보조장을 정의해서 사용한다.

$$J_m = \nabla \times M$$

$$\int \nabla \times M \, da = \int M \, dl = \int J_m \, da = \int K \, dh$$

속박 전류 밀도와, 속박 표면 전류 밀도(일단 전류 밀도는 전류 방향에 나란하다. $\hat{n}'$은 전류 표면 연직 벡터)

$$J_m = \nabla \times M$$

$$K_m = \vec{M} \times \hat{n}$$

선형 매질에서 자기화의 정의, 매질 내부에서 H의 정의에 의해서

$$H = \frac{B}{\mu_0} - M = \frac{B}{\mu} \to M = \frac{B}{\mu_0} - \frac{B}{\mu}$$

쌍극자 모멘트 $\vec{m}$와 벡터 퍼텐셜 $\vec{A}$ 관계 ✦

$$\vec{A} = \int \frac{\mu_0 \vec{J} dV}{4\pi r} = \frac{\mu_0 \vec{m} \times \hat{r}}{4\pi r^2}, \quad \vec{m} = I\vec{S}$$

자기장 에너지 $U_B = \int \frac{B^2}{2\mu_0} dV$

5 포인팅 벡터 및 전자기파

(1) **포인팅 벡터** $\vec{S} = \dfrac{\vec{E} \times \vec{B}}{\mu_0}$

단위시간당 단위 면적당 빠져나가는 에너지의 양과 방향
전자기파의 방향이 포인팅 벡터의 방향이다. 전기장과 자기장의 진동 방향과 빛의 진행 방향이 수직이
므로 빛은 횡파이다.

(2) **전자기파**

빛의 속력 $c = \dfrac{1}{\sqrt{\mu_0 \epsilon_0}}$

① 전기장 파동 방정식 $\nabla^2 E = \mu_0 \epsilon_0 \dfrac{\partial^2 E}{\partial t^2}$: $E = E_0 \sin(kr - \omega t)$

② 자기장 파동 방정식 $\nabla^2 B = \mu_0 \epsilon_0 \dfrac{\partial^2 B}{\partial t^2}$: $B = B_0 \sin(kr - \omega t)$

③ 진폭 관계식 : $\dfrac{E_0}{B_0} = c$

(3) **빛의 세기와 포인팅 벡터와의 관계**

빛의 세기 $I = |\langle S \rangle_t|$: 포인팅 벡터의 시간 평균값

(4) **광자로부터 물체가 받는 압력**

① 입사각 θ로 들어와서 튀어 나갈 때 : $P = \dfrac{2I\cos\theta}{c}$

② 연직으로 들어와서 흡수될 때 : $P = \dfrac{I}{c}$

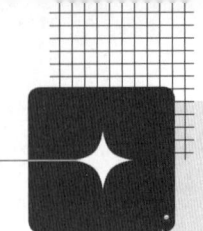
핵심 기출문제

◎ 정답 및 해설 107~120쪽

1 맥스웰 방정식

2009-21

01 전기장과 자기장에 대한 맥스웰 방정식은 다음과 같다.

$$\vec{\nabla} \cdot \vec{E} = \frac{\rho}{\epsilon_0}$$

$$\vec{\nabla} \cdot \vec{B} = 0$$

$$\vec{\nabla} \times \vec{E} = -\frac{\partial \vec{B}}{\partial t}$$

$$\vec{\nabla} \times \vec{B} = \mu_0 \vec{J} + \mu_0 \epsilon_0 \frac{\partial \vec{E}}{\partial t}$$

위 방정식으로 설명할 수 있는 것을 〈보기〉에서 모두 고른 것은?

┤ 보기 ├

ㄱ. 전하밀도와 전류 밀도 사이에 연속방정식이 성립한다.

ㄴ. 축전기에 전하가 충전되는 동안 자기장이 발생한다.

ㄷ. 정지한 점전하가 만드는 전기장의 세기는 거리의 제곱에 반비례한다.

① ㄴ   ② ㄱ, ㄴ

③ ㄱ, ㄷ   ④ ㄴ, ㄷ

⑤ ㄱ, ㄴ, ㄷ

2 로렌츠 힘

2002-14

02 그림과 같이 z축에 평행하게 놓인 길이 L인 구리 막대가 x축 방향으로 등속도 $\vec{v}$로 움직이고 있다. 외부의 균일한 자기장 B는 xy평면에 평행하고 x축과 각 θ를 이루면서 지면 위를 향하고 있다. 구리는 비자성체로 가정하여 자기장의 세기에 영향을 미치지 않는다고 가정한다.

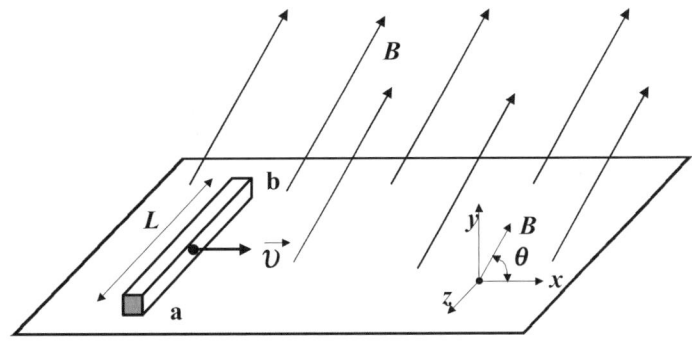

1) 구리 막대 내부에 있는 전자에 작용하는 힘은 어느 방향인지 그림의 a, b 중 택일하고, 그 이유를 설명하시오. (즉, 전자가 구리 막대 내부에서 이동하여 쌓이는 쪽을 말한다.)

2) 구리 막대 내부 전기장 $\vec{E}$의 방향은 $a \to b$와 $b \to a$ 중 어느 것인지 택일하고, 전기장이 생기는 이유에 대해 설명하시오.

3) 구리 막대의 양단에 유도되는 전위차 ΔV를 구하시오.

2007-11

03 그림은 같은 전하량 q로 대전된 질량 m의 동일한 두 입자가 각각 일정한 길이 l의 줄에 매달려 평형상태에 있는 것을 나타낸다. 줄이 연직선과 이루는 각 θ는 충분히 작아서, $\tan\theta \simeq \sin\theta \simeq \theta$의 근사식을 쓸 수 있다.

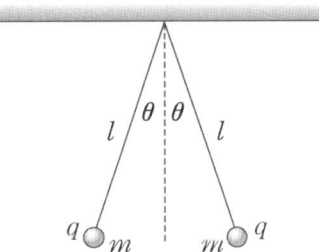

이때 각 θ를 입자의 질량 m과 줄의 길이 l, 중력 가속도 g 등으로 나타내시오. (단, 줄의 질량과 두 입자 사이의 만유인력은 무시하고, 공기의 유전율은 ϵ_0이다.)

2007-14

04 그림과 같이 y축 방향으로 크기가 E인 균일한 전기장이 있다. 어느 순간에 질량 m이고 양전하 q인 입자 A가 x축 방향으로 원점 O를 v_A의 속력으로 통과한다. 같은 시각에 x축 위의 $x = d$인 곳에서 전하를 띠지 않은 입자 B가 y축 방향으로 v_B의 속력으로 움직이고 있다.

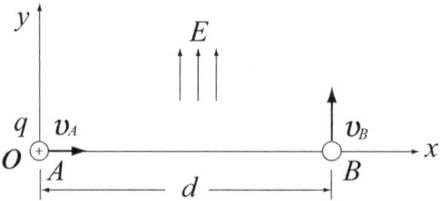

중력을 무시할 때, 두 입자가 충돌하기 위해 입자 B가 가져야 할 속력 v_B를 구하시오. 또한 두 입자가 충돌할 때까지 전기장이 입자 A에 해준 일을 구하시오.

1) 입자 B의 속력 v_B :

2) 입자 A에 해 준 일 :

2010-34

05 그림과 같이 $x < 0$의 영역에서 전기 퍼텐셜과 자기장은 각각 $\phi = \alpha x$와 $\vec{B} = 0$이고, $x \geq 0$의 영역에서 전기장과 자기 벡터 퍼텐셜은 각각 $\vec{E} = 0$과 $\vec{A} = \beta(y, -x, 0)$이다. α와 β는 양의 상수이다. 질량이 m이고 전하량이 $-e$인 전자가 $(-d, 0, 0)$의 위치에서 정지 상태로부터 운동을 시작하여, $x \geq 0$의 영역에서 전자는 자기장에 의해 원 궤도를 따라 운동하였다.

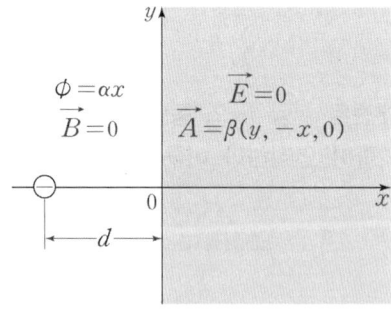

$x \geq 0$의 영역에서 전자의 운동 궤도의 반지름은?

① $\dfrac{1}{\beta}\sqrt{\dfrac{m\alpha d}{2e}}$
② $\dfrac{1}{\beta}\sqrt{\dfrac{m\alpha d}{e}}$
③ $\dfrac{1}{\beta}\sqrt{\dfrac{2m\alpha d}{e}}$
④ $\dfrac{2}{\beta}\sqrt{\dfrac{m\alpha d}{e}}$
⑤ $\dfrac{1}{2\beta}\sqrt{\dfrac{m\alpha d}{e}}$

2011-28

06 전기장 $\vec{E} = E_0\hat{x}$와 자기장 $\vec{B} = B_0\hat{z}$가 동시에 있는 영역에 양전하 q를 띠는 입자가 시간 $t = 0$일 때 속도 $\vec{v}(0) = v_0\hat{x}$로 입사되어 힘 $\vec{F} = q(\vec{E} + \vec{v} \times \vec{B})$받아 xy평면상에서 운동한다. 이 입자의 운동은 $\vec{E} + \vec{v_d} \times \vec{B} = 0$을 만족하는 $\vec{v_d}$로 기술되는 등속직선운동과 $\vec{v}_\perp$으로 기술되는 원운동의 결합($\vec{v} = \vec{v_d} + \vec{v}_\perp$)으로 표현할 수 있다. 이 입자의 운동 궤적을 개략적으로 나타낸 그림 중에서 가장 적절한 것은? (단, E_0, B_0, v_0은 양의 상수이며, $v_0 > \dfrac{E_0}{B_0}$이다.)

①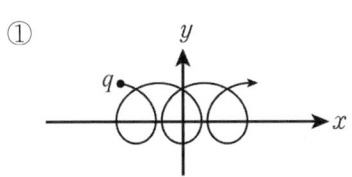

②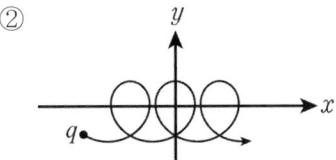

③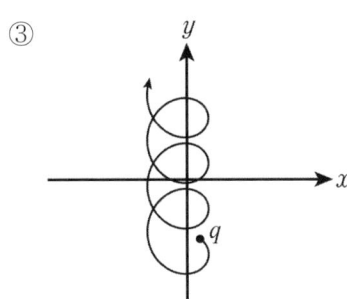

④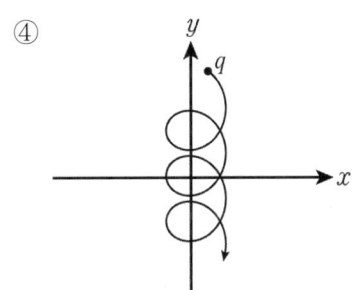

⑤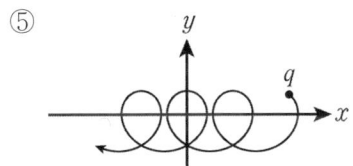

07 2012-21

그림과 같이 질량 m, 전하량 q인 양(+)전하가 xy평면상에서 점선 궤도를 따라 일정한 속력 v로 운동하고 있다. 크기가 B로 균일한 자기장은 전 공간에 존재하며 방향은 $-z$방향이다. 영역 I과 II에서는 크기가 E로 균일한 전기장도 존재하여 전하는 x축과 평행하게 움직이며, I과 II 밖에서는 반원 궤도를 따라 움직인다. 두 반원 궤도의 반지름은 r로 서로 같고, 두 직선 궤도 길이는 $2r$로 서로 같다.

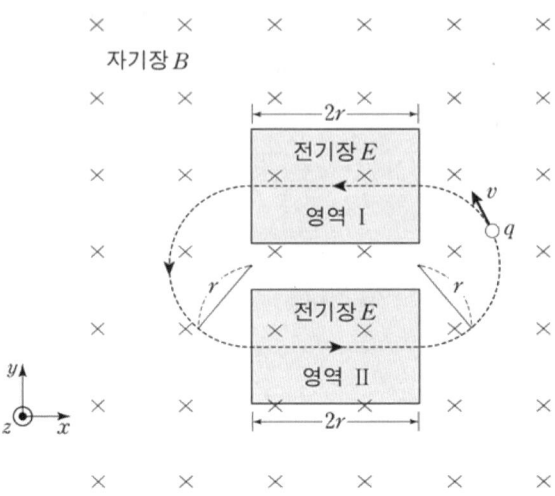

이에 대한 설명으로 옳은 것만을 〈보기〉에서 있는 대로 고른 것은?

┤ 보기 ├
ㄱ. 영역 I에서 전기장의 방향은 $+y$방향이다.

ㄴ. $v = \dfrac{E}{B}$이다.

ㄷ. 전하가 점선 궤도를 따라 한 바퀴 도는 데 걸리는 시간은 $\dfrac{2m}{qB}(\pi+2)$이다.

① ㄱ   ② ㄷ
③ ㄱ, ㄴ   ④ ㄴ, ㄷ
⑤ ㄱ, ㄴ, ㄷ

08 2018-A11

균일한 전기장과 자기장이 각각 $\vec{E} = E\hat{y}$, $\vec{B} = B\hat{z}$로 주어지는 공간에서 전하량이 q, 질량이 m인 입자가 운동하고 있다. 시간 $t=0$일 때, 입자의 속도 $\vec{v} = v_0\hat{z}$이다. 입자의 운동 방정식을 x, y 성분별로 쓰고, 〈자료〉를 참고하여 속도의 x성분 $v_x(t)$를 풀이 과정과 함께 구하시오. (단, E와 B는 상수이다.)

┤ 자료 ├
G와 H가 상수인 경우 미분방정식 $\dfrac{d^2f}{dx^2} + Gf = H$의 특수해는 $f(x) = \dfrac{H}{G}$이고, $G > 0$인 경우에

$\dfrac{d^2f}{dx^2} + Gf = 0$의 일반해는 $f(x) = M\sin(\sqrt{G}x) + N\cos(\sqrt{G}x)$이다. 여기서 M과 N은 임의의 상수이다.

09 2018-B07

그림과 같이 원형 금속 고리가 자기장 $\vec{B} = \dfrac{B_0}{2\pi a}(-\rho\hat{\rho} + 2z\hat{z})$ 인 공간에서 속도 $\vec{v} = v\hat{z}$ 로 수평 운동하고 있다. 고리는 질량이 m, 반지름이 a, 전기저항이 R이며, 고리의 중심축은 z축과 일치한다. $\hat{\rho}$, $\hat{\phi}$, $\hat{z}$ 는 각각 원통좌표계의 단위벡터이다.

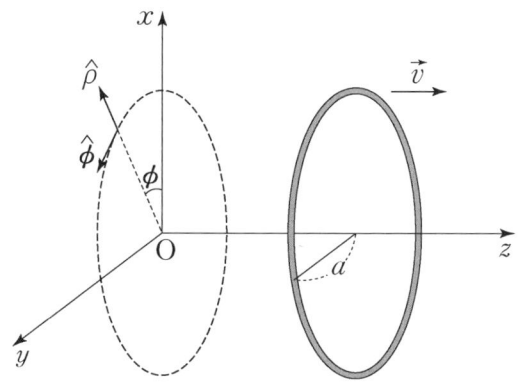

고리의 속력이 v일 때 도선에 유도되는 기전력 ε, 고리에 흐르는 유도 전류 I, 고리가 받는 힘 $\vec{F}$를 구하시오. 고리의 중심이 원점 O를 지날 때 속력이 v_0이었다면 원점에서부터 고리가 정지할 때까지 이동하는 거리 L을 풀이 과정과 함께 구하시오. (단, 고리는 면이 xy평면과 나란한 상태로 운동하고, 변형되지 않으며, 고리의 두께, 공기 저항, 중력의 효과는 무시한다. B_0은 양의 상수이다.)

10 2020-A08

그림과 같이 균일한 자기장 속에서 경사각이 θ인 비탈면 위에 놓인 금속 레일 위를 일정한 전류 I가 흐르는 가느다란 금속 막대가 크기 a인 등가속도로 미끄러져 내려가고 있다. 레일의 폭은 d이고, 막대의 질량은 m이다. 자기장의 크기는 B이고, 방향은 연직 위 방향이다.

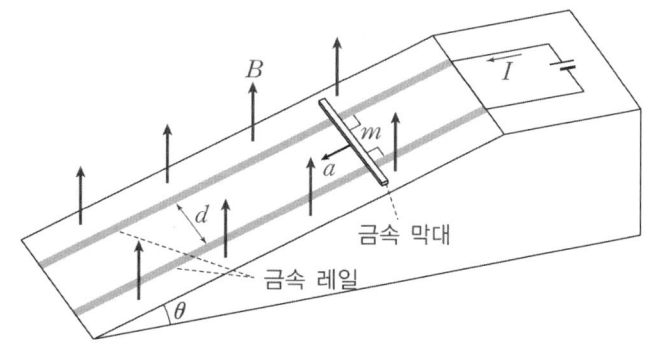

막대에 작용하는 수직 항력의 크기 N을 구하시오. $\theta = 45°$이고 $N = 0$일 때, 전류 I를 구하고, 이때 막대의 가속도의 크기 a를 풀이 과정과 함께 g로 구하시오. (단, g는 중력 가속도의 크기이고, 모든 마찰과 공기 저항 및 자체 유도는 무시한다.)

2023-B07

11 그림은 z축과 평행한 무한히 긴 두 직선 도선이 y축상의 $+d$와 $-d$위치에 각각 놓여 있고, xz평면에 한 변의 길이가 a인 정사각형 고리 도선이 놓인 것을 나타낸 것이다. 고리 도선의 중심은 원점에 위치하고, 고리의 각 변들은 x축 또는 z축에 평행하다. 두 직선 도선에는 서로 반대 방향으로 전류 I가 흐르며, 고리 도선에는 전류 i가 흐른다.

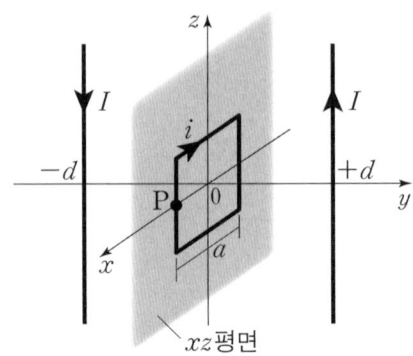

위치 $P = (\frac{a}{2}, 0, 0)$에서 두 직선 도선이 만드는 자기장의 크기를 풀이 과정과 함께 구하시오. 또한 원점에 대한 고리 도선에 작용하는 알짜 돌림힘의 크기와 방향을 각각 구하시오. (단, 도선의 굵기는 무시하고, 공간의 투자율은 μ_0이다.)

2024-B08

12 그림은 질량 m, 전하량 q인 입자를 균일한 전기장 $\vec{E} = E\hat{z}$과 균일한 자기장 $\vec{B} = B\hat{x}$영역의 원점에 가만히 두었을 때, 각진동수 $\omega = \dfrac{qB}{m}$인 사이클로이드 운동하는 것을 나타낸 것이다. 입자의 위치는 $y(t) = \left(\dfrac{E}{B}\right)t - C\sin\omega t$, $z(t) = C(1 - \cos\omega t)$이다.

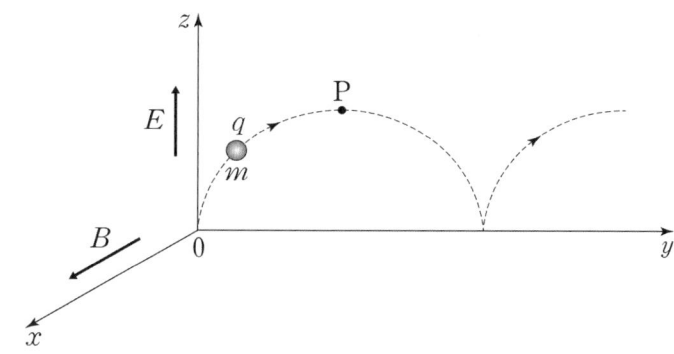

$t = 0$에서 원점에 놓인 입자의 속력이 0이 되기 위한 상수 C를 구하고, 입자가 사이클로이드 곡선의 최고점 P에 도달하는 시간을 구하시오. P에서 입자가 받는 전기력의 크기를 F_E, 자기력의 크기를 F_M이라 할 때, $\dfrac{F_E}{F_M}$를 풀이 과정과 함께 구하시오. (단, 입자의 크기와 중력은 무시한다.)

3 편극 및 전기 쌍극자 모멘트

2009-23

13 그림은 전기쌍극자 A와, A에 의해 선형 유전체에 유도된 전기쌍극자 B가 일직선 위에 놓여 있는 것을 나타낸다. 두 쌍극자의 중심 사이의 거리 r은 쌍극자를 이루는 두 전하 사이의 거리에 비해 매우 크다. 두 쌍극자는 잡아당기는 쪽으로 서로 같은 크기의 힘을 작용한다.

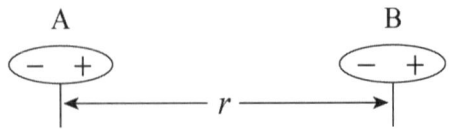

다음 중 〈보기〉의 설명 중 옳은 것을 모두 고른 것은?

┤ 보기 ├
ㄱ. 전기 쌍극자가 거리 r만큼 떨어진 점에서 만드는 전기장의 세기는 r^3에 반비례한다.
ㄴ. 유도된 전기쌍극자 모멘트는 외부 전기장에 비례한다.
ㄷ. 전기쌍극자 B의 전기적 퍼텐셜 에너지는 r^6에 반비례한다.

① ㄱ ② ㄴ
③ ㄱ, ㄷ ④ ㄴ, ㄷ
⑤ ㄱ, ㄴ, ㄷ

2010-16

14 자기장은 없고 균일한 전기장이 있는 무한히 넓은 공간이 자유전하와 알짜전하가 없는 유전체로 채워져 있다. 유전체 내부의 전기 변위(electric displacement) $\vec{D}$, 전기장 $\vec{E}$, 분극(편극, polarization) $\vec{P}$에 대한 방정식으로 옳은 것을 〈보기〉에서 모두 고른 것은? (단, 유전체는 균일하고(homogeneous), 등방적이고(isotropic), 선형적인(linear) 성질을 가진다.)

┤ 보기 ├
ㄱ. $\nabla \cdot \vec{D} = 0$ ㄴ. $\nabla \times \vec{E} = 0$ ㄷ. $\nabla \cdot \vec{P} \neq 0$

① ㄱ ② ㄱ, ㄴ
③ ㄱ, ㄷ ④ ㄴ, ㄷ
⑤ ㄱ, ㄴ, ㄷ

15 2011-22

그림과 같이 알짜전하가 없고, 반지름 R인 유전체 구가 자유공간에서 균일한 전기장 $\vec{E_0} = E_0\hat{z}$ 속에 있다. 임의의 위치에서 전기 퍼텐셜 $\phi(r, \theta)$를 라플라스 방정식 $\nabla^2\phi = 0$을 이용하여 구하려고 한다. $\phi_{안}$ 과 $\phi_{밖}$ 은 각각 유전체 구의 안과 밖의 전기 퍼텐셜이다.

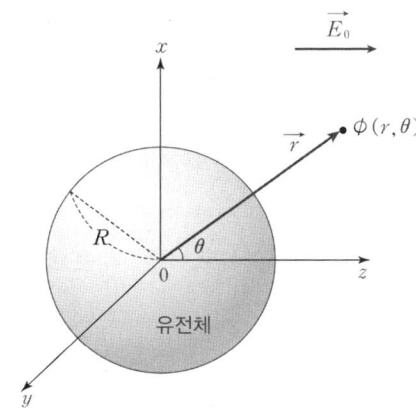

라플라스 방정식을 풀기 위해 필요한 경계조건으로 옳은 것만을 〈보기〉에서 모두 고른 것은? (단, 유전체는 균일하고, 등방적이고, 선형적이다.)

┤ 보기 ├
ㄱ. $r = R$에서 $\phi_{안} = \phi_{밖}$ 이다.

ㄴ. $r = R$에서 $\dfrac{\partial\phi_{안}}{\partial r} = \dfrac{\partial\phi_{밖}}{\partial r}$ 이다.

ㄷ. $r = \infty$ 에서 $\vec{\nabla}\phi_{밖} = -E_0\hat{z}$ 이다.

① ㄴ   ② ㄷ
③ ㄱ, ㄷ   ④ ㄴ, ㄷ
⑤ ㄱ, ㄴ, ㄷ

16 2020-A03

그림은 유전율 $2\varepsilon_0$인 유전체로 채워진 평행판 축전기가 직류 전원에 연결된 회로를 나타낸 것이다. 도체판의 면적은 A, 두 도체판 사이의 간격은 d이고, 두 도체판 사이의 전위차는 V로 일정하다. 유전체에는 알짜전하가 없다.

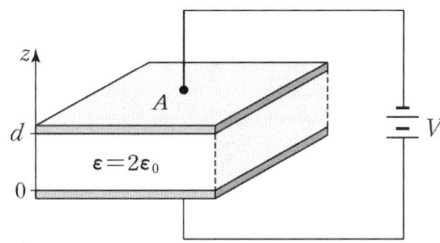

유전체 안에서 전기장의 크기를 구하고, 유전체의 편극에 의해 유전체 윗면($z = d$)에 유도된 전하량을 구하시오. (단, ε_0은 진공의 유전율이고, 가장자리 효과는 무시한다.)

Chapter 09

2025-A09

17 그림은 얇은 무한 부도체판 A, B 사이에 유전율 $3\epsilon_0$인 유전체를 채운 것을 나타낸 것이다. A, B의 면전하 밀도는 각각 $+2\sigma$와 $+\sigma$로 균일하고, 유전체의 알짜전하는 0이다.

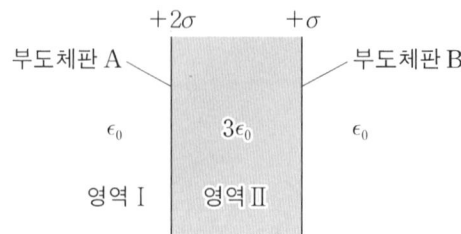

그림의 영역 Ⅰ, Ⅱ에서 전기장의 크기를 각각 구하시오. 유전체 편극에 의한 영역 Ⅱ의 왼쪽 면에 유도된 면전하 밀도를 풀이 과정과 함께 구하시오. (단, ϵ_0는 진공의 유전율이다. 유전체는 균일하고 등방적이며 선형이다.)

2012-18

18 그림은 반지름이 각각 a, b인 도체 구 껍질 A, B 사이에 유전상수 K인 유전체가 채워져 있는 것을 나타낸 것이며, 점 O는 두 구 껍질의 중심점이다. A, B는 각각 전하량 $+Q$, $-Q$로 대전되어 있고, 점 P는 O로부터 위치벡터 $\vec{r}$ $(a < r < b)$인 지점이다.

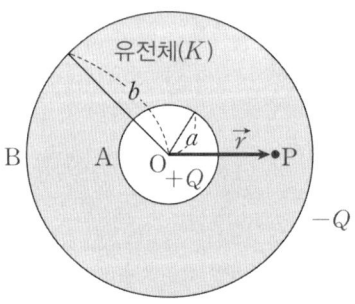

이에 대한 설명으로 옳은 것만을 〈보기〉에서 있는 대로 고른 것은? (단, 유전체는 균일하고 등방적이며 선형적이다. 유전체의 유전율은 $\varepsilon = K\varepsilon_0$이고, ε_0은 진공의 유전율이다.)

보기
ㄱ. P 점에서의 편극(polarization)은 $\dfrac{(K-1)Q}{4\pi K r^3}\vec{r}$ 이다.
ㄴ. A와 B 사이의 전기장에 저장된 에너지는 $\dfrac{Q^2}{8\pi K\varepsilon_0}\left(\dfrac{b-a}{ab}\right)$이다.
ㄷ. 반지름 r인 구면 내의 총 전하량은 $(K-1)Q$이다.

① ㄱ   ② ㄱ, ㄴ

③ ㄱ, ㄷ   ④ ㄴ, ㄷ

⑤ ㄱ, ㄴ, ㄷ

19 2018-A05

그림과 같이 유전율이 ε인 유전체와 도체로 구성된 내부가 비어 있는 구의 중심 O에 점전하 q가 놓여 있다. 유전체와 도체에는 알짜전하가 없고, 도체구의 안쪽 반지름은 a, 바깥쪽 반지름은 b, 유전체 구의 바깥쪽 반지름은 c이다.

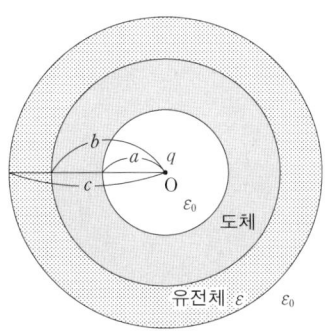

중심 O로부터 거리 r인 유전체 밖$(r > c)$에서의 전기장의 크기를 구하시오. 도체구의 안쪽면$(r = a)$에 유도된 전하량을 Q_a, 유전체 바깥 면$(r = c)$의 편극에 의한 면 전하량을 Q_c라 할 때, $\dfrac{Q_c}{Q_a}$를 구하시오. (단, 유전체는 균질하고 등방적이며 선형적이다. 진공의 유전율은 ε_0이다.)

20 2017-A07

그림은 접지되어 있고 반지름이 R인 얇은 도체 구 껍질의 중심에 전기 쌍극자 모멘트 $\vec{p} = qd\hat{z} = p\hat{z}$($d$는 쌍극자의 두 전하 사이의 거리)인 쌍극자 한 개가 놓여 있는 것을 나타낸 것이다. 구 껍질 중심에 좌표계의 원점을 둘 때, 구 껍질의 내부의 전위는 르장드르 다항식 $P_l(\cos\theta)$를 포함하는 다음의 함수 형태로 표현된다.

$$\phi(r, \theta) = \sum_{l=0}^{\infty} A_l r^l P_1(\cos\theta) + \frac{p\cos\theta}{4\pi\epsilon_0 r^2}$$

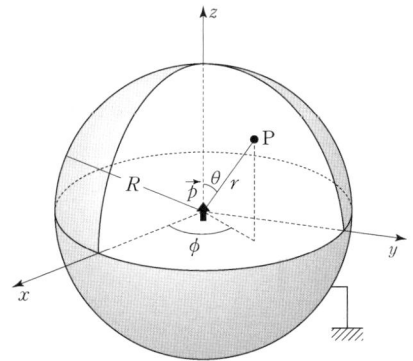

여기서 A_l은 상수, $P_0(\cos\theta) = 1$, $P_1(\cos\theta) = \cos\theta$, $P_2(\cos\theta) = \dfrac{1}{2}(3\cos^2\theta - 1), \cdots$ 이다. 이를 이용하여 $d \ll r < R$인 구 껍질의 내부의 한 점 P에서의 전위 $\phi(r, \theta)$를 구하시오.

2014-B02(서술형)

21 그림은 z축 방향으로 균일하게 $\vec{P} = K_0 \hat{z}$로 편극(polarization)된 반지름 R인 구의 중심이 좌표계의 원점에 놓여 있는 것을 나타낸 것이다. $\vec{P}$는 단위부피당 쌍극자 모멘트이고 구의 표면에 속박된 편극 면전하 밀도는 $\sigma_b = \vec{P} \cdot \hat{r}$이다.

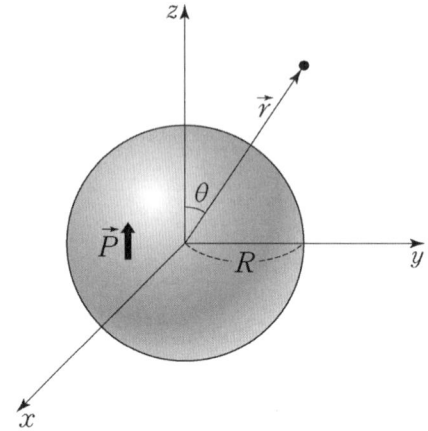

구 안과 밖에서 퍼텐셜은 각각 다음과 같다.

$$V(r,\theta) = \begin{cases} \displaystyle\sum_{l=0}^{\infty} A_l r^l P_l(\cos\theta), & (r \leq R) \\ \displaystyle\sum_{l=0}^{\infty} \frac{A_l R^{2l+1}}{r^{l+1}} P_l(\cos\theta), & (r \geq R) \end{cases}$$

$P_l(\cos\theta)$는 르장드르 다항식(Legendre polynomials)이며 다음의 직교 조건을 만족한다.

$$\int_0^{\pi} P_m(\cos\theta) P_l(\cos\theta) \sin\theta \, d\theta = \frac{2}{(2l+1)} \delta_{lm}$$

경계조건을 사용하여 풀이 과정과 함께 A_l을 구하고, $\theta = 0$일 때 퍼텐셜을 r에 대한 그래프로 나타내시오. 또한 구 안에서의 전기장을 구하시오. (단, $P_1(\cos\theta) = \cos\theta$ 이다.)

22 2021-A08

그림과 같이 전기장이 E_0으로 균일하게 분포되어 있던 유전체 매질 내부에 반지름이 R이고, 길이가 무한히 긴 원통 모양의 공동을 만들었다. 공동 안은 진공이며 공동 밖과 안의 전기 퍼텐셜은 각각

$$V_1(\rho, \phi) = A_1\rho\cos\phi + \frac{B_1}{\rho}\cos\phi, \ \rho > R$$

$$V_2(\rho, \phi) = A_2\rho\cos\phi, \ \rho \leq R$$

이다. 유전체와 진공의 유전율은 각각 ϵ, ϵ_0이다.

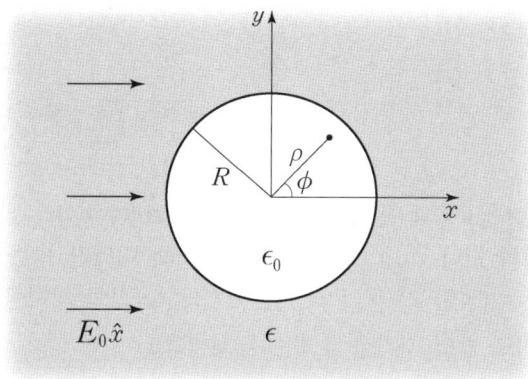

A_1을 쓰고, A_2를 풀이 과정과 함께 구하시오. 또한 공동 안에서 전기장의 크기를 구하시오. (단, 유전체는 알짜전하가 없고, 선형이고, 균일하며, 등방이다.)

23 2022-B07

그림은 도체와 유전체로 구성된 무한히 긴 원통 모양의 동축 케이블을 나타낸 것이다. 도체의 반지름은 a이고, 자유전하에 의해 균일하게 대전된 도체 표면에서의 면전하 밀도는 σ_f이다. 알짜전하가 없는 유전체가 이 도체를 둘러싸고 있으며, 유전체의 반지름은 b, 유전율은 ϵ이다.

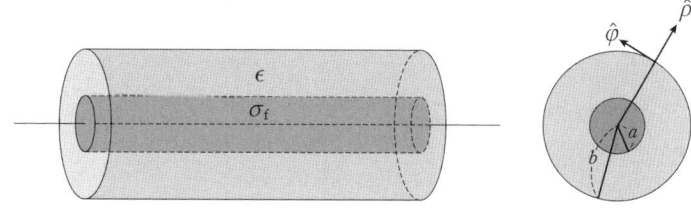

$a < \rho < b$인 영역에서의 전기 변위(electric displacement) $\overrightarrow{D}$를 구하시오. 같은 영역에서 전기 편극(polarization) $\overrightarrow{P}$를 풀이 과정과 함께 구하고, $\rho = a$와 $\rho = b$ 사이의 전위차를 구하시오. (단, 유전체는 균일하고 등방적이고 선형적이며, 진공의 유전율은 ϵ_0이다.)

Chapter ✦ 09

4 자기화 및 자기 쌍극자 모멘트

2008-15

24 그림과 같이 항상 일정한 전류 I가 흐르는 솔레노이드에 단면적이 A인 원기둥 모양의 선형 등방성 막대가 x만큼 들어가 있다. 막대와 솔레노이드의 길이는 L로 서로 같고 솔레노이드의 단위 길이 당 감은 수는 n이다.

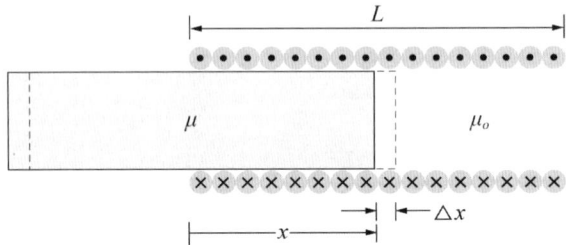

솔레노이드 내부에 놓여진 막대 부분의 자화(magnetization) M, 막대가 $\triangle x$만큼 오른쪽으로 이동하였을 때의 자기 에너지의 변화 $\triangle U$, 솔레노이드에 의해 막대가 받는 힘의 크기와 방향을 각각 구하시오. (단, 막대의 투자율은 일정한 값 $\mu(> \mu_0)$를 가지며, 공기의 투자율은 μ_0이다. 솔레노이드 안의 자기장은 균일하고 솔레노이드 밖의 자기장 효과는 무시한다.)

1) 자화 M :

2) 자기 에너지의 변화 $\triangle U$:

3) 힘의 크기와 방향 :

2013-23

25 그림은 내부와 외부 반지름이 각각 a, $b(a < b)$인 무한히 길고 속이 빈 원통형 자화체를 나타낸 것이며, 자화체의 자화(magnetization)의 방향은 원통의 중심축과 나란하고 크기는 일정하다.

중심축

자화체

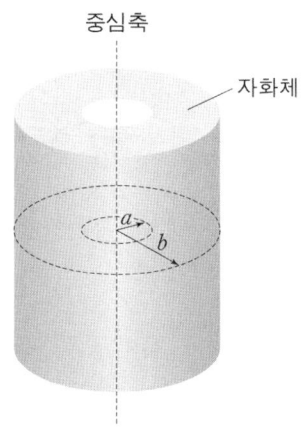

자화체의 중심축으로부터 거리 r에 따른 자기장의 크기 B를 가장 적절히 나타낸 것은?

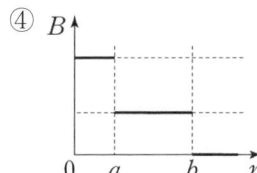

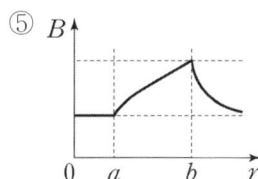

2017-A13

26 그림은 원통좌표계에서 자기화(자화 밀도) $\vec{M} = M_0\hat{z}$로 균일하게 자화되어 있고, 중심축이 z축과 일치하는 무한히 긴 원기둥 모양의 물체를 나타낸 것이다.

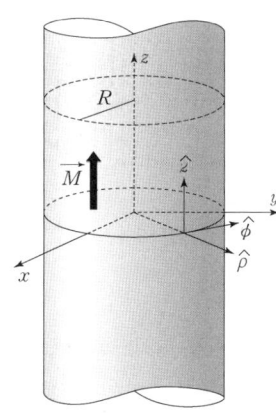

이 원기둥의 반지름이 R일 때, 원기둥 내부와 외부의 자기장 $\vec{B}_{내부}$, $\vec{B}_{외부}$를 구하고, 그 결과와 스토크스 정리를 이용하여 원기둥 외부의 자기 벡터 퍼텐셜 $\vec{A}_{외부}$를 풀이 과정과 함께 구하시오. (단, 그림의 $\hat{\rho}$, $\hat{\phi}$, $\hat{z}$는 원통좌표계의 단위벡터이다. 스토크스 정리는 $\int (\vec{\nabla} \times \vec{A}) \cdot d\vec{a} = \oint \vec{A} \cdot d\vec{l}$이다.)

27 2020-B10

그림은 전하가 표면에만 균일하게 분포되어 있는 무한히 긴 원통이 z축을 회전축으로 하여 회전하고 있는 모습을 나타낸 것이다. 표면 전하 밀도는 σ이고, 원통의 반지름은 R이며, 원통의 중심축은 z축과 일치한다. 원통의 각속력은 $\omega(t) = \beta t$ (β는 상수)로 시간에 따라 변한다. 원통 내부의 투자율은 μ_0이다.

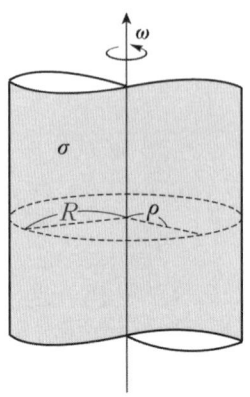

$t = t_0$일 때, 원통 표면에 생성된 표면 전류 밀도(단위 길이당 전류)의 크기와 원통 내부($\rho < R$)에서 자기장의 크기를 각각 구하시오. 또한 원통 내부에서 유도 전기장의 크기를 풀이 과정과 함께 구하시오. (단, μ_0은 진공의 투자율이고, 전자기파의 발생은 무시한다.)

28 2022-A02

그림 (가)는 도선이 N번 감겨있는 토로이드(toroid)를 나타낸 것이고, 그림 (나)는 토로이드를 수직으로 잘랐을 때 보이는 직사각형 단면을 나타낸 것이다. 토로이드의 안쪽 반지름은 r_1, 바깥쪽 반지름은 r_2, 높이는 h이고, 토로이드에 흐르는 전류는 I, 토로이드 내부에서 자기장의 크기는 $B(r) = \dfrac{\mu_0 N I}{2\pi r}$ $(r_1 \leq r \leq r_2)$ 이다.

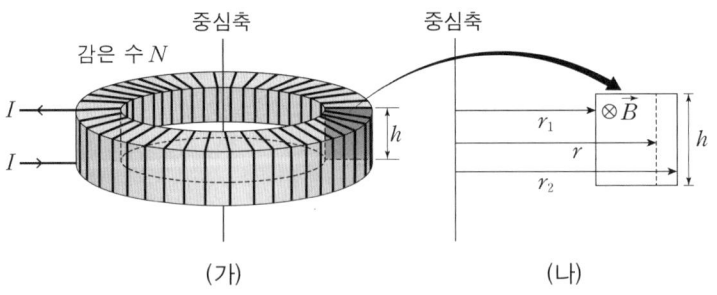

감은 수 N 중심축   중심축

(가)   (나)

토로이드에 저장되는 자기 에너지 U를 r_1과 r_2를 포함하는 식으로 구하시오. 또한 인덕턴스가 500mH인 토로이드에 자기 에너지 100J을 저장하려고 할 때, 토로이드에 흘려보내 주어야 할 전류를 구하시오. (단, μ_0은 진공의 투자율이다.)

29 그림과 같이 xy평면에 한 변의 길이가 a인 정사각형 모양의 고리가 균일한 자기장 $\vec{B}$ 영역에 놓여 있다. 고리에는 반시계 방향으로 일정한 전류 I가 흐르고, $\vec{B} = \dfrac{B_0}{\sqrt{2}}(\hat{x}+\hat{y})$ 이다.

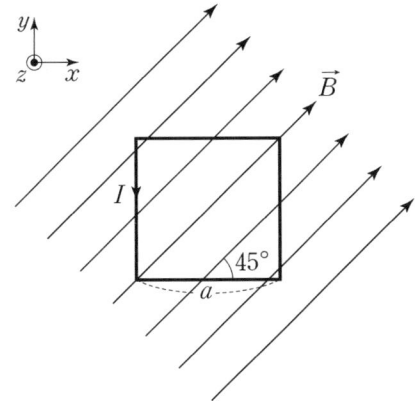

고리의 자기 쌍극자 모멘트의 크기 μ와 고리에 작용하는 돌림힘의 크기 τ를 각각 구하시오. (단, 고리의 두께는 무시한다.)

30

그림 (가)는 좌표의 원점에 고정되어 z축 방향으로 놓인 자기 쌍극자 모멘트 $\vec{M_0}$에 의한 임의의 점 P에서의 자기장 $\vec{B}(\vec{r})$를 나타낸 것이다. $\vec{M_0}$에 의한 자기장은 $\vec{B}(\vec{r}) = \dfrac{\mu_0}{4\pi r^3}\left[3(\vec{M_0} \cdot \hat{e}_r)\hat{e}_r - \vec{M_0}\right]$이고, $\hat{e}_r$은 지름 방향의 단위벡터이다. 그림 (나)는 이 $\vec{M_0}$이 만드는 자기장에서 질량 m, 자기 쌍극자 모멘트 $\vec{M}$인 입자가 xy평면상에서 운동하는 모습을 나타낸 것이다. $\vec{M}$과 $\vec{M_0}$의 방향은 서로 반대이다.

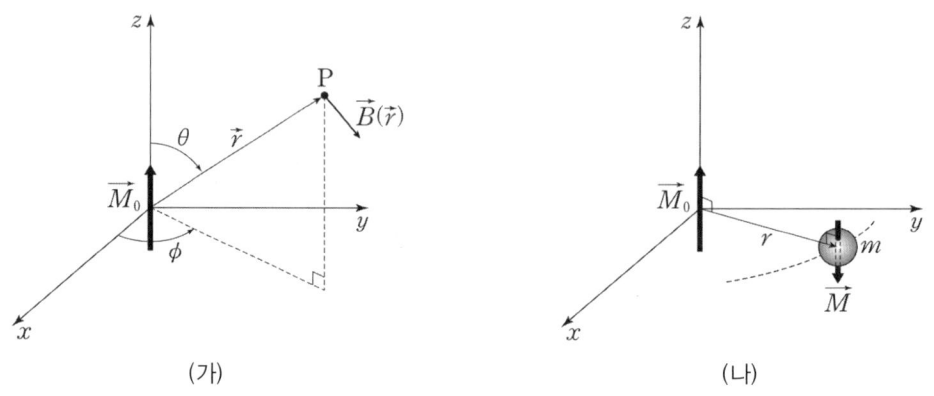

(가)   (나)

〈보기〉는 그림 (나)의 상황에 대해 학생 A와 학생 B가 나눈 대화 내용이다.

┤ 보기 ├

학생 A: $\vec{M_0}$으로부터 거리 r에서 $\vec{M}$의 퍼텐셜 에너지 $V = -\vec{M} \cdot \vec{B}$를 구하면 (㉠)이 되고, 이 입자에 작용하는 힘 $\vec{F}$를 구하면 (㉡)이 되겠군.

학생 B: 그래! 그리고 이 입자의 각운동량 L은 보존되니, 이 입자의 에너지는 $E = \dfrac{1}{2}m\dot{r}^2 + U_{\mathrm{eff}}(r)$로 쓸 수 있어. 여기서 유효퍼텐셜 에너지 $U_{\mathrm{eff}}(r)$를 구하면 (㉢)이야.

학생 A: 이 경우에 운동 궤도는 어떤 모양일까? 이 입자가 원운동할 수 있는 조건이 있을까?

학생 B: 있긴 있어. 만약 이 입자가 원운동을 한다면 그때의 반지름 R는 (㉣)이야.

학생 A: 그럼 이 원 궤도가 안정적일까?

학생 B: 아니, 이 궤도는 불안정해.

괄호 안의 ㉠, ㉡, ㉢, ㉣에 해당하는 내용을 풀이 과정을 포함하여 순서대로 쓰시오. 또한 이 입자의 원 궤도가 불안정한 이유에 대해 $U_{\mathrm{eff}}(r)$의 그래프를 개략적으로 그려 설명하시오. (단, 전자기파 발생과 중력 효과는 무시한다.)

5 포인팅 벡터 및 전자기파

2009-27

31 평면 전자기파가 진공에서 전파하고 있다. 전자기파가 진행하는 방향을 z축으로 잡고 자기장이 진동하는 방향을 x축으로 잡는다. y축은 오른손 규칙에 따라 정한다. 어느 순간 자기장이 다음과 같다면 전기장은?

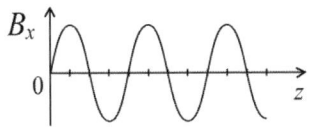

①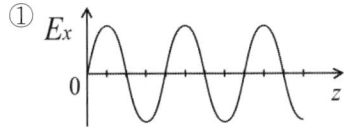

②

③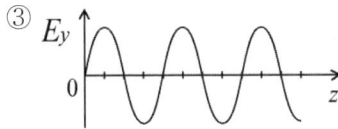

④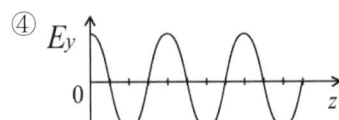

⑤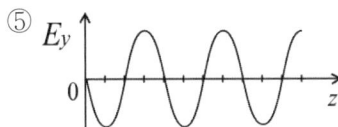

32 그림은 유전율 ε_0과 투자율 μ_0인 진공 속에서 z방향으로 진행하는 전자기파를 나타낸 것이다. 전기장 $\vec{E}$의 진폭은 E_0이고, 자기장 $\vec{B}$의 진폭은 B_0이다. 이 전자기파는 단색 평면파이며, 파동 벡터(wave vector)는 $\vec{k}$이다. 포인팅 벡터는 $\vec{S}=\dfrac{1}{\mu_0}\vec{E}\times\vec{B}$이며, 전자기파의 세기 I는 $\vec{S}$의 크기의 시간 평균이다.

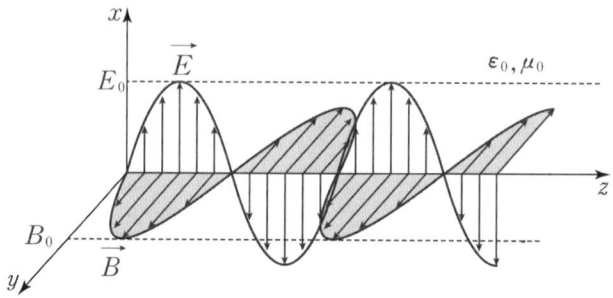

이에 대한 설명으로 옳은 것만을 〈보기〉에서 있는 대로 고른 것은?

┤ 보기 ├

ㄱ. $\vec{k}\times\vec{S}=0$이다.

ㄴ. $\dfrac{E_0}{B_0}=\sqrt{\mu_0\varepsilon_0}$ 이다.

ㄷ. $I=\dfrac{1}{2}\sqrt{\dfrac{\varepsilon_0}{\mu_0}}\,E_0^2$이다.

① ㄱ   ② ㄴ

③ ㄱ, ㄷ   ④ ㄴ, ㄷ

⑤ ㄱ, ㄴ, ㄷ

2013-24

33 그림은 시간에 따라 변하는 전류가 흐르는 도선이 연결된 원형 도체판으로 이루어진 평행판 축전기에서, 시간 t일 때의 전류 $I(t)$와 도체판의 전하량 $Q(t)$를 나타낸 것이다. 두 도체판의 반지름은 R로 같고 중심축이 일치한다. 두 도체판 사이의 간격은 $d(\ll R)$이고 유전체로 채워져 있다. 점 P는 중심축으로부터 거리 $r(<R)$인 두 도체판 사이의 가운데 지점이다.

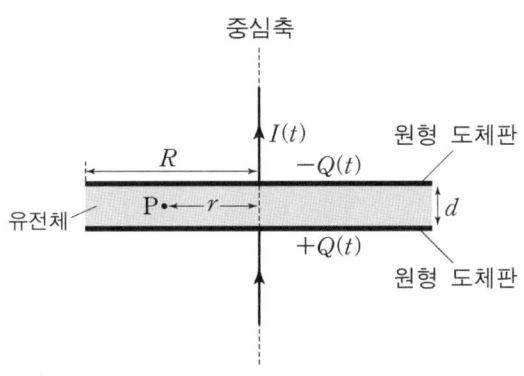

시간 t일 때, 이에 대한 설명으로 옳은 것만을 〈보기〉에서 있는 대로 고른 것은? (단, 유전체는 균일하고 등방적이며 선형적이고, 유전율, 투자율은 각각 ε, μ이며, 가장자리 효과는 무시한다.)

---| 보기 |---

ㄱ. P에서 전기 변위(electric displacement) $\vec{D}$의 크기는 $\dfrac{Q(t)}{\pi r^2}$이다.

ㄴ. P에서 자기 세기(magnetic intensity) $\vec{H}$의 크기는 $\dfrac{rI(t)}{2\pi R^2}$이다.

ㄷ. 반지름 R인 유전체 옆면 전체를 통과하는 단위 시간당 전자기 에너지의 흐름은 $\dfrac{I(t)Q(t)}{2\pi^2\varepsilon R^3}$이다.

----

① ㄱ 　　　　　　　　　　　② ㄴ

③ ㄱ, ㄴ 　　　　　　　　　④ ㄱ, ㄷ

⑤ ㄴ, ㄷ

2018-B04

34 그림은 전류와 전하가 없는 진공에서 $+\hat{y}$방향으로 진행하는 전자기파의 전기장 성분을 나타낸 것이다. 전기장은 yz평면에 있으며, 전기장의 진폭은 E_0이고 파장은 λ_0이다.

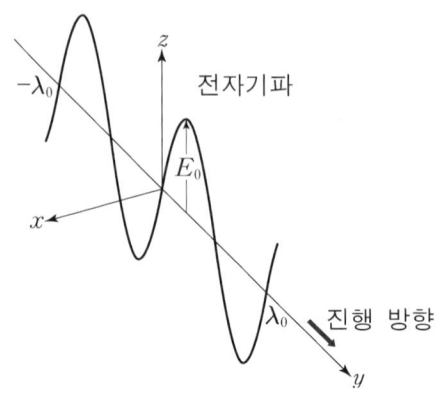

〈자료〉를 참고하여 전류와 전하가 없는 진공에서 전자기파의 전기장 $\vec{E}$에 대한 파동 방정식을 풀이 과정과 함께 구하시오. 그림으로부터 전자기파의 전기장 $\vec{E}(y,\ t)$를 수식으로 표현하고, 자기장 $\vec{B}(y,\ t)$를 구하시오.

자료

- 전류와 전하가 없는 진공에서 전기장 $\vec{E}$와 자기장 $\vec{B}$에 대한 맥스웰 방정식은

$$\vec{\nabla}\cdot\vec{E}=0 \qquad \vec{\nabla}\times\vec{E}=-\frac{\partial\vec{B}}{\partial t}$$

$$\vec{\nabla}\cdot\vec{B}=0 \qquad \vec{\nabla}\times\vec{B}=\mu_0\epsilon_0\frac{\partial\vec{E}}{\partial t}$$

이다. 여기서 ϵ_0과 μ_0은 진공의 유전율과 투자율이다.
- 임의의 벡터 $\vec{F}$에 대해 $\vec{\nabla}\times(\vec{\nabla}\times\vec{F})=\vec{\nabla}(\vec{\nabla}\cdot\vec{F})-\nabla^2\vec{F}$이다.

2017–B07

35 그림은 진공 속에서 동일한 두 원형 완전 반사체로 만들어진 비틀림 장치의 한 쪽 날개면 전체에 전자기파를 쬐어 주어 평형상태에 있는 것을 나타낸 것이다. 이때 전자기파의 진행 방향과 반사체 면은 수직이며, 전자기파의 전기장은 $\vec{E}(z,\ t) = E_0\cos(kz - \omega t)\hat{x}$ 이고, 면적 A인 완전 반사체 중심과 축 사이의 거리는 R이다.

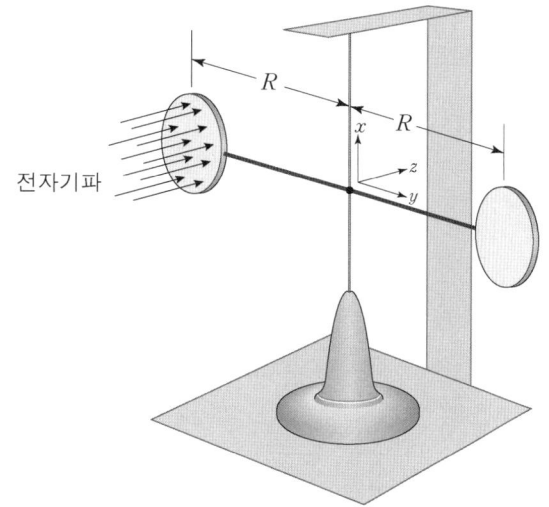

단위 부피당 전자기파에 실린 평균 운동량(평균 운동량 밀도) $\langle\vec{g}\rangle = \langle\epsilon_0(\vec{E}\times\vec{B})\rangle$와 단위시간 동안 날개에 전달된 평균 운동량(평균 힘)을 구하시오. 또 이 장치에 전자기파가 작용하는 평균 돌림힘(평균 토크)의 크기 τ를 풀이 과정과 함께 구하시오. (단, 자기장은 $\vec{B} = \dfrac{1}{c}\hat{k}\times\vec{E}$이고, E_0은 상수, $c = \dfrac{1}{\sqrt{\mu_0\epsilon_0}}$은 광속, ϵ_0과 μ_0은 각각 진공의 유전율과 투자율이다.)

2016–B07

36 진공에서 $\hat{x}$방향으로 진동하는 자기장이 다음과 같다.

$$\vec{B}(z,\ t) = B_0[\cos(kz + \omega t) + \cos(kz - \omega t)]\hat{x}$$
$$= 2B_0\cos(kz)\cos(\omega t)\hat{x}$$

맥스웰 방정식을 사용하여 전기장 $\vec{E}$와 포인팅(Poynting) 벡터 $\vec{S}$를 각각 풀이 과정과 함께 구하시오. 또한 포인팅 벡터의 한 주기 동안 시간 평균값 $\langle\vec{S}\rangle_t$를 구하고, 그 값을 물리적 의미를 설명하시오. (단, B_0은 상수이며 진공의 유전율과 투자율은 각각 ϵ_0과 μ_0이고 빛의 속력은 $c = \dfrac{1}{\sqrt{\epsilon_0\mu_0}}$이다.)

Chapter
09

2026-A09

37 그림은 원점 O에서 z축 방향으로 진동하는 전기쌍극자로부터 복사되는 전자기파를 매우 먼 거리 $(kR \gg 1)$에서 나타낸 것이다. 반지름이 R인 구면 위의 한 점 P에서 시간 t에 따른 전자기파의 전기장 $\vec{E}$는 다음과 같다.

$$\vec{E}(\theta,\ t) = \alpha \frac{I_0 \sin\theta}{R} \cos[\omega(t-t')]\,\hat{\theta}$$

α는 상수, I_0는 쌍극자에 흐르는 최대전류의 세기, $w=ck$이고, k는 파수, t'은 상수이다.

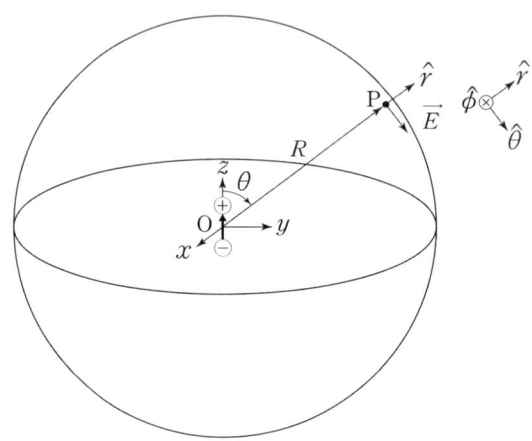

전자기파가 P에서 평면파로 근사될 때, 시간 t에 따른 자기장 $\vec{B}(\theta,\ t)$의 크기와 방향을 각각 구하시오. 〈자료〉를 이용하여, 구간 $0 \le t \le \dfrac{2\pi}{\omega}$에서 시간 t에 따른 포인팅 벡터 $\vec{S}(\theta,\ t)$의 시간 평균을 풀이 과정과 함께 구하시오. (단, c는 진공에서 빛의 속력이다.)

┤ 자료 ├

• $\vec{S} = \dfrac{1}{\mu_0}(\vec{E} \times \vec{B})$, μ_0은 진공의 투자율이다.

• 주기가 T인 함수 $f(t)$의 시간 평균값: $\langle f \rangle = \dfrac{1}{T}\displaystyle\int_0^T f(t)\,dt$

• $\dfrac{1}{2\pi}\displaystyle\int_0^{2\pi} \cos^2 x\,dx = \dfrac{1}{2}$

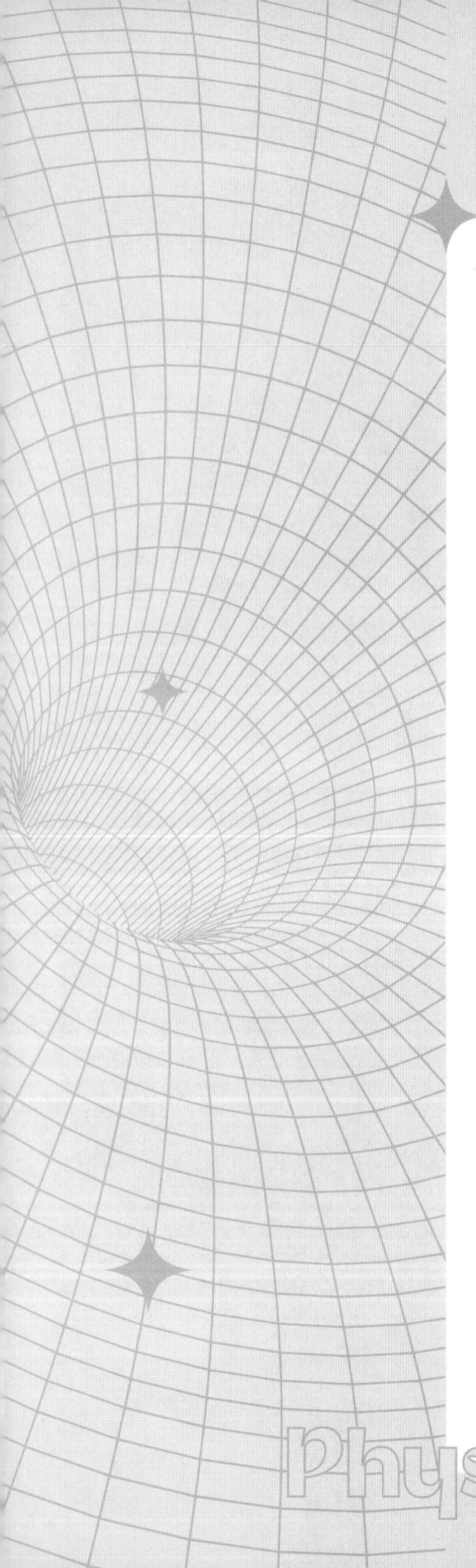

정승현
전공물리 기출문제집

Physics

양자역학

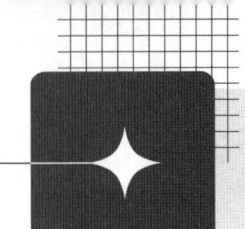

핵심 이론정리

1 연산자 성질 및 슈뢰딩거 방정식

(1) 연산자 종류 및 정의

위치 연산자 x, 운동량 연산자 $p = \dfrac{\hbar}{i} \nabla$, 각운동량 연산자 $L = r \times p$

스핀 연산자 σ, 에너지 연산자 $H = \dfrac{p^2}{2m} + V = i\hbar \dfrac{\partial}{\partial t}$

(2) 연산자 활용 및 고윳값

연산자 A, 파동 함수 ψ, 고윳값 λ

$A\psi = \lambda\psi$

(3) 측정 확률

$\psi(x) = \displaystyle\sum_n c_n \phi_n$

$\langle \psi | \psi \rangle = \displaystyle\sum_n |c_n|^2$: 임의의 χ를 발견할 확률

$\chi = a\phi_1 + b\phi_2$

$|\langle \chi | \psi \rangle|^2 = |\langle a\phi_1 + b\phi_2 | \psi \rangle|^2 = |a|^2|c_1|^2 + |b|^2|c_2|^2$

행렬 표현 방식 ✒️✦

$\psi(x) = \displaystyle\sum_n c_n \phi_n = \begin{pmatrix} c_1\phi_1 \\ c_2\phi_2 \\ c_3\phi_3 \\ \vdots \end{pmatrix}$

$\chi = a\phi_1 + b\phi_2 = \begin{pmatrix} a\phi_1 \\ b\phi_2 \\ 0 \\ \vdots \end{pmatrix}$

$|\langle \chi | \psi \rangle|^2 = |\langle a\phi_1 + b\phi_2 | \psi \rangle|^2 = |a|^2|c_1|^2 + |b|^2|c_2|^2$

(4) 기댓값

$\langle A \rangle = \langle \psi | A | \psi \rangle$

⑸ 슈뢰딩거 방정식

① 슈뢰딩거 파동 방정식 : $-\dfrac{\hbar^2}{2m}\dfrac{d^2}{dx^2}\psi + V\psi = E\psi$

② 파동 함수 특징 및 조건
　　• 파동 함수는 미분가능하고 연속함수이다.
　　• 파동 함수는 규격화가 가능하고 절대값의 제곱이 확률을 의미한다.

2　무한 퍼텐셜

$$V(x) = \begin{cases} 0 \; , & 0 < x < L \\ \infty \; , & x < 0, \; x > L \end{cases}$$

파동 함수 : $\phi_n(x) = \sqrt{\dfrac{2}{L}}\sin\dfrac{n\pi}{L}x$, 에너지 준위 : $E_n = \dfrac{n^2\pi^2\hbar^2}{2mL^2}$

3　조화진동자

질량 m인 입자가 다음과 같은 1차원 퍼텐셜 $V(x)$ 안에 놓여 있는 상태

$$V(x) = \frac{1}{2}m\omega^2 x^2, \quad H = \frac{p^2}{2m} + \frac{m\omega^2}{2}x^2$$

슈뢰딩거 방정식 $-\dfrac{\hbar^2}{2m}\dfrac{d^2}{dx^2}\psi(x) + \dfrac{m\omega^2}{2}x^2\psi(x) = E\psi(x)$

양자수 $n = 0, 1, 2, \ldots$에 대해 $\psi_n(x) = N_n H_n(\alpha x)e^{-\frac{\alpha^2}{2}x^2}$ 이다. 이에 따른 에너지는 $\epsilon_n = \left(n + \dfrac{1}{2}\right)\hbar\omega$

이다. $N_n = \left(\dfrac{m\omega}{\pi\hbar}\right)^{\frac{1}{4}}\sqrt{\dfrac{1}{2^n n!}}$ 과 $\alpha = \sqrt{\dfrac{m\omega}{\hbar}}$ 는 상수이고, 에르미트 다항식 $H_n(\xi)$의 몇 가지 예는

$H_0(\xi) = 1$, $H_1(\xi) = 2\xi$, $H_2(\xi) = 4\xi^2 - 2$, $H_3(\xi) = 8\xi^3 - 12\xi$, $\cdots$ 이다.

사다리 연산자 ✎✦

$$a = \sqrt{\frac{m\omega}{2\hbar}}\left(x + i\frac{p}{m\omega}\right), \quad a^\dagger = \sqrt{\frac{m\omega}{2\hbar}}\left(x - i\frac{p}{m\omega}\right)$$

입자의 고유벡터가 $|n\rangle$일 때이다. $a|n\rangle = \sqrt{n}|n-1\rangle$, $a^+|n\rangle = \sqrt{n+1}|n+1\rangle$

$$x = \sqrt{\frac{\hbar}{2m\omega}}(a^\dagger + a), \quad p = i\sqrt{\frac{m\hbar\omega}{2}}(a^\dagger - a)$$

4 섭동이론

섭동 해밀토니안 H'이 주어질 때, 1차 에너지 보정값은 $E_n^{(1)} = \langle \psi_n | H' | \psi_n \rangle$

5 보어 수소 원자 모형

정상파 조건: $2\pi r = n\lambda$, 물질파 $p = mv = \dfrac{h}{\lambda}$

궤도 양자 조건 $2\pi r mv = nh$(각운동량 $L = mvr \rightarrow L = n\hbar$)

원자핵 전하량 Ze일 때, 에너지 준위 $E_n = -Z^2 \dfrac{m_e k^2 e^4}{2\hbar^2} \dfrac{1}{n^2}$ ($Z = 1$일 때 수소 원자 $E_n = -\dfrac{13.6 eV}{n^2}$)

수소 원자 모형 파동 함수 $\psi(r, \theta, \phi) = R(r)\Theta(\theta)\Phi(\phi)$

확률 $P = \displaystyle\int |\psi|^2 dV = \iiint |R(r)|^2 |\Theta(\theta)|^2 |\Phi(\phi)^2| r^2 \sin\theta\, dr d\theta d\phi$ (구면좌표계 부피적분 유의)

6 각운동량 및 스핀

⑴ 각운동량은 크기 $L = \hbar\sqrt{l(l+1)}$의 각운동량이 방향 $L_z = m_l \hbar$으로 크기와 공간이 양자화되어 있음을 보여준다.

$L^2 |lm\rangle = l(l+1)\hbar^2 |lm\rangle$

$L_z |lm\rangle = m\hbar |lm\rangle$

$L^2 = L_x^2 + L_y^2 + L_z^2$
$[L_x, L_y] = i\hbar L_z$

⑵ 스핀

① 스핀 정의: $S^2 = s(s+1)\hbar^2$

$S_z |\chi\rangle = m_s \hbar |\chi\rangle$; $m_s = -s, -s+1, ..., +s$; 전자 1개의 경우 $m_s = -\dfrac{1}{2}, \dfrac{1}{2}$

$S^2 = S_x^2 + S_y^2 + S_z^2$

$[S_x, S_y] = i\hbar S_z$

파울리 스핀 행렬은 $\sigma_x = \begin{pmatrix} 0 & 1 \\ 1 & 0 \end{pmatrix}$, $\sigma_y = \begin{pmatrix} 0 & -i \\ i & 0 \end{pmatrix}$, $\sigma_z = \begin{pmatrix} 1 & 0 \\ 0 & -1 \end{pmatrix}$

$S_i = \dfrac{\hbar}{2}\sigma_i$

② 스핀 커플링 : $S = S_1 + S_2$

2개의 페르미온 전자의 경우 커플링 되어있을 때 가능한 스핀 양자수는

$s = |s_1 - s_2|,\ |s_1 + s_2| \rightarrow 0, 1$

$m_s = 0 \qquad\qquad ; s = 0$

$m_s = -1,\ 0,\ 1 ; s = 1$

• singlet states : 공간 대칭, 스핀 비대칭

$$|s = 0,\ m_s = 0\rangle = \frac{1}{\sqrt{2}}(|\uparrow\rangle_1|\downarrow\rangle_2 - |\downarrow\rangle_1|\uparrow\rangle_2)$$

• triplet states : 공간 비대칭, 스핀 대칭

$$\begin{cases} |s = 1,\ m_s = 1\rangle = |\uparrow\rangle_1|\uparrow\rangle_2 \\ |s = 1,\ m_s = 0\rangle = \frac{1}{\sqrt{2}}(|\uparrow\rangle_1|\downarrow\rangle_2 + |\downarrow\rangle_1|\uparrow\rangle_2) \\ |s = 1,\ m_s = -1\rangle = |\downarrow\rangle_1|\downarrow\rangle_2 \end{cases}$$

⑶ 총 각운동량 : $J = L + S$

$j = |l - s|,\ |l - s| + 1, ..., l + s$

$m_j = -j,\ -j+1,\ ... +j$

$J^2 |jm_j ls\rangle = j(j+1)\hbar^2 |jm_j ls\rangle$

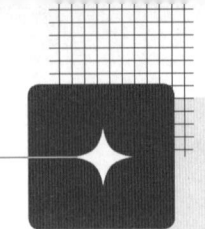

핵심 기출문제

◆ 정답 및 해설 121~149쪽

1 연산자 성질 및 슈뢰딩거 방정식

2007-21

01 어떤 물리계의 해밀토니안(Hamiltonian) 연산자가 $H = \begin{pmatrix} 0 & a \\ a & 0 \end{pmatrix}$로 표현된다. a는 에너지의 차원을 갖는 양의 상수이다. 이 연산자에 대한 두 개의 고유치(eigenvalue) 및 그에 해당하는 각각의 규격화된 고유벡터(eigenvector)를 구하시오. 또한, 상태 $|\psi\rangle = \begin{pmatrix} 1 \\ 0 \end{pmatrix}$의 에너지를 측정할 때 기대치를 계산하는 과정을 보이고 그 값을 구하시오.

1) 고유치와 고유벡터 :

2) 기대치의 계산 과정과 값 :

2009-26

02 질량 m인 입자가 일차원 퍼텐셜 $V(x)$의 영향을 받으면서 운동하고 있다. 파동 함수 $\psi(x) = Ae^{-Bx^2}$은 고유에너지 E_0인 상태의 규격화된 고유함수이다. 여기서 A와 B는 0이 아닌 실수인 상수이고, $V(0) = 0$이다. 고유에너지 E_0의 값은?

① $\dfrac{\hbar^2 B}{4m}$ ② $\dfrac{\hbar^2 B}{2m}$ ③ $\dfrac{\hbar^2 B}{m}$

④ $\dfrac{2\hbar^2 B}{m}$ ⑤ $\dfrac{4\hbar^2 B}{m}$

2009-28

03 어떤 계가 두 개의 고유상태만을 가진다. 고유상태는 $|1\rangle$과 $|2\rangle$이고, 각각에 해당하는 고유에너지는 ϵ_1과 ϵ_2이다. $t = 0$일 때, 계의 상태가 $\sqrt{\dfrac{1}{3}}|1\rangle + \sqrt{\dfrac{2}{3}}i|2\rangle$라면 임의의 시간 t에서 상태는?

① $\sqrt{\dfrac{1}{3}}\, e^{-i\frac{\epsilon_1}{\hbar}t}|1\rangle + \sqrt{\dfrac{2}{3}}\, ie^{-i\frac{\epsilon_2}{\hbar}t}|2\rangle$ ② $\sqrt{\dfrac{1}{3}}\, e^{-i\frac{\epsilon_1}{3\hbar}t}|1\rangle + \sqrt{\dfrac{2}{3}}\, ie^{-i\frac{2\epsilon_2}{3\hbar}t}|2\rangle$

③ $e^{-i\frac{\epsilon_1 + 2\epsilon_2}{3\hbar}t}\left[\sqrt{\dfrac{1}{3}}|1\rangle + \sqrt{\dfrac{2}{3}}\, i|2\rangle\right]$ ④ $e^{-i\frac{\epsilon_1 - 2\epsilon_2}{3\hbar}t}\left[\sqrt{\dfrac{1}{3}}|1\rangle + \sqrt{\dfrac{2}{3}}\, i|2\rangle\right]$

⑤ $e^{-i\frac{\epsilon_1 + \sqrt{2}\,\epsilon_2}{\sqrt{3}\,\hbar}t}\left[\sqrt{\dfrac{1}{3}}|1\rangle + \sqrt{\dfrac{2}{3}}\, i|2\rangle\right]$

04

2010-24

임의의 파동 함수 $\psi(x)$에 대해 연산자(operator) S가 $S\psi(x) = \psi(x+L)$에 의해 정의된다. $V(x+L) = V(x)$를 만족하는 퍼텐셜 $V(x)$ 속에 있는 어느 입자의 파동 함수가 $\phi(x) = e^{ikx}\cos\left(\dfrac{2\pi}{L}x\right)$이다. 이에 대한 설명으로 옳은 것을 〈보기〉에서 모두 고른 것은? (단, L은 0이 아닌 상수이고, k는 상수이다.)

┤ 보기 ├
ㄱ. $[S, V(x)] = 0$이다.
ㄴ. $\phi(x)$는 연산자 S의 고유상태이다.
ㄷ. $k = \dfrac{2\pi}{3L}$는 $S^3\phi(x) = \phi(x)$를 만족시킨다.

① ㄱ
② ㄴ
③ ㄱ, ㄷ
④ ㄴ, ㄷ
⑤ ㄱ, ㄴ, ㄷ

05

2010-38

어느 입자에 대한 해밀토니안 연산자가 다음과 같이 표현되며, α는 양의 상수이다.

$$H = \alpha \begin{bmatrix} 1 & 0 & 0 \\ 0 & 2 & i \\ 0 & -i & 2 \end{bmatrix}$$

이에 대한 설명으로 옳은 것을 〈보기〉에서 모두 고른 것은? (단, h는 플랑크 상수이다.)

┤ 보기 ├
ㄱ. 임의의 상태에 대해 H는 실수의 기댓값을 갖는다.
ㄴ. 바닥상태는 2중으로 축퇴되어(degenerate) 있다.
ㄷ. 입자가 첫 번째 들뜬상태에서 바닥상태로 전이하면서 전자기파를 방출할 때, 전자기파의 진동수는 $\dfrac{\alpha}{h}$이다.

① ㄱ
② ㄷ
③ ㄱ, ㄴ
④ ㄱ, ㄷ
⑤ ㄴ, ㄷ

06

2010-39

규격화된 에너지 고유함수와 에너지 고유값이 각각 u_n과 $E_n = -\dfrac{\epsilon_0}{n^2}$ $(n = 1, 2, 3, \cdots)$인 어떤 계가 있다. 이 계의 상태가 규격화된 파동 함수 $\psi = au_1 + 2au_2$로 기술될 때, 에너지에 대한 기댓값은? (단, ϵ_0과 a는 0이 아닌 실수이다.)

① $-\dfrac{3}{4}\epsilon_0$
② $-\dfrac{3}{5}\epsilon_0$
③ $-\dfrac{2}{5}\epsilon_0$
④ $-\dfrac{1}{4}\epsilon_0$
⑤ $-\dfrac{1}{5}\epsilon_0$

07 그림은 어느 입자의 규격화된 파동 함수

2011-29

$$\psi(x) = \begin{cases} \phi(x) & , \quad -L < x \leq 0 \\ 3\phi(x-L) & , \quad 0 < x < L \\ 0 & , \quad |x| \geq L \end{cases}$$

을 나타낸 것이다. $\phi(x)$는 $x = -\dfrac{L}{2}$에 대해 좌우 대칭인 실수함수이어서

$$\int_{-L}^{0} x|\phi(x)|^2 dx = -\frac{L}{2}\int_{-L}^{0} |\phi(x)|^2 dx \text{이고, } \phi(-L) = \phi(0) = 0 \text{이다.}$$

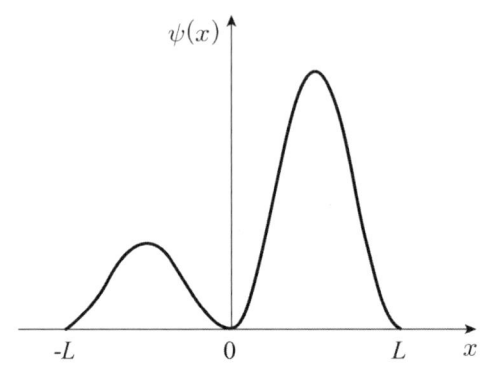

이 입자의 위치 x의 기댓값은?

① $0.2L$

② $0.25L$

③ $0.3L$

④ $0.4L$

⑤ $0.45L$

08 연산자 A는 고유상태 $|a\rangle$와 $|-a\rangle$만을 가지며, 각각의 고유상태에 해당하는 고윳값은 a와 $-a$이고, $a \neq 0$이다. 연산자 B를 두 고유상태에 작용하면, 그 결과는 $B|a\rangle = |-a\rangle$와 $B|-a\rangle = |a\rangle$이다. 이에 대한 설명으로 옳은 것만을 〈보기〉에서 모두 고른 것은?

2011-30

┤ 보기 ├
ㄱ. $|a\rangle + |-a\rangle$는 B의 고유상태이다.
ㄴ. $AB = BA$이다.
ㄷ. A와 B는 공통고유상태를 갖는다.

① ㄱ

② ㄴ

③ ㄱ, ㄴ

④ ㄱ, ㄷ

⑤ ㄴ, ㄷ

09
2011-31

어느 입자의 해밀토니안 H의 고윳값은 E_1과 E_2이며 $(E_1 \neq E_2)$, 각각의 고윳값에 해당하는 규격화된 고유함수는 $\psi_1(x)$과 $\psi_2(x)$이다. 시간 $t=0$일 때, 입자의 파동 함수가 $\dfrac{1}{\sqrt{2}}[\psi_1(x) + \psi_2(x)]$이다. 시간에 따라 변하지 않는 것만을 〈보기〉에서 모두 고른 것은? (단, $\dfrac{\partial H}{\partial t} = \dfrac{\partial A}{\partial t} = 0$이다.)

┤ 보기 ├
ㄱ. 에너지가 E_1로 측정될 확률
ㄴ. H의 기댓값
ㄷ. $[H,\ A]=0$인 연산자 A의 기댓값

① ㄱ   ② ㄴ
③ ㄱ, ㄴ   ④ ㄴ, ㄷ
⑤ ㄱ, ㄴ, ㄷ

10
2012-29

세 연산자 A, B, C가 있다. $A=CB$이고 함수 ψ_n은 고윳값 방정식 $A\psi_n = n\psi_n$ $(n=1,\ 2,\ \cdots)$을 만족한다. B와 C는 교환자 관계식 $[B,\ C]=1$을 만족한다. 이에 대한 설명으로 옳은 것만을 〈보기〉에서 있는 대로 고른 것은?

┤ 보기 ├
ㄱ. $[B,\ A]=B$이다.
ㄴ. $B\psi_n$은 A의 고유함수이다.
ㄷ. $AB\psi_1 = 0$이다.

① ㄴ   ② ㄷ
③ ㄱ, ㄴ   ④ ㄱ, ㄷ
⑤ ㄱ, ㄴ, ㄷ

2019-A04

11 상태 $|\psi\rangle$는 해밀토니언 $\hat{H}= \epsilon_0 \hat{a}\hat{b}$의 고유상태로 $\hat{H}|\psi\rangle = E|\psi\rangle$를 만족한다. ϵ_0은 양의 상수이다. 연산자 $\hat{a}$와 $\hat{b}$의 교환자 관계식은 $[\hat{a},\hat{b}]=1$ 이다. 해밀토니언의 고유상태인 $\hat{a}|\psi\rangle$와 $\hat{b}|\psi\rangle$는 $\hat{H}\hat{a}|\psi\rangle = E_1\hat{a}|\psi\rangle$, $\hat{H}\hat{b}|\psi\rangle = E_2\hat{b}|\psi\rangle$를 만족한다. 고윳값 E_1과 E_2를 각각 구하시오. (단, $|\psi\rangle$는 들뜬 상태이다.)

2015-A09

12 연산자 A는 다음과 같이 정의된다.

$$A\psi(x) = \frac{1}{\sqrt{2}}[\psi(x)+\psi^*(x)]$$

A에 대한 $A^2\psi(x)$의 고윳값 방정식

$$A(A^2\psi(x)) = \lambda(A^2\psi(x))$$

에서 고윳값 λ를 구하시오. (단, $A\psi(x) \neq 0$이다.)

2014-A07

13 두 연산자 A와 B는 파동 함수 $\psi(x)$에 대해 다음 관계식을 만족한다.

$$A\psi(x) = x^2\psi(x), \ B\psi(x) = x\frac{d}{dx}\psi(x)$$

이로부터 두 연산자의 교환자 $[A,\ B]$를 구하시오.

2015-B03

14 균일한 자기장 $\vec{B}$에 놓여 있는 어느 입자의 해밀토니안이

$$H = -\mu \vec{S} \cdot \vec{B}$$

로 주어진다. μ는 자기모멘트의 단위를 갖는 양의 상수이고, $\vec{S} = (S_x, S_y, S_z)$는

$$S_x = \begin{pmatrix} 0 & 0 & 0 \\ 0 & 0 & -i \\ 0 & i & 0 \end{pmatrix}, \ S_y = \begin{pmatrix} 0 & 0 & i \\ 0 & 0 & 0 \\ -i & 0 & 0 \end{pmatrix}, \ S_z = \begin{pmatrix} 0 & -i & 0 \\ i & 0 & 0 \\ 0 & 0 & 0 \end{pmatrix}$$

로 표현된다. 자기장의 방향을 z축으로 할 때, H에 대해 바닥상태 에너지를 갖는 규격화된 고유벡터를 구하고, 첫 번째 들뜬상태에서 바닥상태로 전이할 때 방출되는 전자기파의 파장을 쓰시오. 또한 상태벡터 $|\psi\rangle = \dfrac{1}{\sqrt{3}} \begin{pmatrix} 1 \\ i \\ 1 \end{pmatrix}$의 에너지 기댓값을 풀이 과정과 함께 구하시오.

2023-A03

15 어떤 양자 계의 해밀토니언이 다음과 같이 행렬 H로 표현된다.

$$H = \epsilon \begin{pmatrix} 1 & a \\ a & 3 \end{pmatrix}$$

이때 a와 ϵ은 양의 실수이다. H의 두 고윳값의 합을 구하고, 낮은 에너지 고윳값이 0이 되는 a를 구하시오.

2026-A02

16 두 개의 기저 $|0\rangle = \begin{pmatrix} 1 \\ 0 \end{pmatrix}$과 $|1\rangle = \begin{pmatrix} 0 \\ 1 \end{pmatrix}$에 대한 해밀토니언 행렬 H는 다음과 같다.

$$H = \begin{pmatrix} E_0 & i\dfrac{\sqrt{3}}{2}\Delta \\ -i\dfrac{\sqrt{3}}{2}\Delta & E_0 + \Delta \end{pmatrix}$$

E_0, Δ는 모두 양의 실수이다. H의 두 고윳값은 E_1, E_2이다. $|E_2 - E_1|$을 구하고, H의 규격화된 바닥상태가 $\dfrac{1}{\sqrt{1 + |\alpha|^2}}(\alpha|0\rangle + |0\rangle)$일 때, α를 구하시오.

2 무한 퍼텐셜

2002-11

17 질량 m인 입자가 $x=0$과 $x=2L$ 사이의 1차원 구간에서만 존재하는 1차원 상자를 가정하자. 이 경우, 상자 내부에서 위치 에너지 $V(x)$는 0이다.

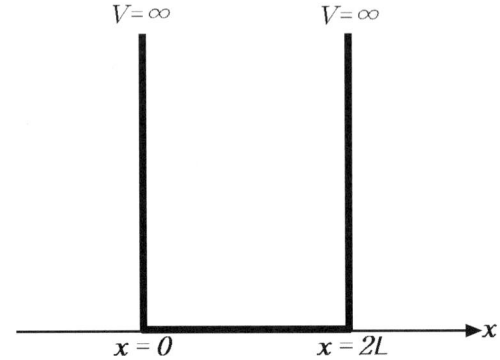

1-1) 에너지를 E로 표시하면, 슈뢰딩거 방정식은 $-\dfrac{\hbar^2}{2m}\dfrac{d^2\phi(x)}{dx^2} = E\phi(x)$로 주어진다. $\dfrac{2mE}{\hbar^2} \equiv k^2$이라고 놓으면, 이 계의 파동 함수는 $\phi(x) = A\sin kx$(A는 상수)의 형태로 주어지는데, $\cos kx$ 형태는 이 계의 파동 함수가 될 수 없다. 그 이유를 설명하시오.

1-2) 이 경우 $k = \dfrac{n\pi}{2L}$, $n = 1, 2, 3, \cdots$으로 주어지는데, 왜 n은 0이 될 수 없는지 그 이유를 쓰시오.

2-1) 이 계에서 입자의 에너지 준위를 구하시오.

2-2) 입자가 첫 번째 들뜬상태에 있을 경우, 상자 내부($x=0$과 $x=2L$은 제외)에서 입자가 존재할 수 없는 위치를 L을 사용하여 표현하시오.

2003-12

18 길이가 L인 일차원 상자에 갇혀있는 질량 m인 입자를 생각해본다. 입자의 퍼텐셜 에너지는 다음과 같이 주어진다.

$$V(x) = \begin{cases} 0 , & 0 < x < L \\ \infty , & x < 0, \ x > L \end{cases}$$

양자역학적으로 허용된 바닥상태의 에너지와 고전 역학적으로 허용된 바닥상태의 에너지를 각각 쓰시오.

2004-14

19 원자핵 내부에 있는 양성자가 가질 수 있는 최소 운동 에너지를 양성자의 질량 m, 원자핵의 지름 d, 플랑크 상수 h로 나타내시오.

2005-23

20 그림과 같이 퍼텐셜이 $0 < x < L$과 $0 < y < 2L$ 및 $z > 0$인 영역에서는 0이고 그 외의 영역에서는 무한대인 한쪽이 열린 3차원 퍼텐셜 상자 속에 질량 m인 입자가 자유롭게 운동하고 있다. 이 입자의 고유함수와 고유 에너지를 구하시오. (단, 고유함수를 규격화시킬 필요는 없다.)

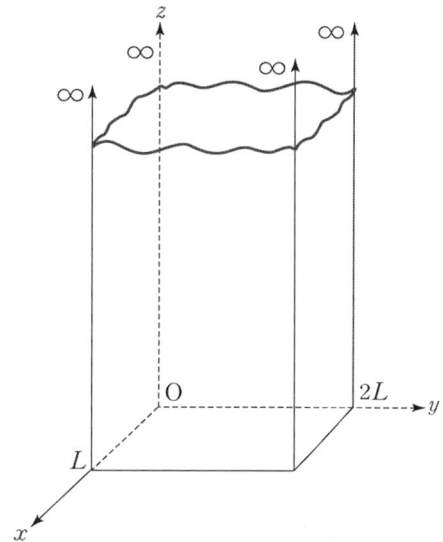

2008-22

21 폭이 $L(0 \leq x \leq L)$인 1차원 무한 퍼텐셜에 갇힌 입자의 규격화된 고유함수 $\psi_n(x)$와 에너지 고윳값 E_n은 각각 다음과 같다.

$$\psi_n(x) = \sqrt{\frac{2}{L}} \sin\left(\frac{n\pi x}{L}\right), \ E_n = n^2 E_1 (n = 1, \ 2, \ 3, \ \cdots)$$

여기서 E_1은 바닥상태의 에너지이다. 이 퍼텐셜에 갇힌 어떤 입자의 상태가 다음과 같은 파동 함수로 주어진다.

$$\psi(x) = \sqrt{\frac{4}{5}} \psi_1(x) + C\psi_2(x)$$

이 파동 함수를 규격화시키는 양의 실수 C를 구하고, 입자의 에너지 기대치 $\langle E \rangle$를 E_1으로 나타내시오.

1) 규격화 상수 C:

2) 에너지 기대치 $\langle E \rangle$:

Chapter ◆ 10

2009-25

22 질량 m인 입자가 다음과 같은 퍼텐셜 우물에 구속되어 2차원 공간에서 운동하고 있다.

$$V(x) = \begin{cases} 0 & , \ 0 < x < 2a \\ \infty & , \ x \le 0, \ x \ge 2a \end{cases}$$

$$V(y) = \begin{cases} 0 & , \ 0 < y < a \\ \infty & , \ y \le 0, \ y \ge a \end{cases}$$

다음 중 같은 고유에너지를 가지는 다른 고유상태가 있는, 즉 축퇴되어 있는 고유함수는?

① $\dfrac{\sqrt{2}}{a} \sin \dfrac{\pi x}{2a} \sin \dfrac{\pi y}{a}$

② $\dfrac{\sqrt{2}}{a} \sin \dfrac{\pi x}{a} \sin \dfrac{\pi y}{a}$

③ $\dfrac{\sqrt{2}}{a} \sin \dfrac{3\pi x}{2a} \sin \dfrac{\pi y}{a}$

④ $\dfrac{\sqrt{2}}{a} \sin \dfrac{2\pi x}{a} \sin \dfrac{\pi y}{a}$

⑤ $\dfrac{\sqrt{2}}{a} \sin \dfrac{5\pi x}{2a} \sin \dfrac{\pi y}{a}$

2012-31

23 폭이 L인 1차원 무한 퍼텐셜 우물

$$V(x) = \begin{cases} 0, & 0 \le x \le L \\ \infty, & x < 0, \ x > L \end{cases}$$

에서 운동하는 질량 m인 입자의 초기 파동 함수는 다음과 같다.

$$\psi(x) = \begin{cases} \dfrac{2}{\sqrt{L}}, & \dfrac{L}{4} \le x \le \dfrac{L}{2} \\ 0, & x < \dfrac{L}{4}, \ x > \dfrac{L}{2} \end{cases}$$

이 입자의 에너지가 $\dfrac{\pi^2 \hbar^2}{2mL^2}$으로 측정될 확률을 구하는 식으로 옳은 것은? (단, $\hbar = \dfrac{h}{2\pi}$이고, h는 플랑크 상수이다.)

① $\left| \dfrac{\sqrt{2}}{L} \displaystyle\int_{L/4}^{L/2} \sin\left(\dfrac{\pi x}{2L} \right) dx \right|^2$

② $\left| \dfrac{2\sqrt{2}}{L} \displaystyle\int_{L/4}^{L/2} \sin\left(\dfrac{\pi x}{2L} \right) dx \right|^2$

③ $\left| \dfrac{\sqrt{2}}{L} \displaystyle\int_{L/4}^{L/2} \sin\left(\dfrac{\pi x}{L} \right) dx \right|^2$

④ $\left| \dfrac{2\sqrt{2}}{L} \displaystyle\int_{L/4}^{L/2} \sin\left(\dfrac{\pi x}{L} \right) dx \right|^2$

⑤ $\left| \dfrac{2\sqrt{2}}{L} \displaystyle\int_{L/4}^{L/2} \sin\left(\dfrac{2\pi x}{L} \right) dx \right|^2$

24

2015-A08

그림은 폭이 L인 1차원 퍼텐셜 상자를 나타낸 것이다. 질량 m인 입자가 이 상자 안에서 운동하고 있다.

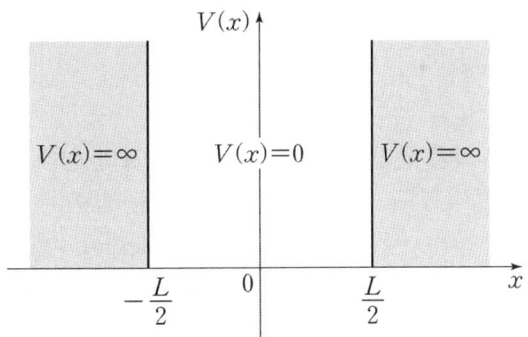

이 입자의 규격화된 바닥상태 파동 함수 $\psi(x)$를 쓰고, 이 상태에 대한 운동량의 불확정도 $\triangle p = \sqrt{\langle p^2 \rangle - \langle p \rangle^2}$ 을 구하시오.

25

2017-B05

질량 m인 입자가 다음과 같은 2차원 직사각형 퍼텐셜 우물에 갇혀 있다.

$$V(x,y) \begin{cases} 0 & (0 \le x \le a, 0 \le y \le b) \\ \infty & (\text{그 외 영역}) \end{cases}$$

이 입자의 바닥상태 에너지 E_0과 첫 번째 들뜬상태 에너지 E_1을 풀이 과정과 함께 구하시오. 또 불확정성 원리 $\Delta x \Delta p_x \ge \dfrac{\hbar}{2}$, $\Delta y \Delta p_y \ge \dfrac{\hbar}{2}$ 를 이용하여 이 입자의 최소 에너지 E_u를 구하시오. (단, $a < b$ 이다.)

26

2020-A09

질량 m인 입자가 다음과 같은 1차원 퍼텐셜 $V(x)$ 안에 놓여 있다.

$$V(x) = \begin{cases} 0 & (0 \le x \le L) \\ \infty & (x < 0, x > L) \end{cases}$$

해밀토니언의 고유함수는 $\phi_n(x) = \sqrt{\dfrac{2}{L}} \sin \dfrac{n\pi}{L} x \ (n = 1, 2, 3, \cdots)$이다.

시간 $t = 0$일 때, 입자는 $\Psi(x) = \sqrt{\dfrac{2}{3L}} \left(1 - \cos \dfrac{2\pi}{L} x \right)$로 기술되는 상태에 있다. 이 상태에 대한 에너지의 기댓값을 풀이 과정과 함께 구하시오. 또한 입자가 $n = 1$인 고유 상태에서 발견될 확률을 풀이 과정과 함께 구하시오.

자료
$\sin \alpha \cos \beta = \dfrac{1}{2} [\sin(\alpha + \beta) + \sin(\alpha - \beta)]$

27 2022-B08

질량이 m_1과 m_2인 구별 가능한 두 입자가 x축 상에서 각각 x_1과 x_2에 놓여 있으며, 다음과 같은 퍼텐셜 내에서 운동하고 있다.

$$V = \begin{cases} 0, & |x_1 - x_2| \le L \\ \infty, & |x_1 - x_2| > L \end{cases} \qquad (L \text{은 상수})$$

이 경우 두 입자계의 슈뢰딩거 방정식은 질량 중심 좌표와 상대 좌표 방정식으로 분리할 수 있다. 상대 좌표에 대한 방정식을 풀어서 규격화된 바닥상태의 파동 함수 $\psi_0(x)$과 규격화된 첫 번째 들뜬상태의 파동 함수 $\psi_1(x)$을 각각 구하시오. 계가 첫 번째 들뜬상태에 있을 때 두 입자 간의 평균 거리 $\langle |x| \rangle$를 풀이 과정과 함께 구하시오.

| 자료 |

- 질량 중심 좌표(R) 슈뢰딩거 방정식: $-\dfrac{\hbar^2}{2M}\dfrac{d^2}{dR^2}\Psi(R) = E_R \Psi(R)$

  $R = \dfrac{m_1 x_1 + m_2 x_2}{m_1 + m_2},\ M = m_1 + m_2$

- 상대 좌표(x) 슈뢰딩거 방정식: $-\dfrac{\hbar^2}{2\mu}\dfrac{d^2}{dx^2}\psi(x) = E\psi(x),\quad |x| \le L$

  $x = x_1 - x_2,\ \mu = \dfrac{m_1 m_2}{m_1 + m_2}$

- $\displaystyle\int_{-\frac{\pi}{2}}^{+\frac{\pi}{2}} \cos^2\theta d\theta = \frac{\pi}{2},\ \int_{-\frac{\pi}{2}}^{+\frac{\pi}{2}} \sin^2\theta d\theta = \frac{\pi}{2},\ \int_0^\pi \theta\cos^2\theta d\theta = \frac{\pi^2}{4},\ \int_0^\pi \theta\sin^2\theta d\theta = \frac{\pi^2}{4}$

28 2025-B10

질량 m인 입자가 다음과 같은 1차원 파동 함수로 표현된다.

$$\phi(x) = \begin{cases} A\sin kx + B\cos kx & (0 \le x \le a) \\ 0 & (x < 0,\ x > a) \end{cases}$$

k는 파수이고, 바닥상태의 규격화된 에너지 고유함수는 $\phi_1(x)$이다. A, B는 실수이다. 바닥상태의 에너지 E_1을 구하고, $\dfrac{3}{4}a \le x \le a$구간에서 바닥상태의 입자가 발견될 확률 P를 구하시오. 또한 운동량 연산자를 p, 위치 연산자를 x라 할 때, $[p^2, x]\phi_1(x)$를 풀이 과정과 함께 구하시오. (단, $\hbar = \dfrac{h}{2\pi}$이고 h는 플랑크 상수이다. $[u, v]$는 교환자이다.)

| 자료 |

$$\sin^2 x = \frac{1}{2}(1 - \cos 2x)$$

3 유한 퍼텐셜

2003-14

29 그림과 같이 유한한 퍼텐셜 장벽이 $x = -a$에서 $x = a$ 사이의 영역에 있다. $x = -\infty$ 에서 $x = \infty$ 방향으로 입자 다발이 입사된다. 입자 다발 속의 입자는 질량이 m이며 명확한 운동량을 가지는 평면파 상태에 있다. 입사에너지가 $E > V_0$이면 장벽 내부 영역($-a < x < a$)에서 파동 함수는 진동하는 형태를 갖는다. 입자의 입사에너지가 $E < V_0$일 때 장벽 내부에서의 슈뢰딩거 방정식을 쓰고 파동 함수의 형태를 구하시오.

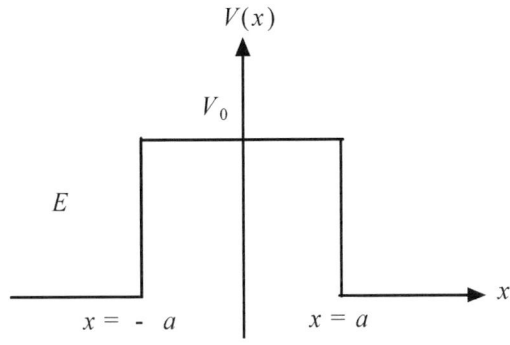

2008-21

30 그림과 같이 폭이 $2a$이고 깊이가 V_0인 1차원 퍼텐셜 우물에 속박된 $(-V_0 < E < 0)$ 질량 m인 입자의 대칭적 파동 함수는 $|x| < a$ 영역에서는 $\cos(qx)$에 비례하고, $|x| > a$ 영역에서는 $e^{-k|x|}$에 비례한다.

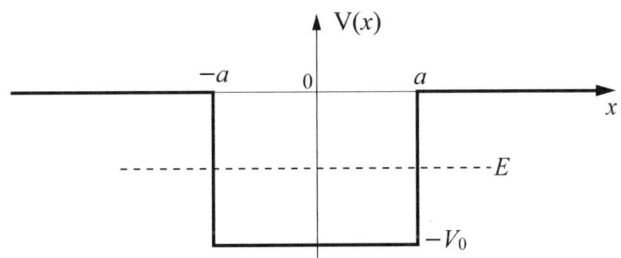

$q^2 + k^2$을 구하고, $x = a$에서의 경계조건을 이용하여 $\dfrac{k}{q}$를 q의 함수로 나타내시오.

1) $q^2 + k^2$:

2) $\dfrac{k}{q}$:

2013-38

31 그림과 같이 영역 Ⅰ($x < 0$)에서 평면파로 기술되는 에너지 E의 전자가, 영역 Ⅱ($0 \leq x \leq L$)에서 퍼텐셜 에너지가 U로 일정한 퍼텐셜 장벽을 향해 입사하고 있다. 입사파의 일부는 장벽에서 반사되고, 나머지는 영역 Ⅱ를 지나 영역 Ⅲ($x > L$)으로 투과된다.

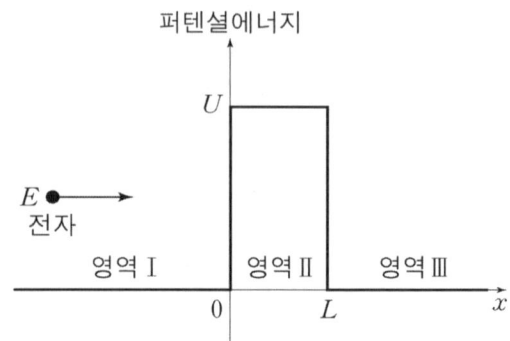

이에 대한 설명으로 옳은 것만을 〈보기〉에서 있는 대로 고른 것은? (단, $0 < E < U$ 이다.)

| 보기 |

ㄱ. 영역 Ⅰ에서 입사파와 반사파의 진동수는 같다.

ㄴ. 영역 Ⅱ에서 전자를 발견할 확률 밀도는 x가 증가함에 따라 지수함수로 감소한다.

ㄷ. 영역 Ⅲ에서 투과파의 파장은 영역 Ⅰ에서 입사파의 파장보다 짧다.

① ㄱ
② ㄱ, ㄴ
③ ㄱ, ㄷ
④ ㄴ, ㄷ
⑤ ㄱ, ㄴ, ㄷ

2022-A04

32 그림은 질량 m, 에너지 E인 입자가 높이 U, 너비 L인 사각 퍼텐셜 장벽으로 입사하는 것을 나타낸 것이다. E는 U보다 크다($E > U$).

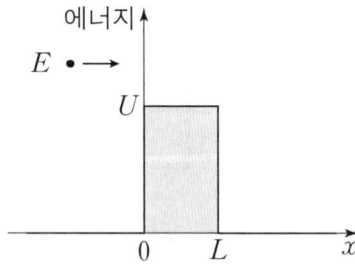

투과율 $T = 1$일 때 입자가 가질 수 있는 가장 낮은 에너지 $E_{\min}$을 구하시오. 또한 $0 \leq x \leq L$인 구간에서 에너지가 $E_{\min}$인 입자의 드브로이 파장을 L로 나타내시오.

| 자료 |

$$E > U \text{일 경우 투과율: } T = \left(1 + \frac{U^2 \sin^2(kL)}{4E(E-U)}\right)^{-1}, \quad k = \frac{\sqrt{2m(E-U)}}{\hbar}$$

4 델타 함수

2019-B03

33 질량 m인 입자가 다음과 같은 1차원 델타 함수 퍼텐셜에 속박되어 있다.

$$V(x) = -a\delta(x)$$

a는 양의 상수이다. 이 입자의 규격화된 파동 함수는 다음과 같다.

$$\psi(x) = \begin{cases} \sqrt{k}\, e^{kx} & (x < 0) \\ \sqrt{k}\, e^{-kx} & (x \geq 0) \end{cases}$$

$k = \dfrac{\sqrt{-2mE}}{\hbar}$ 이고, E는 입자의 에너지이다.

〈자료〉를 활용하여 E를 풀이 과정과 함께 구하시오. 또한 입자를 $|x| < x_0$에서 발견할 확률이 $\dfrac{1}{2}$이 되는 x_0을 풀이 과정과 함께 구하시오.

┤ 자료 ├

$x = 0$에서 파동 함수의 1차 미분 $\dfrac{d\psi(x)}{dx}$는 다음과 같은 경계조건을 만족한다.

$$\lim_{\epsilon \to 0}\left(\left.\frac{d\psi}{dx}\right|_{+\epsilon} - \left.\frac{d\psi}{dx}\right|_{-\epsilon}\right) = -\frac{2ma}{\hbar^2}\psi(0)$$

---

5 조화진동자

2006-24

34 질량이 m이고 각진동수 ω인 조화진동자의 해밀토니안은 $H = \dfrac{p^2}{2m} + \dfrac{1}{2}m\omega^2 x^2$으로 주어진다. 연산자

a를 $a = \sqrt{\dfrac{m\omega}{2\hbar}}\, x + \dfrac{i}{\sqrt{2m\hbar\omega}}\, p$로 정의하면 해밀토니안은 $H = \hbar\omega\left(a^\dagger a + \dfrac{1}{2}\right)$로 표현되며, 이 계의 바닥

상태의 파동 함수 $\psi_0(x)$와 첫 번째 들뜬상태의 파동 함수 $\psi_1(x)$를 구하시오. (단, 규격화는 시키지 않아도 된다.)

1) $\psi_0(x)$:

2) $\psi_1(x)$:

2012-32

35 질량 m인 입자가 2차원 퍼텐셜

$$V(x, y) = \begin{cases} \dfrac{1}{2}m\omega^2(x^2 + y^2) , & x > 0 \\ \infty & , & x \le 0 \end{cases}$$

안에서 운동하며 ω는 양의 상수이다. 이 입자에 대한 설명으로 옳은 것만을 〈보기〉에서 있는 대로 고른

것은? (단, $\hbar = \dfrac{h}{2\pi}$이고, h는 플랑크 상수이다.)

┌─ 보기 ├─
  ㄱ. 바닥상태의 에너지는 $2\hbar\omega$이다.
  ㄴ. 첫 번째 들뜬상태의 에너지 고유함수는 $\psi(x, -y) = -\psi(x, y)$를 만족한다.
  ㄷ. 고유 에너지 $4\hbar\omega$의 축퇴도(degeneracy)는 3이다.

① ㄱ   ② ㄷ
③ ㄱ, ㄴ   ④ ㄴ, ㄷ
⑤ ㄱ, ㄴ, ㄷ

2013-35

36 질량 m인 입자가 3차원 조화 퍼텐셜 $V(x, y, z) = \dfrac{1}{2}m\omega^2(x^2 + y^2 + z^2)$ 안에서 운동한다. 이 입자의

첫 번째 들뜬상태의 에너지와 축퇴도를 알맞게 짝지은 것은? (단, $\hbar = \dfrac{h}{2\pi}$, h는 플랑크 상수이고 ω는

양의 상수이다.)

	에너지	축퇴도
①	$\dfrac{3}{2}\hbar\omega$	2
②	$\dfrac{3}{2}\hbar\omega$	3
③	$\dfrac{5}{2}\hbar\omega$	2
④	$\dfrac{5}{2}\hbar\omega$	3
⑤	$\dfrac{7}{2}\hbar\omega$	4

2018-A06

37 질량 m인 입자가 다음과 같은 1차원 퍼텐셜 $V(x)$ 안에 놓여 있다.

$$V(x) = \begin{cases} \dfrac{1}{2}m\omega^2 x^2 & (x > 0) \\ \infty & (x \leq 0) \end{cases}$$

〈자료〉를 참고하여 바닥상태의 규격화된 고유함수 $\phi(x)$를 $x > 0$인 영역에서 구하고, 첫 번째 들뜬상태의

에너지 E를 구하시오. (단, ω는 양의 상수이다.)

┤ 자료 ├

1차원 조화진동자를 나타내는 퍼텐셜 $V(x) = \dfrac{1}{2}m\omega^2 x^2$에서 질량 m인 입자의 규격화된 고유함수는 양

자수 $n = 0, 1, 2, \cdots$에 대해 $\psi_n(x) = N_n H_n(\alpha x) e^{-\frac{\alpha^2}{2}x^2}$ 이다. 이에 따른 에너지는 $\epsilon_n = \left(n + \dfrac{1}{2}\right)\hbar\omega$

이다. $N_n = \left(\dfrac{m\omega}{\pi\hbar}\right)^{\frac{1}{4}}\sqrt{\dfrac{1}{2^n n!}}$ 과 $\alpha = \sqrt{\dfrac{m\omega}{\hbar}}$ 는 상수이고, 에르미트 다항식 $H_n(\xi)$의 몇 가지 예는

$H_0(\xi) = 1$, $H_1(\xi) = 2\xi$, $H_2(\xi) = 4\xi^2 - 2$, $H_3(\xi) = 8\xi^3 - 12\xi$, $\cdots$ 이다.

2016-A14

38 1차원 단순 조화 퍼텐셜에 속박된 동일한 질량을 가진 구별 가능한 입자 1과 입자 2로 이루어진 해밀토니안은

$$H_0 = \frac{p_1^2}{2m} + \frac{p_2^2}{2m} + \frac{1}{2}m\omega^2 x_1^2 + \frac{1}{2}m\omega^2 x_2^2$$

이다. 계의 바닥상태 에너지 고유값을 쓰시오. 또한 H_0에 섭동 해밀토니안 $H' = \frac{\epsilon m^2 \omega^3}{3\hbar}(x_1 - x_2)^4$이

더해졌을 때, 〈자료〉를 참고하여 바닥상태에 대한 에너지의 1차 보정값을 풀이 과정과 함께 구하시오.
(단, ϵ은 임의의 상수이다.)

┤ 자료 ├

- 입자 $i(i = 1, 2)$의 위치 연산자 x_i는 $x_i = \sqrt{\frac{\hbar}{2m\omega}}(a_i + a_i^\dagger)$이다.

- 입자 i의 고유벡터가 $|n_i\rangle$일 때, $a_i|n_i\rangle = \sqrt{n_i}|n_{i-1}\rangle$, $a_i^\dagger|n_i\rangle = \sqrt{n_i + 1}|n_{i+1}\rangle$이다.

2014-A03(서술형)

39 질량 m인 입자가 1차원 퍼텐셜 $V(x) = \frac{1}{2}m\omega^2 x^2$에 의해 속박되어 있다. 입자의 규격화된 에너지 고유

함수는 $\phi_n(x)$, 에너지 고윳값은 $E_n = \left(n + \frac{1}{2}\right)\hbar\omega$이며 ($n = 0, 1, 2, \cdots$), 위치 연산자 x는

$$\sqrt{\frac{m\omega}{\hbar}}\, x\phi_n(x) = \sqrt{\frac{n+1}{2}}\,\phi_{n+1}(x) + \sqrt{\frac{n}{2}}\,\phi_{n-1}(x), \ n = 1, 2, \cdots$$

$$\sqrt{\frac{m\omega}{\hbar}}\, x\phi_0(x) = \sqrt{\frac{1}{2}}\,\phi_1(x)$$

를 만족한다. 초기($t = 0$)에 입자의 규격화된 파동 함수는 $\psi(x, 0) = \sqrt{\frac{1}{2}}[\phi_0(x) + i\phi_1(x)]$이고, 시간

t에서의 파동 함수는 $\psi(x, t)$이다. $\psi(x, t)$를 적고, $\psi(x, t)$에 대한 x의 기댓값을 풀이 과정과 함께 구하시오.

40 2021-A09

1차원 조화진동자의 해밀토니언을 차원이 없는 단위($m = \hbar = \omega = 1$)로 나타내면

$H = \dfrac{1}{2}(p^2 + x^2) = a_+ a_- + \dfrac{1}{2}$ 이고, $a_\pm = \dfrac{1}{\sqrt{2}}(x \mp ip)$ 이다. 이 진동자의 j번째와 $j+1$번째 에너지

고유함수는 각각

$$\psi_j = A_j(2x^3 - 3x)e^{-x^2/2}$$
$$\psi_{j+1} = A_{j+1}(4x^4 + \alpha x^2 + 3)e^{-x^2/2}$$

이고, A_j와 A_{j+1}은 규격화 상수이다. j값을 풀이 과정과 함께 구하시오. 또한 ψ_{j+1}에서 x^2항의 계수 α를 풀이 과정과 함께 구하시오.

┤ 자료 ├
$a_+ \psi_n = \sqrt{n+1}\, \psi_{n+1}$, $a_- \psi_n = \sqrt{n}\, \psi_{n-1}$ 이고, $n = 0, 1, 2, \cdots$ 이다.

41 2024-B01

질량 m인 입자가 다음과 같은 1차원 조화 퍼텐셜 $V(x) = \dfrac{1}{2}m\omega^2 x^2$에 갇혀있다. 이 입자의 규격화된

파동 함수는 $\psi(x) = \alpha\psi_0 + \beta\psi_2 + \dfrac{1}{2}\psi_3$이고, α와 β는 양의 실수이다. ψ_n은 1차원 조화 퍼텐셜에 있

는 입자의 규격화된 고유함수이며, $n = 0,\ 1,\ 2,\cdots$ 이다. 입자를 바닥상태($n = 0$)에서 발견할 확률은 세

번째 들뜬상태에서($n = 3$)에서 발견할 확률과 같다. $\dfrac{\alpha}{\beta}$와 에너지 기댓값을 구하시오. (단, ω는 양의 상

수이다.)

6 섭동이론

2013-36

42 질량 m인 입자가 다음과 같은 퍼텐셜 에너지 $V(x)$를 가지는 일차원 상자 속에서 자유로이 운동하고 있다.

$$V(x) = \begin{cases} \infty, & x < 0 \\ 0, & 0 \leq x \leq L \\ \infty, & x > L \end{cases}$$

이 입자에 다음과 같은 섭동 해밀토니안 H'이 주어질 때,

$$H' = \begin{cases} V_0, & 0 \leq x \leq \dfrac{L}{3} \\ 0, & \dfrac{L}{3} < x \leq L \end{cases}$$

바닥상태 에너지 고유값의 1차 보정값은? (단, V_0은 양의 상수이며, 바닥상태 에너지보다 훨씬 작다.)

① $V_0 \left(\dfrac{1}{3} - \dfrac{\sqrt{3}}{4\pi} \right)$ ② $V_0 \left(\dfrac{1}{3} + \dfrac{\sqrt{3}}{4\pi} \right)$

③ $V_0 \left(\dfrac{1}{3} - \dfrac{\sqrt{3}}{2\pi} \right)$ ④ $V_0 \left(\dfrac{1}{3} + \dfrac{\sqrt{3}}{2\pi} \right)$

⑤ $\dfrac{V_0}{3}$

2010-30

43 해밀토니안이 $H_0 = \epsilon \left(a^\dagger a + \dfrac{1}{2} \right)$인 입자의 규격화된 에너지 고유함수와 에너지 고윳값은 각각 $|n\rangle$,

$\left(n + \dfrac{1}{2} \right) \epsilon$ $(n = 0, 1, 2, \cdots)$이다. 연산자 $a^\dagger$와 a를 $|n\rangle$에 작용하면 그 결과는 $a^\dagger |n\rangle = \sqrt{n+1}\,|n+1\rangle$,

$a|n\rangle = \sqrt{n}\,|n-1\rangle$이다. H_0에 더해지는 섭동항이 $\lambda \epsilon a a^\dagger a a^\dagger$로 주어질 때, 바닥상태의 에너지 고윳값의 1차 보정값은? (단, ϵ과 λ는 상수이고, $\lambda \ll 1$이며, 에너지 고유함수에 축퇴는 없다.)

① $\dfrac{1}{2}\lambda\epsilon$ ② $\dfrac{\sqrt{2}}{2}\lambda\epsilon$

③ $\dfrac{3}{4}\lambda\epsilon$ ④ $\lambda\epsilon$

⑤ $\sqrt{2}\,\lambda\epsilon$

2023-B08

44

질량 m, 전하량 q인 입자가 다음과 같은 3차원 정육면체 퍼텐셜 우물

$$V(x, \ y, \ z) = \begin{cases} 0, & 0 \leq x, \ y, \ z \leq a \\ \infty, & \text{그 외 영역} \end{cases}$$

에 갇혀 있다. 이 입자의 규격화된 바닥상태 에너지 고유함수는

$$\psi_{\text{바닥}} = \left(\frac{2}{a}\right)^{3/2} \sin\left(\frac{\pi x}{a}\right)\sin\left(\frac{\pi y}{a}\right)\sin\left(\frac{\pi z}{a}\right)$$

이고 에너지 고윳값은 $\varepsilon_{\text{바닥}}$ 이다. 이 입자에 다음과 같은 약한 전기장

$$\vec{E} = (E_x, \ E_y, \ E_z) = \left(\frac{E_0}{a}y, \ \frac{E_0}{a}x, \ 0\right)$$

이 가해졌다. $\vec{E}$에 의한 입자의 전위는 $\phi(x, \ y, \ z)$이고, 퍼텐셜 에너지 $U(x, \ y, \ z) = q\phi$이며, $\phi(0, \ 0, \ 0) = 0$이다.

에너지 고윳값 $\varepsilon_{\text{바닥}}$을 쓰고, $U(x, \ y, \ z)$를 풀이 과정과 함께 구하시오. 또한 U를 섭동으로 취급하여 1차 섭동론에 의한 바닥상태의 1차 에너지 보정값 $\varepsilon_{\text{바닥}}^{(1)}$을 구하시오. (단, E_0은 양의 상수이다.)

┤ 자료 ├

- 폭이 a인 1차원 무한 퍼텐셜 우물에 갇힌 질량 m인 입자의 에너지 고윳값은 $\varepsilon_n = \dfrac{n^2\pi^2\hbar^2}{2ma^2}$ ($n = 1,$ 2, 3 $\cdots$)이다.

- $\displaystyle\int_0^a x \sin^2\frac{\pi x}{a}\,dx = \frac{a^2}{4}, \quad \int_0^a \sin^2\frac{\pi x}{a}\,dx = \frac{a}{2}$

2024-A04

45 그림은 스핀이 없고 전하를 띤 질량 M인 입자가 xy평면에서 반지름 R인 원 궤도에 속박되어 있는 것을 나타낸 것이다.

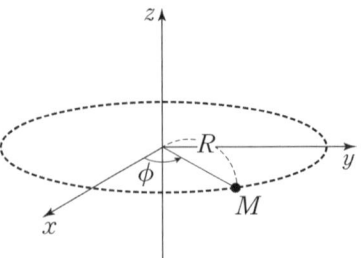

이 입자의 규격화된 에너지 고유함수 $\psi_n(\phi) = \dfrac{1}{\sqrt{2\pi}}e^{in\phi}$에 대응하는 에너지 고윳값 E_n을 구하시오.

세기가 약하고 균일한 자기장 $\vec{B} = B_0\hat{z}$을 가했을 때, 섭동항 $H' = -\dfrac{\mu}{\hbar}B_0 L_z$에 의한 에너지 E_n의 변화량을 구하시오. (단, n은 정수이고, μ, B_0은 양의 상수이다. $\hbar$는 플랑크 상수이다.)

┌ 자료 ├───

질량이 m이고 반지름이 r인 원 궤도에 속박된 입자의 해밀토니언: $H_0 = \dfrac{L_z^{\,2}}{2mr^2}$, $\left(L_z = \dfrac{\hbar}{i}\dfrac{\partial}{\partial\phi} \right)$

──

2025-A12

46

질량 m인 입자가 그림과 같은 1차원 퍼텐셜 $V(x)$에 갇혀 있다. 이 계의 해밀토니안 H는 섭동 전 해밀토니안 $H_0 = -\dfrac{\hbar^2}{2m}\dfrac{d^2}{dx^2} + \dfrac{1}{2}m\omega^2 x^2$과 섭동항 H'로 나타낼 수 있다.

$$V(x) = \begin{cases} \dfrac{1}{2}m\omega^2 x^2 & (x < -a,\ x > a) \\[2mm] \dfrac{1}{2}m\omega^2 a^2 & (-a \le x \le a) \end{cases}$$

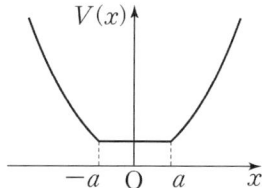

$-a \le x \le a$ 구간에서 섭동항 H'을 쓰시오. 〈자료〉와 1차 섭동론을 이용하여 H의 바닥상태 에너지를 E_0, ψ_0, H'로 나타내시오. 또한 $m = \hbar = \omega = 1$로 두고, 바닥상태의 1차 에너지 보정 값을 풀이 과정과 함께 구하시오. (단, $a \ll 1$이다.)

---| 자료 |---

• $m = \hbar = \omega = 1$일 때, 섭동 전 해밀토니안 H_0의 바닥상태 에너지와 규격화된 파동 함수

$$E_0 = \frac{1}{2},\ \psi_0(x) = \left(\frac{1}{\pi}\right)^{1/4}\exp\left(-\frac{x^2}{2}\right)$$

• $|x| \ll 1$일 때, $\displaystyle\int_0^x \exp(-t^2)dt \approx x - \frac{x^3}{3}$, $\displaystyle\int_0^x t^2\exp(-t^2)dt \approx \frac{x^3}{3}$

47 질량이 m이고, 전하량이 $+e$인 입자가 1차원 조화 퍼텐셜에 의해 바닥 상태 $|0\rangle$에 있다. 입자의 해밀

토니언 연산자 $\widehat{H}_0 = \dfrac{\hat{p}^2}{2m} + \dfrac{1}{2}m\omega^2\hat{x}^2$이다. 입자의 $\widehat{H}_0$의 규격화된 에너지 고유상태는 에너지가 낮은

상태부터 $|0\rangle$, $|1\rangle$, $|2\rangle$, $\cdots$ 이다. 이때, x방향으로 세기가 α인 전기장에 의한 $\widehat{H}' = -e\alpha\hat{x}$의 섭동

해밀토니언이 입자에 작용한다. 〈자료〉를 이용하여, $\widehat{H}'$에 의한 $|0\rangle$의 1차 섭동 함수 $|0'\rangle$을 구하고,

$\langle 0|\widehat{H}'|0'\rangle$을 구하시오. $\langle 0'|\hat{x}|0'\rangle$을 풀이 과정과 함께 구하시오. (단, $\hbar = \dfrac{h}{2\pi}$이고, h는 플랑크 상수

이다.)

| 자료 |

- 연산자 $\hat{a} = \sqrt{\dfrac{m\omega}{2\hbar}}\,\hat{x} + i\sqrt{\dfrac{1}{2m\omega\hbar}}\,\hat{p}$이다.

- $\hat{a}\,|n\rangle = \sqrt{n}\,|n-1\rangle\,(n \geq 1)$이고, $\hat{a}^\dagger\,|n\rangle = \sqrt{n+1}\,|n+1\rangle\,(n \geq 0)$이다.

- 1차 섭동항을 포함한 1차 섭동 함수는 $|0'\rangle = |0\rangle + \displaystyle\sum_{n \neq 0} \dfrac{{H_{n0}}'}{E_0 - E_n}|n\rangle$이고, ${H_{n0}}' = \langle n|\widehat{H}'|0\rangle$이다.
---

48 양자역학에서 에너지 고윳값을 정확하게 구할 수 없거나 구하는 과정이 복잡한 경우에는 바닥상태의 에너지값을 근사적으로 알아볼 수 있는 방법이 있다. 질량 m인 입자가 〈아래〉와 같은 1차원 퍼텐셜 에너지에 속박되어 있을 때, 〈보기〉의 3가지 방법을 이용하여 바닥상태의 에너지값을 각각 측정하고, [방법 2]와 [방법 3]의 한계에 대해서 각각 논의하시오.

┤ 아래 ├

$$V(x) = \begin{cases} Ax & (x > 0) \\ \infty & (x \leq 0) \end{cases}, \quad A \text{는 양의 상수}$$

┤ 보기 ├

[방법 1] 보어의 궤도 양자화를 나타내는 식 $2\pi r = n\lambda = n\dfrac{h}{p}$에서 $p(2\pi r) = nh$이다.

이 식을 1차원에서 닫힌 선적분 형태로 일반화하면,

$$\oint p\,dx = nh \quad (h \text{는 플랑크 상수}, \; n = 1, 2, \cdots)$$

이다. E를 상수로 가정하고, $E = \dfrac{p^2}{2m} + Ax$에서 $p(x)$를 구한 후, $0 \leq x \leq \dfrac{E}{A}$ 구간에 대해 위의 적분을 한 다음, $n = 1$을 대입하여 E를 계산하면 바닥상태의 에너지를 추정할 수 있다.

[방법 2] 불확정성 원리를 이용하기 위해 x와 p를 Δx와 Δp로 바꾸고, $\Delta x\,\Delta p = \hbar$라고 가정하면, 아래와 같이 $E(\Delta p)$가 표현된다.

$$E(\Delta p) = \frac{(\Delta p)^2}{2m} + A\,\Delta x = \frac{(\Delta p)^2}{2m} + A\,\frac{\hbar}{\Delta p} \quad \left(\hbar = \frac{h}{2\pi}\right)$$

$E(\Delta p)$가 최소가 되도록 하는 양수 Δp를 구한 다음, $E(\Delta p)$의 최솟값을 구하면 바닥상태의 에너지값을 추정할 수 있다.

[방법 3] 변분법(The Variational Method)

임의의 규격화된 파동 함수 ψ에 대해서 에너지의 기댓값은 항상 바닥상태의 에너지값보다 크거나 같다.

규격화된 함수 $\psi(x) = \sqrt{4a^3}\,x e^{-ax}$ (a는 양의 상수)를 선택하여

$$E(a) = \int_0^\infty \psi^*(x)\left(-\frac{\hbar^2}{2m}\frac{d^2}{dx^2} + Ax\right)\psi(x)\,dx$$

를 계산하고, $E(a)$가 최소가 되도록 하는 a를 구한 다음, $E(a)$의 최솟값을 구하면 에너지값을 추정할 수 있다. 이때 다음 적분식을 활용할 수 있다.

$$\int_0^\infty x e^{-2ax}\,dx = \frac{1}{4a^2}, \quad \int_0^\infty x^2 e^{-2ax}\,dx = \frac{1}{4a^3}, \quad \int_0^\infty x^3 e^{-2ax}\,dx = \frac{3}{8a^4}$$

Chapter 10

49 자연에서 관찰되는 많은 진동 현상은 단조화진동으로 단순화하여 이해할 수 있다. 〈자료 1〉은 단조화진동자의 고유함수와 고유에너지를 구하는 과정의 일부를, 〈자료 2〉는 중력장에서의 진자 운동을 나타낸 것이다.

┤ 자료 1 ├

1차원 단조화진동을 하는 질량 m인 입자의 해밀토니안은 $H_0 = T + V = \dfrac{p^2}{2m} + \dfrac{1}{2}m\omega^2 x^2$이며,

x와 p의 선형 결합인 두 연산자

$$a = \sqrt{\frac{m\omega}{2\hbar}}\left(x + i\frac{p}{m\omega}\right)$$
$$a^\dagger = \sqrt{\frac{m\omega}{2\hbar}}\left(x - i\frac{p}{m\omega}\right)$$

는 H_0의 규격화된 고유함수 ψ_n에 대해 다음 관계를 만족한다.

$$\begin{aligned} a\psi_n &= \sqrt{n}\,\psi_{n-1} \\ a^\dagger\psi_n &= \sqrt{n+1}\,\psi_{n+1} \end{aligned} \quad , \ n = 0,\ 1,\ 2,\ \dots$$

여기서 바닥상태 고유함수는 $\psi_0(x) = \left(\dfrac{m\omega}{\pi\hbar}\right)^{\frac{1}{4}}\exp\left(-\dfrac{m\omega}{2\hbar}x^2\right)$이다.

┤ 자료 2 ├

그림은 중력장 내에서 질량 m인 입자가 길이 ℓ인 실에 매달려 연직면 내에서 운동하는 것을 나타낸 것이다.

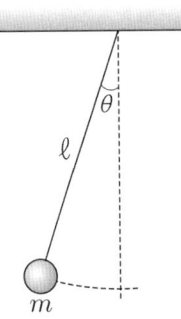

이 계의 퍼텐셜 에너지는 $U = mg\ell(1 - \cos\theta)$이고, $\theta \ll 1$일 때, 이 진자 운동은 해밀토니안이

$$H_0 = \frac{1}{2}m\ell^2\dot{\theta}^2 + \frac{1}{2}mg\ell\theta^2$$

인 단조화진동으로 단순화할 수 있다. 이를 보정하는 첫 번째 섭동항은 $H' = -\dfrac{1}{24}mg\ell\theta^4$이다.

〈자료 1〉을 이용하여 운동 에너지 T와 퍼텐셜 에너지 V를 a와 $a^\dagger$로 표현하여 n번째 상태에 대한 기댓값을 각각 구한 다음, 이로부터 위치와 운동량에 대한 불확정성 원리가 만족됨을 보이시오. 또한 〈자료 2〉에서 H'을 구하는 과정을 기술하고, 〈자료 1〉을 참고하여 H'에 의한 바닥상태의 1차 보정에너지를 구하시오. (단, $\displaystyle\int_{-\infty}^{\infty} x^4 e^{-ax^2}dx = \frac{3}{4}\sqrt{\frac{\pi}{a^5}}$이다.)

7 보어 수소 원자 모형

2005-12

50 수소 원자의 스펙트럼 중에는 라이먼, 발머, 파셴 등의 계열이 있다. 발머 계열에서 가장 긴 파장 λ_1과 파셴 계열에서 가장 긴 파장 λ_2의 비 $\dfrac{\lambda_1}{\lambda_2}$를 구하시오.

2007-20

51 어떤 입자의 파동 함수가 3차원 구면좌표계에서

$$\psi(r, \theta, \phi) = Cr\exp\left[-\frac{r}{2a}\right]$$

로 주어진다고 한다. 여기서, a는 보어(Bohr) 반지름, C는 양의 실수이다. 이 파동 함수를 규격화시키는 C를 구하시오. (참고 : $\displaystyle\int_0^\infty x^n e^{-x} dx = n!$ 이다.)

2009-29

52 나트륨(Na, $Z = 11$) 원자에서 전자를 10개 제거한 이온은 수소 원자와 유사하다. Na^{10+} 이온의 바닥상태에 있는 전자를 제거하기 위해서 필요한 최소 에너지에 가장 가까운 값은?

① 13.6eV   ② 136eV

③ 150eV   ④ 1.36keV

⑤ 1.65keV

53 2011-25

수소 원자의 $2p$ 상태에 있는 전자의 규격화된 파동 함수가 구면 좌표계(r, θ, ϕ)에서

$$\psi_{211}(r, \theta, \phi) = -\frac{1}{8\sqrt{\pi a_0^5}} re^{-r/2a_0}\sin\theta e^{i\phi}$$

로 주어진다. 이 상태에 있는 전자를 원자핵으로부터 거리 r에서 발견할 지름확률 밀도(radial probability density)가 최대가 되는 r값은? (단, a_0은 보어 반지름이다.)

① a_0 ② $\dfrac{3}{2}a_0$

③ $\dfrac{5}{2}a_0$ ④ $3a_0$

⑤ $4a_0$

54 2016-A10

질량 μ인 입자가 다음과 같은 반지름 a인 구형 퍼텐셜 우물 $V(r)$에서 3차원 운동을 한다.

$$V(r) = \begin{cases} 0 & (r < a) \\ \infty & (r \geq a) \end{cases}$$

슈뢰딩거 방정식의 해인 파동 함수는 $\psi(r, \theta, \phi) = R(r)Y_{lm}(\theta, \phi)$로 변수 분리가 된다. 지름 방향 파동 함수 $R(r)$를 $R(r) = \dfrac{u(r)}{r}$로 치환하면, $u(r)$의 방정식은 $l = 0$과 $m = 0$일 때 다음과 같다.

$$-\frac{\hbar^2}{2\mu}\frac{d^2u}{dr^2} + V(r)u = Eu$$

바닥상태의 고유에너지 $E_{바닥}$과 규격화된 고유함수 $\psi_{바닥}(r, \theta, \phi)$을 풀이 과정과 함께 구하시오. (단, $Y_{lm}(\theta, \phi)$는 구면조화함수이고, l과 m은 각각 궤도 양자수와 자기 양자수이다. 바닥상태에서 $l = 0$과 $m = 0$이고, $Y_{00}(\theta, \phi) = \dfrac{1}{\sqrt{4\pi}}$ 이다.)

55 2020-B07

수소 원자에서 어떤 상태에 있는 전자의 지름 파동 함수(radial wave function)는 $R(r) = Are^{-\frac{r}{2a}}$ 이다. 이 전자를 핵으로부터 거리 r와 $r+dr$ 사이의 구 껍질 영역에서 발견할 확률은 $P(r)dr$이다. $P(r)$가 최대인 r값과 $\dfrac{P(2a)}{P(3a)}$를 각각 풀이 과정과 함께 구하시오. (단, A와 a는 상수이다.)

2012-30

56 그림 (가)와 (나)는 보어의 수소 원자 모형에서 반지름이 각각 a_A와 a_B인 보어 궤도에서 원자핵을 중심으로 등속원운동 하는 전자의 드브로이 파가 정상파를 형성하는 것을 모식적으로 나타낸 것이다.

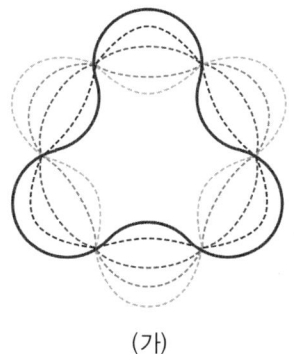
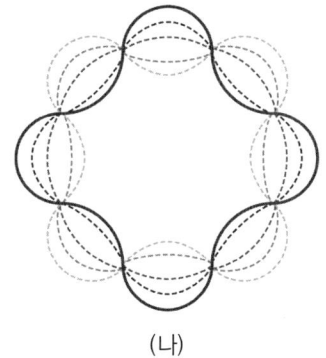

(가)　　　　　　　　　　　(나)

이에 대한 설명으로 옳은 것만을 〈보기〉에서 있는 대로 고른 것은?

| 보기 |

ㄱ. $\dfrac{a_A}{a_B} = \dfrac{3}{4}$ 이다.

ㄴ. (가)와 (나)에서 수소 원자의 총 에너지가 각각 E_A, E_B일 때, $\dfrac{E_A}{E_B} = \dfrac{16}{9}$ 이다.

ㄷ. (가)와 (나)에서 전자의 원운동에 의한 자기 쌍극자 모멘트의 크기가 각각 m_A, m_B일 때, $\dfrac{m_A}{m_B} = \dfrac{3}{4}$ 이다.

① ㄱ　　　　　　　　　　　② ㄴ

③ ㄱ, ㄴ　　　　　　　　　　④ ㄱ, ㄷ

⑤ ㄴ, ㄷ

57 수십에서 수백 개의 원자나 분자를 포함한 나노미터(nm) 크기의 구조체를 제작하면 마이크로미터(μm) 크기의 물체에서는 나타나지 않는 새로운 특성과 현상들이 나타난다. 나노 크기 물체에서 나타나는 이 현상들은 고전역학으로는 설명되지 않으므로 양자역학적 해석이 중요하다. 다음의 경우를 생각해 보자.

반도체 물질로 그림과 같은 나노미터 크기의 알갱이를 만들면, 알갱이의 크기에 따라 색깔이 다르게 보이는데, 알갱이가 클수록 파장이 긴 빛의 색으로 보인다. 붉은색을 내는 나노 알갱이의 크기는 12~15nm 이다. 이 현상을 정육면체 무한 퍼텐셜 양자 우물에 갇혀 있는 전자의 운동모형으로 단순화하여 설명할 수 있다. 빛의 흡수와 방출은 바닥상태와 첫 번째 들뜬상태 사이의 전자 전이에 의해 일어난다고 가정한다.

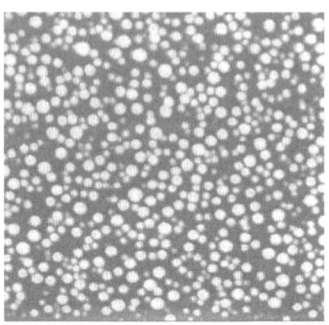

전자현미경으로 관찰한 반도체 나도 알갱이들

위 현상을 설명하기 위한 전자의 운동모형에서 퍼텐셜 에너지와 경계조건을 설정하여 파동 방정식을 쓰고, 파동 방정식을 풀어 크기에 따른 나노 알갱이의 색깔 차이를 설명하시오. 또, 붉은색을 내는 알갱이의 한 변의 길이를 계산하고, 계산한 값을 나노 알갱이의 실제 크기에 가깝게 하기 위해 모형에서 수정되어야 할 사항 2가지를 그 이유와 함께 기술하시오. (단, 필요한 경우 다음 상숫값을 이용할 수 있다.)

┤ 자료 ├

플랑크 상수 $h = 6.6 \times 10^{-34} \mathrm{J} \cdot \mathrm{s}$, 전자의 유효 질량 $m^* \simeq 8.0 \times 10^{-33} \mathrm{kg}$,

빛의 속력 $c = 3.0 \times 10^8 \mathrm{m/s}$, 붉은색 빛의 파장 $\lambda = 660 \mathrm{nm}$

8 각운동량 및 스핀

2010-31

58 은(silver) 원자는 하나의 최외각 전자를 갖는다. 은 원자에 속해있는 전자들의 총 각운동량은 최외각 전자 하나의 스핀 각운동량과 같기 때문에, 그림과 같이 z방향으로 불균일한 자기장에 y방향으로 입사시킨 은 원자빔은 z방향으로 두 갈래로 갈라졌다. 이 실험을 슈테른-게를라흐(Stern-Gerlach) 실험이라고 한다.

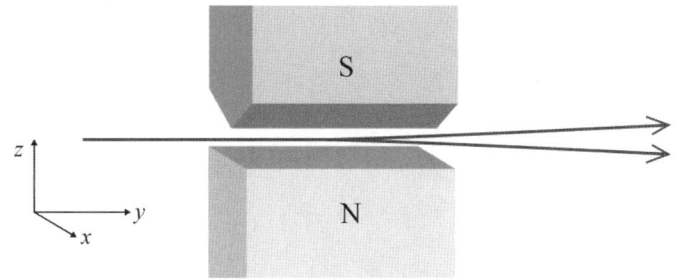

이에 대한 설명으로 옳은 것을 〈보기〉에서 모두 고른 것은?

┤ 보기 ├
ㄱ. 자기장 속에서 은 원자의 스핀 각운동량의 방향은 항상 자기장의 방향과 같다.
ㄴ. 전자 한 개의 스핀 각운동량 양자수는 $\frac{1}{2}$ 이다.
ㄷ. 균일한 자기장에 은 원자빔을 입사시켜도 은 원자빔은 두 갈래로 갈라진다.

① ㄱ   ② ㄴ
③ ㄷ   ④ ㄱ, ㄴ
⑤ ㄴ, ㄷ

2011-32

59 전자의 궤도 각운동량 연산자는 $\vec{L} = (L_x, L_y, L_z)$이다. $L^2 = L_x^2 + L_y^2 + L_z^2$과 L_z의 규격화된 공통 고유상태는 $|l, m\rangle$이며, l은 궤도 양자수, m은 자기 양지수이다. 공통 고유상태 $|1, 1\rangle$에 있는 전자의 L_x^2의 기댓값은? (단, $\hbar = \frac{h}{2\pi}$, h는 플랑크 상수이다.)

① 0 ② $\frac{1}{3}\hbar^2$

③ $\frac{1}{2}\hbar^2$ ④ $\frac{2}{3}\hbar^2$

⑤ $\hbar^2$

2011-33

60 스핀 각운동량 연산자 $S_x = \dfrac{\hbar}{2}\begin{pmatrix} 0 & 1 \\ 1 & 0 \end{pmatrix}$에 대한 설명으로 옳은 것만을 〈보기〉에서 모두 고른 것은? (단, $\hbar = \dfrac{h}{2\pi}$, h는 플랑크 상수이다.)

┤ 보기 ├

ㄱ. S_x의 고윳값은 $\pm\dfrac{\hbar}{2}$이다.

ㄴ. S_x의 고유상태는 $\dfrac{1}{\sqrt{2}}\begin{pmatrix} 1 \\ 1 \end{pmatrix}$과 $\dfrac{1}{\sqrt{2}}\begin{pmatrix} 1 \\ -1 \end{pmatrix}$이다.

ㄷ. 스핀 상태가 $\dfrac{1}{\sqrt{5}}\begin{pmatrix} 2 \\ 1 \end{pmatrix}$일 때, S_x의 측정값이 $\dfrac{\hbar}{2}$일 확률은 $\dfrac{4}{9}$이다.

① ㄱ   ② ㄱ, ㄴ

③ ㄱ, ㄷ   ④ ㄴ, ㄷ

⑤ ㄱ, ㄴ, ㄷ

2012-33

61 수소 원자 해밀토니안 H의 규격화된 고유함수와 고윳값은 각각 ψ_{nlm}과 E_n이다. ψ_{nlm}은 또한 L^2과 L_z의 고유함수이며, $\vec{L}$은 궤도 각운동량 연산자이고, n, l, m은 각각 주양자수, 궤도 양자수, 자기 양자수이다. 수소 원자의 초기 파동 함수는

$$\varPsi = \sqrt{\dfrac{1}{3}}\,\psi_{200} + \sqrt{\dfrac{2}{3}}\,\psi_{211}$$

이다. 이 수소 원자에 대한 설명으로 옳은 것만을 〈보기〉에서 있는 대로 고른 것은? (단, $\hbar = \dfrac{h}{2\pi}$이고, h는 플랑크 상수이다.)

┤ 보기 ├

ㄱ. H의 기댓값은 E_2이다.

ㄴ. L^2이 $2\hbar^2$으로 측정될 확률은 $\sqrt{\dfrac{2}{3}}$이다.

ㄷ. $\varPsi$는 L_z의 고유함수이다.

① ㄱ   ② ㄴ

③ ㄱ, ㄷ   ④ ㄴ, ㄷ

⑤ ㄱ, ㄴ, ㄷ

2012-34

62 어떤 원자 내의 두 전자 중 한 전자는 $|l_1\, m_1\rangle = |1\,1\rangle$ 상태에 있고, 다른 전자는 $|l_2\, m_2\rangle = |2\,1\rangle$ 상태에 있다. 자기 양자수도 함께 고려하여, 두 전자의 궤도 각운동량의 합 $\vec{L}(=\vec{L_1}+\vec{L_2})$이 가질 수 있는 각운동량의 크기($|\vec{L}|$)로 옳은 것만을 〈보기〉에서 있는 대로 고른 것은? (단, l은 궤도 양자수이고, m은 자기 양자수이다. $\hbar = \dfrac{h}{2\pi}$이고, h는 플랑크 상수이다.)

┤ 보기 ├─
ㄱ. $\sqrt{2}\,\hbar$ ㄴ. $\sqrt{6}\,\hbar$ ㄷ. $\sqrt{12}\,\hbar$

① ㄱ ② ㄴ
③ ㄱ, ㄷ ④ ㄴ, ㄷ
⑤ ㄱ, ㄴ, ㄷ

2012-39

63 그림은 원자의 상태 (n, l)이 (2, 1)인 경우와 (3, 2)인 경우에, 외부 자기장이 없을 때의 에너지 준위와 외부 자기장이 있을 때의 에너지 준위들을 모식적으로 나타낸 것이다. I은 자기장이 없을 때의 전이이고, II는 자기장이 있을 때 선택규칙에 의해 허용되는 전이 중 하나이다.

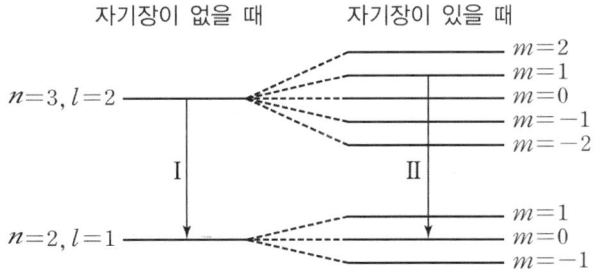

이에 대한 설명으로 옳은 것만을 〈보기〉에서 있는 대로 고른 것은? (단, n, l, m은 각각 전자의 주양자수, 궤도 양자수, 자기 양자수이고, 전자의 스핀은 고려하지 않는다. 선택규칙은 전기 쌍극자에 의한 것만 고려한다.)

┤ 보기 ├─
ㄱ. 전자의 궤도운동으로 생기는 자기모멘트와 외부 자기장과의 상호작용으로 $l \neq 0$인 에너지 준위들이 분리된다.
ㄴ. $(l, m) = (2, 0)$에서 $(l, m) = (1, 0)$으로의 전이는 선택규칙에 의해 허용되지 않는다.
ㄷ. 전이 I에 해당하는 한 개의 스펙트럼선이 외부 자기장에 의해 3개의 스펙트럼선으로 분리되어 나타난다.

① ㄱ ② ㄴ
③ ㄱ, ㄷ ④ ㄴ, ㄷ
⑤ ㄱ, ㄴ, ㄷ

64

수소 원자의 각운동량 연산자는 $\vec{L} = (L_x, L_y, L_z)$이다. L^2과 L_z의 규격화된 공통 고유상태는 $|l\,m\rangle$이며, l은 궤도 양자수, m은 자기 양자수이다. 한 수소 원자의 각운동량 상태가 $|\psi\rangle = \dfrac{2}{\sqrt{5}}|1\,1\rangle + \dfrac{1}{\sqrt{5}}|2\,1\rangle$ 일 때, 이에 대한 설명으로 옳은 것만을 〈보기〉에서 있는 대로 고른 것은? (단, $\hbar = \dfrac{h}{2\pi}$, h는 플랑크 상수이다.)

┤ 보기 ├

ㄱ. L_z의 측정값이 $\hbar$일 확률은 1이다.

ㄴ. L^2의 측정값이 $2\hbar^2$일 확률은 $\dfrac{1}{5}$이다.

ㄷ. L^2의 기댓값은 $\dfrac{8\hbar^2}{5}$이다.

① ㄱ ② ㄴ
③ ㄷ ④ ㄱ, ㄷ
⑤ ㄴ, ㄷ

65

어떤 계의 각운동량 상태를 나타내는 규격화된 파동 함수는

$$\Psi(\theta, \phi) = \sqrt{\frac{1}{3}}\, Y_1^1 - i\sqrt{\frac{1}{6}}\, Y_1^{-1} + a\, Y_1^0$$

이고, a는 양의 실수이다. $Y_l^m(\theta, \phi)$은 구면 좌표계 (r, θ, ϕ)에서 각 방향에 대한 구면조화함수이며, l는 궤도 양자수, m은 자기 양자수이다.
a를 구하고, 이 계에서 각운동량의 z성분의 기댓값 $\langle L_z \rangle$를 구하시오.

66

길이가 L인 일차원 상자 속에서 질량 m, 스핀 $\dfrac{1}{2}$인 서로 상호작용하지 않는 두 개의 동일한 페르미온이 자유로이 운동하고 있다. 이 두 페르미온으로 이루어진 계에 대한 설명으로 옳은 것만을 〈보기〉에서 있는 대로 고른 것은? (단, $\hbar = \dfrac{h}{2\pi}$, h는 플랑크 상수이고, 페르미온 파동 함수는 스핀과 공간 성분만을 고려한다.)

┤ 보기 ├

ㄱ. 두 페르미온의 스핀 상태가 서로 같은 경우, 계의 바닥상태 에너지는 $\dfrac{5\pi^2\hbar^2}{2mL^2}$이다.

ㄴ. 가능한 총 스핀 각운동량의 크기는 0 또는 $\sqrt{2}\,\hbar$이다.

ㄷ. 총 스핀 각운동량의 크기가 0인 경우의 공간 성분 파동 함수는 반대칭이다.

① ㄱ ② ㄱ, ㄴ
③ ㄱ, ㄷ ④ ㄴ, ㄷ
⑤ ㄱ, ㄴ, ㄷ

67

2013-40

그림은 xy 평면에서 전하량 e, 질량 m, 스핀 각운동량 $\vec{S}$인 전자가 원점 O에서 y축과 $45°$의 각으로 자기장 영역으로 입사되어 중심 C, 반지름 r인 원 궤도의 일부를 따라 운동한 후, y축 상의 점 P에서 자기장 영역을 벗어나 속력 v로 운동하는 것을 나타낸 것이다. 자기장은 $x \geq 0$인 영역에 있고, xy면에 수직으로 들어가는 방향이며 크기는 B로 균일하다. 자기장 영역에서 $\vec{S}$는 세차운동을 한다.

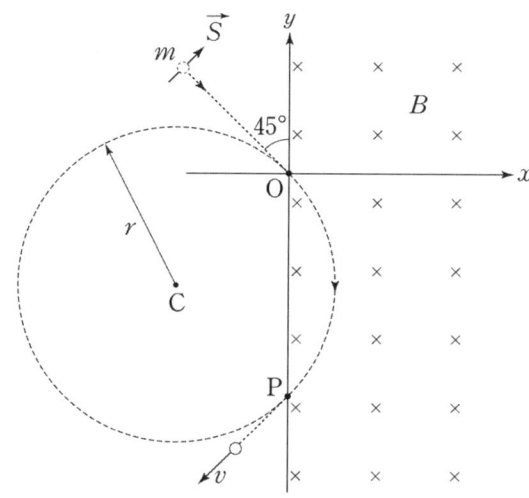

이에 대한 설명으로 옳은 것만을 〈보기〉에서 있는 대로 고른 것은? (단, 원운동에 의한 궤도 각운동량은 무시한다.)

┤ 보기 ├

ㄱ. r는 $\dfrac{mv}{\sqrt{2}\,eB}$ 이다.

ㄴ. 전자가 자기장 내의 원 궤도에 머무르는 시간은 $\dfrac{\pi m}{2eB}$ 이다.

ㄷ. 자기장 영역에서 $\vec{S}$는 x축을 중심으로 세차운동한다.

① ㄱ   ② ㄴ

③ ㄱ, ㄴ   ④ ㄱ, ㄷ

⑤ ㄴ, ㄷ

2019-A12

68 스핀 양자수가 각각 $\frac{1}{2}$인 구별 가능한 입자 2개로 이루어진 계의 해밀토니언은 다음과 같다.

$$\hat{H} = \alpha \vec{S_1} \cdot \vec{S_2}$$

$\vec{S_1}, \vec{S_2}$는 각 입자의 스핀 각운동량 연산자이고, α는 양의 상수이다. 계의 에너지를 측정했을 때 측정 가능한 에너지값은 E_a와 E_b이고, $E_a < E_b$이다. E_a와 E_b를 구하시오. 또한 E_b 갖는 상태의 총 스핀 양자수 s를 구하고, E_b의 축퇴도(degeneracy) g_b를 구하시오.

2018-A12

69 스핀 $\frac{1}{2}$인 입자가 균일한 자기장 $\vec{B} = B_0 \hat{z}$에 놓여 있고, 이 입자의 스핀 상태는

$$\chi(t) = \begin{cases} \cos\dfrac{\alpha}{2} \, e^{-i\gamma B_0 t} \\[2mm] \sin\dfrac{\alpha}{2} \, e^{i\gamma B_0 t} \end{cases}$$

이다. α와 γ는 상수이다. 입자는 $t=0$에서 S_x의 고유값이 $\frac{\hbar}{2}$인 고유상태에 있다. $t=0$일 때 S_x의 고유상태와 α를 구하고, $t \neq 0$인 경우 S_x의 고유값이 $\frac{\hbar}{2}$가 될 확률과 $\langle S_z \rangle$를 구하시오. (단, $S_x = \dfrac{\hbar}{2}\begin{pmatrix} 0 & 1 \\ 1 & 0 \end{pmatrix}$, $S_z = \dfrac{\hbar}{2}\begin{pmatrix} 1 & 0 \\ 0 & -1 \end{pmatrix}$이고, B_0은 상수이다.)

2017-A14

70 스핀 각운동량 $\frac{\hbar}{2}$ 인 전자 한 개가 다음과 같은 규격화된 양자 상태에 있다.

$$\psi = \frac{1}{\sqrt{14}} \begin{pmatrix} 2 \\ 1-3i \end{pmatrix}$$

연산자 S_y 의 고윳값 $+\frac{\hbar}{2}$, $-\frac{\hbar}{2}$ 에 대한 고유함수 $\chi_+ = \frac{1}{\sqrt{2}} \begin{pmatrix} 1 \\ i \end{pmatrix}$, $\chi_- = \frac{1}{\sqrt{2}} \begin{pmatrix} 1 \\ -i \end{pmatrix}$ 를 이용하여 S_y 의 측정값이 $\frac{\hbar}{2}$ 일 확률 P_+ 와 $-\frac{\hbar}{2}$ 일 확률 P_- 를 구하고, P_+ 와 P_- 값을 이용하여 이 전자에 대한 연산자 S_y 의 기댓값 $\langle S_y \rangle$ 를 풀이 과정과 함께 구하시오.

2024-B07

71 스핀 $\frac{1}{2}$ 인 입자의 스핀 상태가 다음과 같은 스피너로 주어져 있다.

$$X = \frac{1}{5} \begin{pmatrix} -3i \\ 4 \end{pmatrix}$$

〈자료〉를 이용하여 S^2 과 $[S_y, S_z]$ 의 기댓값을 각각 구하고, S_x 의 측정값이 $\frac{\hbar}{2}$ 일 확률을 풀이 과정과 함께 구하시오. (단, $\hbar$ 는 플랑크 상수이다.)

┤ 자료 ├
- 두 연산자 A, B의 교환 관계식은 $[A, B] = AB - BA$ 이다.
- 스핀 연산자 $\vec{S} = (S_x, S_y, S_z)$ 에 대해 $S_x = \frac{\hbar}{2} \begin{pmatrix} 0 & 1 \\ 1 & 0 \end{pmatrix}$, $S_y = \frac{\hbar}{2} \begin{pmatrix} 0 & -i \\ i & 0 \end{pmatrix}$, $S_z = \frac{\hbar}{2} \begin{pmatrix} 1 & 0 \\ 0 & -1 \end{pmatrix}$ 이다.
- $S^2 = S_x^2 + S_y^2 + S_z^2$ 이다.

2016-A06

72 스핀이 $\frac{1}{2}$ 인 동일한 두 페르미온 입자로 이루어진 계의 스핀 부분 해밀토니안은 $H_s = -\alpha(\vec{S}_1 + \vec{S}_2) \cdot \vec{B}$ 이다. $\vec{S}_i(i=1, 2)$ 는 입자 i 의 스핀 연산자이고, 자기장은 $\vec{B} = B_0 \hat{z}$ 이다. 두 입자 계의 파동 함수를 $|\psi\rangle = \phi(\vec{r}_1, \vec{r}_2)|\chi\rangle$ 라 할 때 $\phi(\vec{r}_1, \vec{r}_2)$ 는 공간 좌표의 고유함수로 $\phi(\vec{r}_1, \vec{r}_2) = \phi(\vec{r}_2, \vec{r}_1)$ 을 만족하며, $|\chi\rangle$ 는 H_s 의 규격화된 스핀 고유벡터이고 고윳값은 E_s 이다. $|\chi\rangle$ 와 E_s 를 각각 구하시오. (단, α 와 B_0 은 양의 상수이다. $|\chi\rangle$ 는 $|m_1\rangle|m_2\rangle$ 의 선형 결합으로 나타내는데 각 입자의 스핀 상태벡터 $|m_i\rangle$ 는 $S_{iz}|m_i\rangle = \hbar m_i|m_i\rangle$ 를 만족하고 m_i 는 $\frac{1}{2}$ 또는 $-\frac{1}{2}$ 이다.)

2014-A08

73 중심력장에서 운동하는 스핀 양자수 $s = 1$, 궤도 각운동량 양자수 $l = 2$인 입자의 스핀-궤도 결합에 의한 해밀토니안은

$$H_{SO} = C \frac{\vec{L} \cdot \vec{S}}{\hbar^2}$$

이며, C는 에너지 차원을 갖는 물리량이다. H_{SO}는

$$H_{SO} \,|\, jm_j ls \,\rangle = \alpha C \,|\, jm_j ls \,\rangle$$

를 만족하고, j는 총 각운동량($\vec{J} = \vec{L} + \vec{S}$) 양자수, m_j는 자기 양자수이다. j가 최솟값을 갖는 경우, α를 구하시오.

2026-B11

74 스핀 $\dfrac{1}{2}$인 입자의 스핀-궤도 결합에 의한 해밀토니언 $H = \beta \vec{L} \cdot \vec{S}$이다. $\vec{L}$과 $\vec{S}$는 각각 궤도 각운동량 및 스핀 각운동량 연산자이고, β는 양의 상수이다. 고유함수 $|\,j, m_j\,\rangle$는 H에 대한 고윳값 방정식 $H|\,j, m_j\,\rangle = \lambda |\,j, m_j\,\rangle$을 만족한다. $j = l \pm s$는 총 각운동량 양자수이고, l과 s는 각각 각운동량 및 스핀 양자수, m_j는 총 자기 양자수이다. $l = 2$일 때, H의 두 고윳값 λ_1, $\lambda_2 (\lambda_1 < \lambda_2)$를 풀이 과정과 함께 구하고, λ_1의 겹침(degeneracy) g를 구하시오. (단, $\hbar = \dfrac{h}{2\pi}$이고, h는 플랑크 상수이다.)

┤ 자료 ├

• 총 각운동량 연산자 $\vec{J} = \vec{L} + \vec{S}$이고, $\vec{L} \cdot \vec{S} = \dfrac{1}{2}(J^2 - L^2 - S^2)$이다.

• 고유상태 $|\,\alpha, m_\alpha\,\rangle$는 각운동량 연산자 $\vec{A}$의 A^2에 대해 다음 고윳값 방정식을 만족한다.

$A^2 |\,\alpha, m_\alpha\,\rangle = \alpha(\alpha+1)\hbar^2 |\,\alpha, m_\alpha\,\rangle$, α는 각운동량 양자수, m_α는 자기 양자수이며, $m_\alpha = -\alpha$, $-\alpha+1, \cdots, \alpha-1, \alpha$이다.

75 2021-A03

그림과 같이 xy-평면에서 반지름이 일정한 원 궤도를 따라 운동하는 입자의 규격화된 파동 함수는 $\psi(\phi) = \sqrt{\dfrac{4}{3\pi}}\,\sin^2\phi$이다.

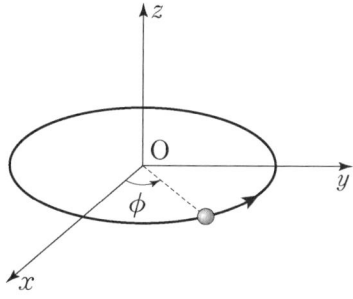

입자의 각운동량 z성분 L_z를 측정했을 때, 0과 $-2\hbar$가 나올 확률을 각각 구하시오.

┤ 자료 ├
- L_z의 규격화된 고유함수는 $\psi_m(\phi) = \dfrac{1}{\sqrt{2\pi}}\,e^{im\phi}$이고, $m = 0,\ \pm 1,\ \pm 2,\ \cdots$이다.
- $e^{\pm i\phi} = \cos\phi \pm i\sin\phi$

76 2021-B08

질량이 m으로 서로 같고, 상호작용하지 않는 두 개의 동일한 입자가 다음과 같은 1차원 무한 퍼텐셜 $V(x)$ 안에 놓여 있다.

$$V(x) = \begin{cases} 0 & ,\ 0 \le x \le a \\ \infty & ,\ x < 0,\ x > a \end{cases}$$

입자가 보손(boson)인 경우, 이 계의 첫 번째 들뜬상태와 바닥상태의 에너지 차를 풀이 과정과 함께 구하시오. 또한 입자가 스핀 $\dfrac{1}{2}$인 페르미온(fermion)인 경우, 스핀 삼중항(triplet) 상태에 있는 계의 가장 낮은 에너지와 이때의 공간 파동 함수 $\psi(x_1,\ x_2)$를 각각 쓰시오.

┤ 자료 ├
폭이 $a(0 \le x \le a)$인 1차원 무한 퍼텐셜에 놓인 질량 m인 입자 하나의 공간 파동 함수는 $\psi_n(x) = \sqrt{\dfrac{2}{a}}\,\sin\left(\dfrac{n\pi}{a}x\right)$, 에너지는 $E_n = \dfrac{\hbar^2\pi^2}{2ma^2}n^2$ 이고, $n = 1,\ 2,\ 3,\ \cdots$이다.

Chapter 10

2022-A03

77 수소 원자의 전자가 궤도 각운동량이 $l = 2$인 상태에 있고 외부 자기장이 없을 때 전자의 에너지는 E_0 이다. 이 원자가 일정한 자기장 $\vec{B} = B_0\hat{z}$ 내에 놓여 있을 때 전자가 가질 수 있는 가장 큰 에너지 $E_{\max}$와 가장 작은 에너지 $E_{\min}$을 각각 구하시오. (단, 전자의 스핀과 핵의 자기모멘트에 의한 영향은 고려하지 않으며, 해밀토니언의 B_0^2 항은 무시한다. 수소 원자에서 전자의 환산 질량은 전자의 질량과 같다고 가정한다.)

┤ 자료 ├

$$H_1 = -\vec{\mu} \cdot \vec{B}, \quad \vec{\mu} = -\frac{e}{2m}\vec{L}$$

H_1은 자기장에 의한 해밀토니언, $\vec{\mu}$는 전자의 자기모멘트, $\vec{L}$은 궤도 각운동량, m은 전자의 질량, e 는 전자 전하의 절댓값이다.

2022-A10

78 그림 (가)는 환자가 MRI(자기 공명 영상) 장치 안에 누워 있는 것을 모식적으로 나타낸 것이고, 그림 (나)는 수소 원자핵 하나가 균일한 자기장 $\vec{B} = B_0\hat{z}$에 놓여 있을 때, 수소 원자핵의 양자 상태를 나타낸 것이다. ΔE는 두 양자 상태의 에너지 차이이고, $\vec{\mu}$는 핵의 자기모멘트이다. 특정 진동수 f로 진동하는 자기장을 z방향에 대해 수직으로 원자핵에 가하면 자기 공명 현상이 일어난다.

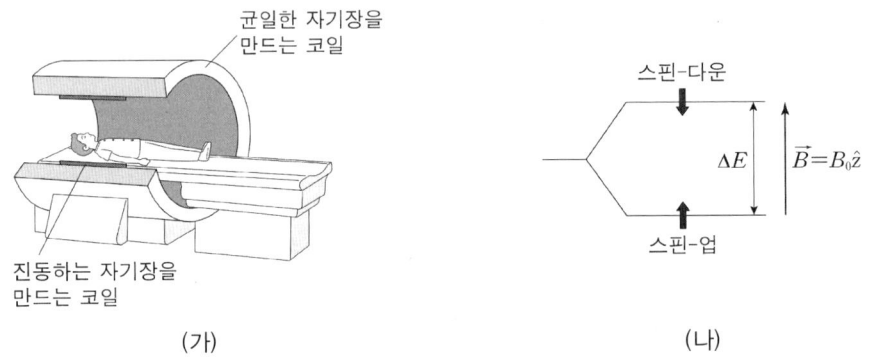

(가)   (나)

f를 풀이 과정과 함께 μ_z($\vec{\mu}$의 z성분), B_0, h로 구하시오. 〈자료〉를 이용하여 z방향으로 1.0T의 균일한 자기장에 놓인 수소 원자핵의 공명진동수를 구하시오. 또한 진동수 8.8×10^{18} Hz인 광자를 사용하는 다른 의료 영상 장비에서의 광자의 에너지 E가 ΔE의 몇 배인지 구하시오. (단, h는 플랑크 상수이다.)

┤ 자료 ├

$$h \simeq 4.0 \times 10^{-15} \text{eV} \cdot \text{s}$$

$$\mu_z \simeq 8.8 \times 10^{-8} \text{eV/T}$$

79

2025-A10

그림과 같이 입자발생장치에서 나온 스핀 $\frac{1}{2}$인 입자 두 개의 스핀여과장치 A와 B를 연속으로 통과한다.

A, B는 각각 z축, x축과 나란한 방향의 스핀 성분을 측정하고, 스핀이 각각 $+z$방향, $+x$방향인 입자가 통과시킨다.

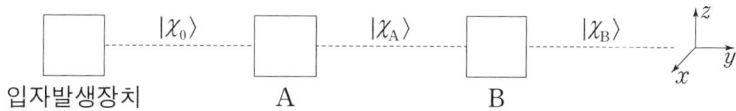

입자발생장치　　　　　A　　　　　B

입자발생장치에서 초기 상태가 $|\chi_0\rangle = \dfrac{1}{\sqrt{2}}\begin{pmatrix} 1 \\ i \end{pmatrix}$인 입자 N개 방출될 때, A를 통과한 규격화된 스핀 고유벡터 $|\chi_A\rangle$를 쓰고, B를 통과한 입자의 스핀 고유벡터 $|\chi_B\rangle$를 풀이 과정과 함께 구하시오. 또한 B를 통과한 입자의 개수를 구하시오. (단, N은 충분히 크다.)

――| 자료 |――

S_z의 두 고유상태를 기저로 하였을 때 스핀 연산자

$\vec{S} = (S_x,\ S_y,\ S_z)$의 행렬 표현

$S_x = \dfrac{\hbar}{2}\begin{pmatrix} 0 & 1 \\ 1 & 0 \end{pmatrix}$, $S_y = \dfrac{\hbar}{2}\begin{pmatrix} 0 & -i \\ i & 0 \end{pmatrix}$, $S_z = \dfrac{\hbar}{2}\begin{pmatrix} 1 & 0 \\ 0 & -1 \end{pmatrix}$

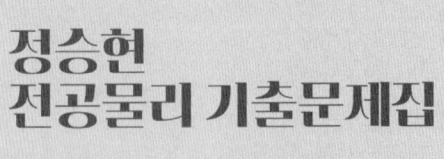

정승헌
전공물리 기출문제집

Physics

CHAPTER

11

현대물리

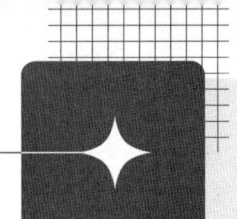

핵심 이론정리

1 특수 상대론

로렌츠 인자 $\gamma = \dfrac{1}{\sqrt{1 - \left(\dfrac{v}{c}\right)^2}}$ 로렌츠 변환 $= \begin{cases} x' = \gamma(x - vt) \\ t' = \gamma(t - vx/c^2) \end{cases}$

상대속도 $\vec{v}_{상대} = \dfrac{\vec{v}_{대상} - \vec{v}_{관측}}{1 - \vec{v}_{대상}\vec{v}_{관측}/c^2}$ 시간 팽창 $t = \gamma t_0$ 길이 수축 $L = \dfrac{L_0}{\gamma}$

상대론적 질량 $m = \gamma m_0$; $m_0 =$ 정지질량, 상대론적 운동량 $p = \gamma m_0 v$

상대론적 에너지(E) 및 운동 에너지(K) 관계식 $E = K + m_0 c^2 = \gamma m_0 c^2$

상대론적 에너지(E) 및 운동량(p) 관계식 $E^2 = (pc)^2 + (m_0 c^2)^2$

상대론적 도플러 효과 $f = f_0 \sqrt{\dfrac{c - v}{c + v}}$

2 물질파 이론

물질 파동 방정식 $i\hbar \dfrac{\partial \phi}{\partial t} = -\dfrac{\hbar^2}{2m} \dfrac{\partial^2 \phi}{\partial x^2}$ (물질파 파동 방정식)

드브로이 물질파 $p = mv = \dfrac{h}{\lambda}$

물질파의 군속력(v_g) 및 위상 속력(v_p) $v_g = \dfrac{d\omega}{dk}$, $v_p = \dfrac{\omega}{k}$

3 광전 효과

빛의 입자성을 증명한 최초의 실험

전자의 최대 운동 에너지 $E_k = hf - W$; 금속의 일함수$= W$, $hf =$ 광자 한 개의 에너지

4 컴프턴 효과

$$\Delta\lambda = \lambda' - \lambda = \frac{h}{m_e c}(1 - \cos\phi) \; ; \; \Delta\lambda = X선은 \; 파장변화, \; m_e = 전자의 \; 질량, \; \phi = X선의 \; 산란각$$

5 반도체

(1) P형 반도체

실리콘(Si)나 게르마늄(Ge)에 최외각 전자가 3가인 B, Ga, In을 주입시켜 정공이 다수캐리어

(2) N형 반도체

최외각 전자가 5가인 As, P를 주입시켜 다수캐리어가 전자

6 홀 효과

(1) 반도체의 다수 전하 운반자 확인

로렌츠 힘을 이용하여 홀 전압의 부호로 결정

(2) 다수 전하 운반자의 유동 속력

반도체 속력을 결정하는 v_d를 전기력과 자기력의 평형으로 확인

(3) 다수 전하 운반자의 밀도

양공과 전자의 도핑 밀도 n을 홀 전압과 v_d를 이용하여 측정

7 레이저

(1) 에너지 준위에서 외부의 빛에 의해 유도방출을 통해 빛을 결맞음(위상 동일) 상태로 방출시키는 원리

(2) 빛이 결맞음 상태이므로 증폭과 직진성이 뛰어남

8 X선 및 전자의 회절

브래그 회절 $2d\sin\theta = n\lambda$

9 방사성 붕괴

붕괴상수 λ : 단위 시간당 평균 붕괴 확률

붕괴율 R : 단위 시간당 평균 붕괴 입자수 $R = \left| \dfrac{dN}{dt} \right|$

붕괴식 : $N = N_0 e^{-\lambda t} = N_0 \left(\dfrac{1}{2} \right)^{t/T}$

반감기 : $T = \dfrac{\ln 2}{\lambda}$

10 표준 모형

자연계에 존재하는 힘과 물질을 구성하는 입자를 설명하는 물리학을 표준 모형이라 한다. 물리학자들은 세계는 무엇으로 이루어져 있으며, 서로 간에 어떻게 결합이 되어 있는지에 대해 설명하는 표준 모형(The Standard Model)이라고 불리는 이론을 발명하였다. 그것은 간단하며, 포괄적인 이론이다. 또한 이 이론은 수많은 입자들과 복잡한 상호작용들을 설명한다.

즉, 세상을 이루는 근원적인 것들은 다음과 같다.

⑴ 6개의 쿼크(quarks)

물질을 구성하는 기본 입자

⑵ 6개의 경입자(leptons)

전자, 뮤온, 타우 입자 3종류와 각각에 해당하는 중성미자 3종류

⑶ 4개의 매개 입자

힘을 매개 하는 입자로 글루온, 광자, W, Z 보손, 중력자가 존재한다.

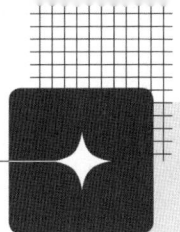

핵심 기출문제

◐ 정답 및 해설 150~164쪽

1 특수 상대론

01 *2004-16*

실험실에서 정지 상태에 있는 질량 m_0인 입자의 반감기는 T_0이다. 만약 이 입자가 등속으로 움직여 드브로이 파장이 λ가 되었을 때, 실험실에서 측정한 반감기 T를 T_0, m_0, λ, h(플랑크 상수)로 나타내시오. 풀이 과정을 쓰시오. (단, 상대론적 효과를 고려할 것)

02 *2006-16*

정지한 관측자가 어떤 입자를 관측하였더니 속력이 $0.6c$, 평균 수명이 $2.75\mu s$, 질량이 $132.1\,\mathrm{MeV}/c^2$으로 관측되었다. 이 입자의 정지 관성계에서의 평균 수명과 정지 질량을 각각 μs와 MeV/c^2의 단위로 구하시오. (단, c는 광속도이다.)

1) 평균 수명 :

2) 정지 질량 :

03 *2008-20*

그림과 같이 두 우주선 A, B가 관성좌표계 S에 대해서 각각 $0.5c$의 속력으로 일직선상에서 서로 반대 방향으로 접근하고 있다.

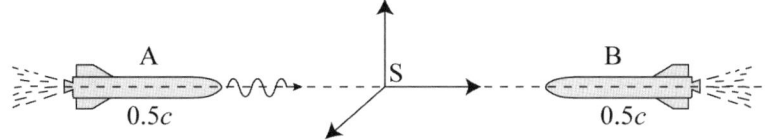

B에서 측정한 A의 속력을 구하고, A에서 B로 진동수 f_0의 빛을 보낼 때, B에서 측정한 빛의 진동수를 구하시오. (단, c는 빛의 속력이다.)

1) B에서 측정한 A의 속력 :

2) B에서 측정한 빛의 진동수 :

04 2010-14
정지질량이 m_0인 물체의 속력에 따라 물체의 총 에너지 E와 운동 에너지 KE를 개략적으로 나타낸 그 래프 중에서 가장 적절한 것은? (단, c는 빛의 속력이고, 실선 그래프는 총 에너지, 점선 그래프는 운동 에너지를 나타낸다.)

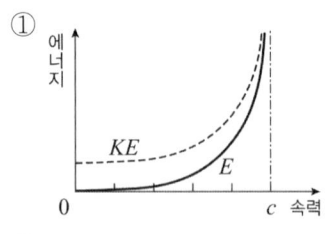
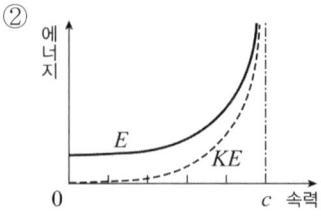
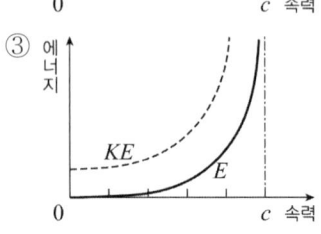
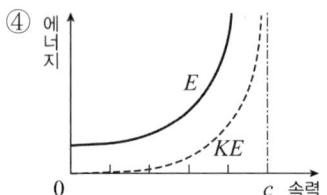
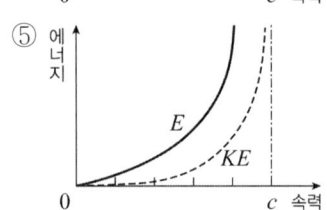

05 2012-40
정지질량 에너지가 각각 E_0과 $3E_0$인 두 자유입자 A와 B가 있다. A와 B의 총 에너지는 각각 $2E_0$과 $4E_0$이다. B의 물리량이 A의 물리량보다 큰 것만을 〈보기〉에서 있는 대로 고른 것은? (단, 로렌츠 인자 $\gamma = \dfrac{1}{\sqrt{1 - v^2/c^2}}$이며, v와 c는 각각 입자와 빛의 속력이다.)

보기
ㄱ. 운동 에너지　　　　ㄴ. 운동량　　　　ㄷ. 로렌츠 인자

① ㄴ　　　　　　　　　　　② ㄷ
③ ㄱ, ㄴ　　　　　　　　　④ ㄱ, ㄷ
⑤ ㄴ, ㄷ

06 2011-24

그림 (가)와 같이 P 지점에 정지해 있는 자동차를 가로등 옆 Q 지점에 정지해 있는 A 가 바라보고 있다. 이때 A 가 관측한 자동차의 안테나 각도는 자동차의 수평인 지붕면에 대해 θ_0 이다. 그림 (나)는 B 가 동일한 자동차를 타고 빛의 속력에 가깝게 등속직선운동하며 P 지점을 지날 때, Q 지점에 정지해 있는 A 가 자동차의 수평인 지붕면에 대한 안테나의 각도를 θ 로 관측하는 것을 나타낸 것이다.

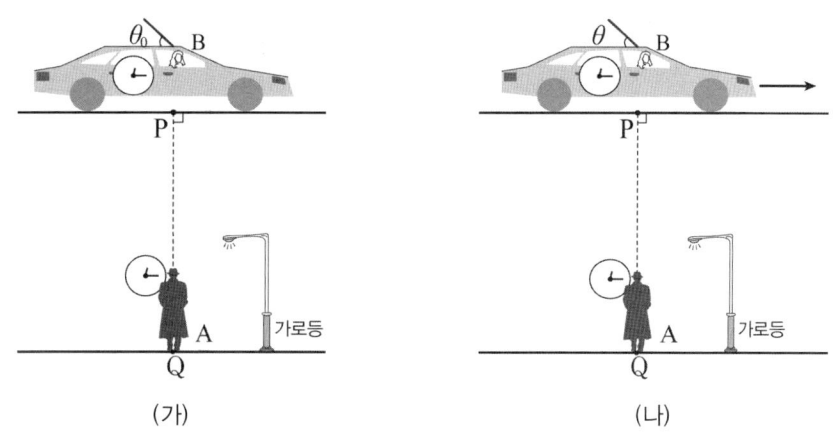

(나)에 대한 설명으로 옳은 것만을 〈보기〉에서 모두 고른 것은? (단, A 와 B 는 동일한 시계를 갖고 있으며, A 의 시선 방향은 자동차의 진행 방향에 수직이고, B 가 관측하는 안테나의 각도는 변하지 않는다.)

┤ 보기 ├
ㄱ. A 와 B 에게 관측되는 가로등 빛의 속력은 다르다.
ㄴ. A 는 B 의 시계가 자신의 시계보다 느리게 가는 것으로 관측한다.
ㄷ. θ 는 θ_0 보다 크다.

① ㄱ   ② ㄴ
③ ㄱ, ㄷ   ④ ㄴ, ㄷ
⑤ ㄱ, ㄴ, ㄷ

2013-37

07 관성계 S에서 정지질량 m_0인 입자가 x축 방향으로 속력 $v_x = \dfrac{4}{5}c$로 운동한다. S에 대하여 x축 방향으로 속력 $V_x = \dfrac{1}{2}c$로 움직이는 계에서 이 입자를 관찰할 때, 입자의 총 에너지는? (단, c는 빛의 속력이다.)

① $\dfrac{1}{\sqrt{2}}m_0c^2$ 　　　　　　　　② $\dfrac{\sqrt{3}}{2}m_0c^2$

③ m_0c^2 　　　　　　　　　　　　④ $\dfrac{2}{\sqrt{3}}m_0c^2$

⑤ $2m_0c^2$

2019-B05

08 그림과 같이 관성계 S'은 관성계 S에 대해 x축 방향으로 $v = \dfrac{c}{2}$의 속력으로 운동한다. 고유 길이 L_0인 막대는 S에 대해 x축 방향으로 $u_x = \dfrac{3c}{4}$의 속력으로 운동한다. S'에서 측정한 막대 속도의 x성분은 $u_{x'}$이고, 막대의 길이는 $L_{s'}$이다.

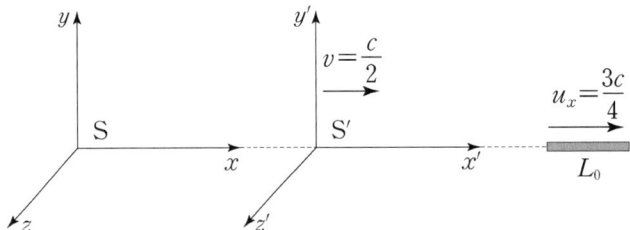

〈자료〉를 참고하여 $u_{x'}$과 $L_{s'}$을 각각 풀이 과정과 함께 구하시오. (단, c는 진공에서 빛의 속력이다.)

┌─┤ 자료 ├─
관성계 S'이 관성계 S에 대하여 x축을 따라 속력 v로 운동하며, $t = t' = 0$일 때 두 관성계의 원점이 일치한다. 이 경우는 어떤 사건의 S에서의 좌표는 (t, x, y, z)이고, S'에서의 좌표는 (t', x', y', z')일 때, 두 좌표 사이의 로렌츠 변환식은 다음과 같다.

$$x' = \dfrac{x - vt}{\sqrt{1 - v^2/c^2}}, \ y' = y, \ z' = z, \ t' = \dfrac{t - vx/c^2}{\sqrt{1 - v^2/c^2}}$$

2017-A08

09 그림은 정지 질량이 m_0이고, 한 변의 고유 길이가 d_0인 수직으로 세워진 정사각형 판이 정지한 관측자 앞을 v의 속력으로 지나가는 것을 나타낸 것이다.

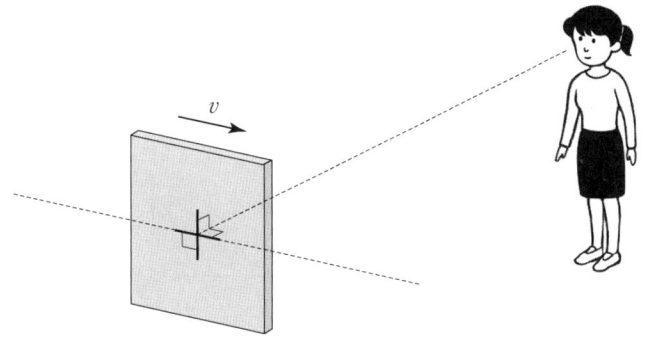

$v = \dfrac{\sqrt{3}}{2}c$일 때, 관측자가 측정한 판의 면적과 운동 에너지를 각각 구하시오. (단, c는 광속이다.)

2016-B04

10 그림은 실험실 좌표계에서 볼 때 정지질량 m인 입자 A가 속력 $\dfrac{2\sqrt{6}}{5}c$로 정지해 있는 정지질량 m인 입자 B와 충돌하여 새로운 정지질량 M인 입자 C가 생성되어 움직이는 모습을 나타낸 것이다. C가 생성된 후 소멸할 때까지 실험실 좌표계에서 측정한 C의 수명은 τ_{lab}이고 C와 함께 움직이는 좌표계에서 측정한 수명은 τ_0이다. 충돌 전후에 상대론적 총에너지와 상대론적 운동량은 보존된다.

$\dfrac{M}{m}$과 $\dfrac{\tau_{lab}}{\tau_0}$을 풀이 과정과 함께 구하시오. (단, 실험실 좌표계는 관측자가 실험 장치와 함께 정지 상태에 있도록 잡은 좌표계이다. 로렌츠 인자가 γ일 때, 상대론적 총에너지는 $E = \gamma mc^2$이고, 상대론적 운동량은 $p = \gamma mv$이다. c는 빛의 속력이다.)

2014-A14

11 그림은 우주선과 관성계 B가 관성계 A에 대해서 x축 방향과 나란하게 각각 $0.8c$와 $0.5c$의 속력(c는 광속)으로 운동하는 것을 나타낸 것이다.

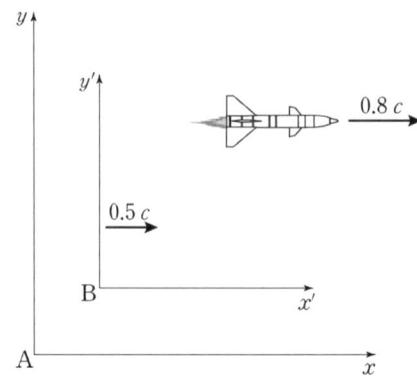

우주선의 고유 길이가 L_0일 때, B에서 측정된 우주선의 길이를 구하시오.

2021-A10

12 그림은 관성계 A에 대해 속력 $v = \dfrac{3}{5}c$로 x축을 따라 운동하는 우주선과, 이 우주선에 대해 속력 $u = \dfrac{\sqrt{3}}{2}c$로 y'축을 따라 운동하는 물체 B를 나타낸 것이다. (x, y, t)와 (x', y', t')는 각각 A와 우주선의 좌표계이고, B의 정지질량은 m이다.

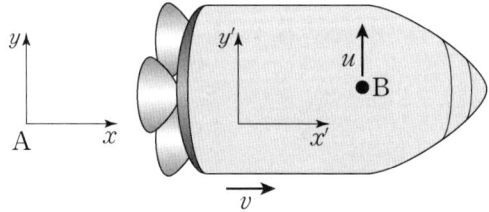

A에서 측정한 B의 속도의 y성분과 B의 속력을 각각 구하시오. 또한 A에서 측정한 B의 상대론적 운동 에너지를 K라 할 때, $\dfrac{K}{mc^2}$를 풀이 과정과 함께 구하시오. (단, c는 빛의 속력이다.)

| 자료 |

우주선이 관성계 A에 대해서 $+x$방향으로 속력 v로 등속 운동할 때, 두 좌표계 사이의 로렌츠 변환 식은 다음과 같다.

$$x' = \frac{x - vt}{\sqrt{1 - v^2/c^2}}, \; y' = y, \; t' = \frac{t - vx/c^2}{\sqrt{1 - v^2/c^2}}$$

2023-A10

13 그림과 같이 관성계 S에서, 정지해 있던 물체 A가 에너지 $\frac{\epsilon}{2}$인 광자 2개를 각각 $+x$방향과 $-x$방향으로 방출하면서 물체 B가 되는 사건이 관측되었다. 이 사건을 S에 대해 $+x$방향으로 속력 $v = 0.6c$로 등속 운동하는 관성계 S'에서 관측한다. S, S'에서 측정한 두 광자의 에너지의 합은 E_S, $E_{S'}$이며, S'에서 측정한 A, B의 상대론적 운동 에너지는 각각 K_A', K_B'이다.

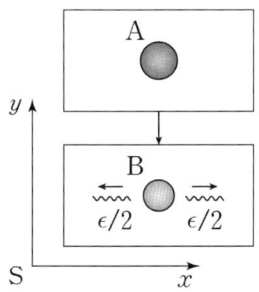

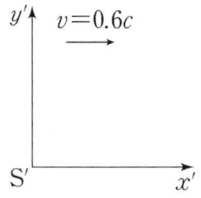

〈자료〉를 참고하여 E_S와 $E_{S'}$를 각각 ϵ으로 나타내시오. 또한 $K_A' - K_B'$을 풀이 과정과 함께 ϵ으로 구하시오. (단, c는 빛의 속력이다.)

┤ 자료 ├

• 상대론적 도플러 효과: 광원에서 관찰자를 향해 방출되는 광자의 진동수가 f일 때, 광원에 대해 속력 v로 가까워지는 관찰자와 멀어지는 관찰자가 측정하는 진동수는 각각 다음과 같다.

$$f'_+ = f\sqrt{\frac{c+v}{c-v}}, \; f'_- = f\sqrt{\frac{c-v}{c+v}}$$

• 광자의 에너지: 진동수 f인 광자의 에너지는 hf이다. (h는 플랑크 상수이다.)

• A에서 방출된 광자를 S'에서 관측할 때, $-x$방향으로 방출된 광자는 관찰자와 광원이 가까워지는 경우, $+x$방향으로 방출된 광원이 멀어지는 경우에 해당한다.

2024-A08

14 그림과 같이 관성계 A에 대해 관성계 B가 속력 $0.8c$로 x축을 따라 운동하고 있고, 정지질량 m인 입자는 A에 대해 속력 $0.5c$로 x축을 따라 운동하고 있다. A에서 측정한 입자의 운동량을 구하시오. 또한 B에서 측정한 입자의 속력을 풀이 과정과 함께 구하고, 총에너지를 구하시오. (단, c는 빛의 속력이다.)

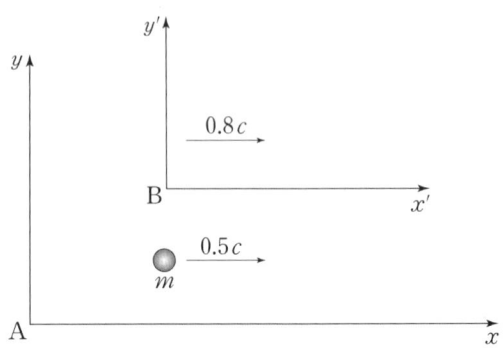

| 자료 |

A에 대해 B가 $+x$방향으로 속력 v로 등속운동 할 때, 두 좌표계 사이의 로렌츠 변환식은 다음과 같다.

$$x' = \frac{x - vt}{\sqrt{1 - v^2/c^2}} , \ t' = \frac{t - vx/c^2}{\sqrt{1 - v^2/c^2}}$$

2025-A04

15 정지질량이 각각 m, $2m$인 두 자유입자 A와 B가 있다. 관성좌표계 S에서 A와 B의 상대론적 총에너지는 각각 $3mc^2$, $4mc^2$이다. A, B의 상대론적 운동량의 크기는 각각 p_A, p_B이다. A와 B는 외력과 상호작용이 없다. S에서 A의 속력 v_A를 c로 나타내고, $\dfrac{p_A}{p_B}$를 구하시오.

(단, c는 빛의 속력이며, $\gamma = \dfrac{1}{\sqrt{1 - (v/c)^2}}$은 로렌츠 인자이다.)

2026-B08

16 그림은 실험실 좌표계에서 볼 때 광자(γ)가 정지해 있는 전자(e^-)와 상호작용하여 생성된 전자(e^-)-양전자(e^+) 쌍이 전자와 함께 같은 방향으로 움직이는 모습을 나타낸 것이다. 생성 후 세 입자의 속력은 v로 모두 같다. 생성 전후의 상대론적 총 에너지와 상대론적 운동량은 각각 보존된다.

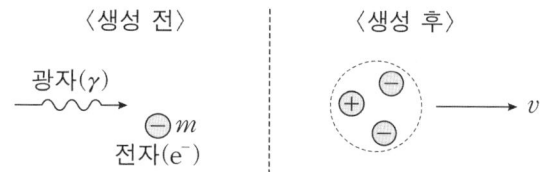

생성 전 광자의 에너지 E_γ를 풀이 과정과 함께 m, c로 나타내시오. 생성 후 세 입자의 총 운동 에너지 E_k를 m, c로 나타내고, v를 c로 나타내시오. (단, m은 전자와 양전자의 정지 질량이고, c는 진공에서 빛의 속력이다.) [4점]

2 물질파 이론

2004-15

17 다음은 전자기파와 물질파에 대한 파동 방정식이다.

$$\frac{\partial^2 \phi}{\partial x^2} = \frac{1}{v^2} \frac{\partial^2 \phi}{\partial t^2} \text{ (전자기파 파동 방정식)}$$

$$i\hbar \frac{\partial \phi}{\partial t} = -\frac{\hbar^2}{2m} \frac{\partial^2 \phi}{\partial x^2} \text{ (물질파 파동 방정식)}$$

$\phi(x, t) = Ae^{i(kx - \omega t)}$가 위 두 방정식의 해가 될 때, 다음 물음에 답하시오.

1) 각각의 경우에 ω와 k 사이의 관계를 구하시오.

2) 각각의 경우에 위상 속도 v_p 및 군 속도 v_g를 구하고, 비교하여 설명하시오.

2007-25

18 가속기 속에서 빛의 속력 c에 가까운 속력 v로 움직이는 양성자의 드브로이 물질파 파장을 λ라 한다. 이 양성자의 운동 에너지와 물질파의 군 속도(group velocity) v_g를 드브로이 파장 λ의 함수로 구하시오.

(단, $E = \sqrt{p^2 c^2 + m^2 c^4} = \dfrac{mc^2}{\sqrt{1 - v^2/c^2}}$ 이고, 양성자의 정지 질량은 m, 플랑크 상수는 h로 한다.)

1) 운동 에너지:

2) 군 속도 v_g:

2022-B01

19 전자 현미경에서는 전위차 V로 정지 상태의 전자를 가속시키는 장치가 이용된다. 가속 장치를 통과한 직후 전자의 운동 에너지 K를 전위차 V와 전자 전하의 절댓값 e로 나타내시오. 전위차 V_0에 의해 가속된 전자의 드브로이 파장은 λ_0이다. 전자 현미경의 분해능을 향상시키기 위해 정지 상태의 전자를 가속시켜 드브로이 파장을 $\dfrac{\lambda_0}{2}$으로 만들었다. 이때 가속 장치에 걸어 준 전위차를 V_0으로 나타내시오. (단, 전자의 운동은 비상대론을 적용한다.)

3 광전 효과

2002-10

20 금속 표면에 빛을 쪼여 표면에서 전자가 나오는 조건을 알아보기 위하여 빛의 파장 λ와 빛의 세기를 변화시켜 가며 실험하였다. 그 결과 실험 조건에 따라 전자가 나오는 경우와 나오지 않는 경우가 있었고, 전자가 나오는 경우에는 조건에 따라 전자의 수가 다르게 나타났다.

1) 전자가 금속 표면에서 나오는 경우는 어떤 경우인지 금속 표면의 일함수 W와 빛의 진동수 ν를 ($\nu = \dfrac{c}{\lambda}$, c는 빛의 속력) 이용하여 설명하시오. 또한 설명을 식으로 표현하시오.

2) 문항 1)에서 전자가 금속 표면에서 나오는 경우, 전자의 개수를 증가시키려면 어떻게 해야 하는가?

3) 문항 1)에서 전자가 금속 표면에서 나오는 경우, 전자의 운동 에너지를 증가시키려면 어떻게 해야 하는가?

2014-A15

21 그림 (가)는 광전효과 실험 장치를 나타낸 것이고, 그림 (나)는 금속판에 광자 한 개의 에너지가 $5.0eV$인 단색광을 비추었을 때 광전관에 걸린 전압에 따른 광전류의 크기를 나타낸 것이다.

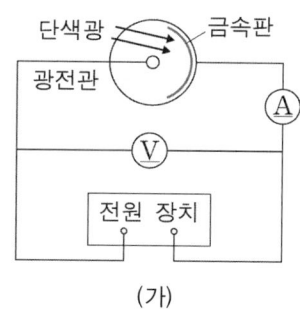

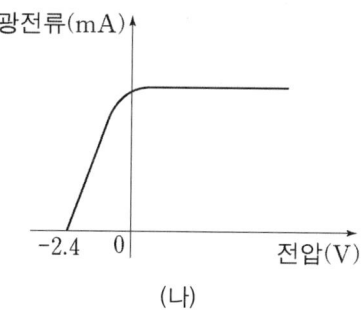

금속판에 광자 한 개의 에너지가 $6.5eV$인 단색광을 비추었을 때 튀어나오는 광전자의 최대 운동 에너지를 구하시오.

4 컴프턴 효과

2002-08

22 컴프턴(Compton) 산란은 아래 그림과 같이 광자와 정지상태의 전자와의 탄성 충돌 현상으로 이해할 수 있다. 광자가 진행 방향에 대하여 $\theta = 90°$로 산란된 경우와 $\theta = 180°$로 산란된 경우에 대하여 광자의 파장 변화를 관측하였다.

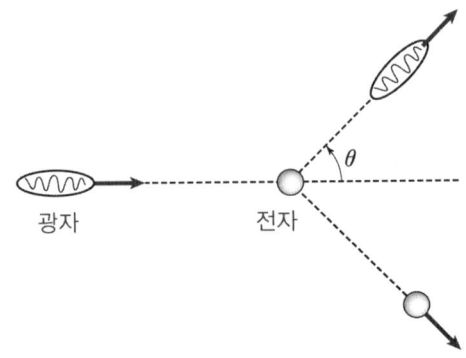

1) 산란 후 광자의 파장이 길어지는지, 짧아지는지 아니면 변화가 없는지를 산란각이 $\theta = 90°$인 경우와 $\theta = 180°$인 경우에 대하여 각각 답하시오.

ⅰ) $\theta = 90°$인 경우 :

ⅱ) $\theta = 180°$인 경우 :

2) 위 1)에서 만약에 광자의 파장 변화가 있다면 두 경우 중 파장의 변화가 더 큰 경우를 쓰시오.

2015-A10

23 그림은 정지질량이 m인 정지 상태의 전자에 의해 광자가 산란되는 모습을 나타낸 것이다. 광자의 산란 전 에너지는 E_0이고, 전자의 정지질량 에너지는 $40E_0$이다. 산란 전후 광자의 파장 변화량은 $\lambda' - \lambda = \dfrac{h}{mc}(1 - \cos\phi)$이다.

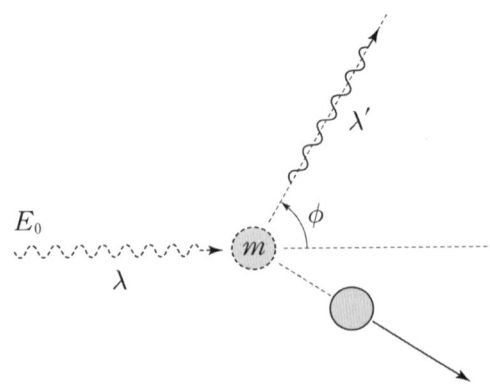

$\phi = 60°$일 때, 충돌 직후 광자의 에너지를 E_0으로 나타내시오.

5 반도체

2009-38

24 그림은 p형 반도체 기판 위에 n형 반도체 및 소스, 게이트, 드레인 전극이 접합된 반도체 소자 MOSFET (metal-oxide-semiconductor field-effect transistor)를 나타낸다.

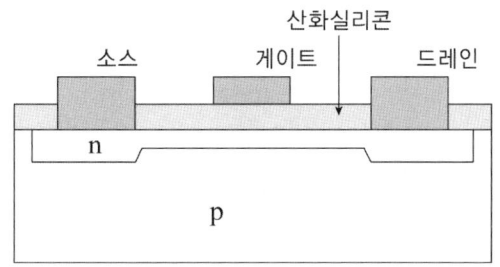

이 소자에 관한 설명으로 옳은 것을 〈보기〉에서 모두 고른 것은?

┤ 보기 ├
ㄱ. 전압 증폭기로 작용한다.
ㄴ. 집적회로 구성이 쉽다.
ㄷ. 낮은 전력 스위치로 이용된다.

① ㄱ   ② ㄱ, ㄴ
③ ㄱ, ㄷ   ④ ㄴ, ㄷ
⑤ ㄱ, ㄴ, ㄷ

2010-32

25 불순물을 주입하여 만든 n-형과 p-형 반도체를 접합하여 제작한 다이오드에는 접합면 양쪽에 전도전자와 정공(hole)이 없어진 공핍층(depletion region)이 생긴다. 다이오드에 대한 설명으로 옳은 것을 〈보기〉에서 모두 고른 것은?

┤ 보기 ├
ㄱ. 주입된 불순물의 밀도에 따라 공핍층의 두께가 달라진다.
ㄴ. 바이어스 전압이 없을 때, 접합면에서 전기장의 방향은 p-형에서 n-형 쪽을 향한다.
ㄷ. 역방향으로 바이어스 전압을 걸면 공핍층이 얇아진다.
ㄹ. 그림과 같은 다이오드 회로에 흐르는 전류는 $\dfrac{V}{R}$이다.

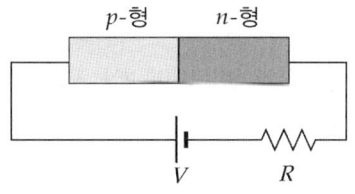

① ㄱ   ② ㄴ
③ ㄱ, ㄷ   ④ ㄴ, ㄹ
⑤ ㄷ, ㄹ

2011-27

26 게르마늄(Ge)에 인(P) 원자를 게르마늄 원자수의 $\dfrac{1}{10^9}$ 만큼 주입했더니 상온에서 게르마늄의 전기전도도가 약 1000배 증가했다. 이 현상과 관련된 설명으로 옳은 것만을 〈보기〉에서 모두 고른 것은?

┤ 보기 ├
ㄱ. 주입된 인 원자의 가전자가 상온에서 여기되어 게르마늄의 전도대(conduction band)로 들어갔다.
ㄴ. 인 주입 때문에 게르마늄의 가전자대(valence band)와 전도대 사이의 에너지 간격이 상온의 열에너지와 같아질 정도로 좁아졌다.
ㄷ. 온도가 올라가면 인이 주입된 게르마늄에서 정공(hole)의 수가 감소한다.

① ㄱ   ② ㄱ, ㄴ
③ ㄱ, ㄷ   ④ ㄴ, ㄷ
⑤ ㄱ, ㄴ, ㄷ

2018-A13

27 그림은 $p-n$ 접합 다이오드, 전지, 스위치로 구성된 회로와 다이오드에 형성된 전기 퍼텐셜을 나타낸 것이다. 전지를 연결하지 않았을 때 $p-n$ 접합면의 공핍층(depletion region)의 폭은 d_0 이고, 공핍층의 전기 퍼텐셜 차이는 V_0 이다.

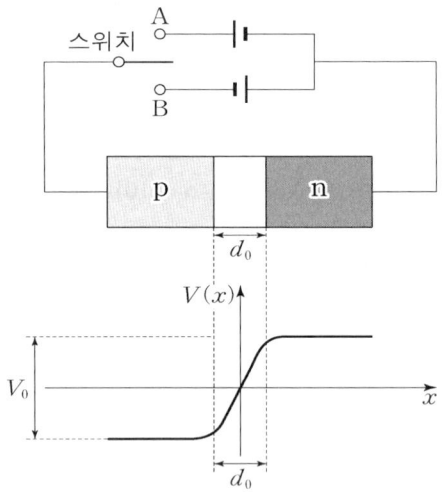

스위치를 전지에 연결하기 전, 공핍층에서의 전기장의 방향을 쓰고, 다이오드에 순방향 전류가 흐르기 위해서 스위치를 A, B 중 어느 단자에 연결해야 하는지를 쓰시오. 또한, 순방향 전류가 흐를 때 공핍층의 전기 퍼텐셜 차이와 폭의 변화를 각각 V_0, d_0 와 비교하여 설명하시오.

2016-A05

28 그림은 절대 온도 0K 에서 어떤 물질의 에너지띠 구조를 나타낸 것이다. 에너지가 $E < 0$ 일 때는 전자가 물질에 속박된 상태를, $E = 0$ 일 때는 전자가 속박 상태를 가까스로 벗어난 상태를 나타낸다.

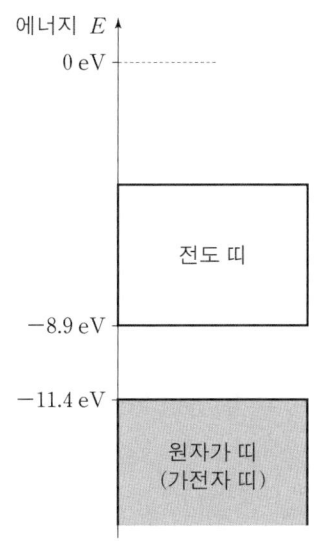

물질이 흡수할 수 있는 빛의 최대 파장 $\lambda_{\text{빛}}$을 구하시오. 또한 15.4 eV 의 에너지를 가진 빛을 비추었을 때 물질로부터 방출된 광전자의 물질파 최소 파장 $\lambda_{\text{물질파}}$를 구하시오. (단, 온도 변화에 따른 에너지띠 변화는 무시한다. 플랑크 상수 h, 빛의 속력은 c, $hc = 1240\,\text{eV·nm}$, 전자의 질량은 $m_e \approx 5 \times 10^5 \text{eV}/c^2$ 이다.)

2021-B02

29 그림은 어떤 형광 분자의 에너지 준위를 모식적으로 나타낸 것이다. 전자는 자외선을 흡수하여 들뜬 상태의 에너지 준위들 중 가장 낮은 준위(E_a)에 쌓인다. 이 전자는 낮은 상태의 에너지 준위들 중 어떤 준위로도 전이할 수 있다.

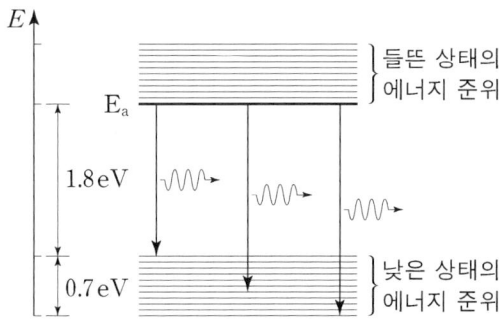

E_a에 쌓여 있던 전자가 낮은 상태의 에너지 준위로 전이할 때 방출하는 빛의 최대 에너지와 이에 해당하는 파장을 각각 구하시오. (단, 플랑크 상수는 h, 빛의 속력은 c, $hc = 1240\text{eV · nm}$이다.)

Chapter
✦
11

6 홀 효과

2007-17

30 그림과 같이 지면에 수직 방향으로 들어가는 균일한 자기장 B가 있다. 이 자기장에 수직으로 놓여 있는 폭 w, 두께 t인 긴 구리판에 전류 I가 오른쪽으로 흐르고 있다.

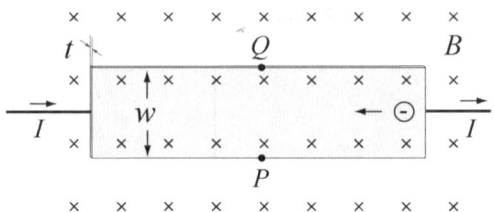

이 구리판의 단위 부피당 전하 운반자(charge carriers) 수를 n, 전하 운반자의 전하량을 $-e\,(e>0)$ 라 한다. 정상 상태에서 두 점 P, Q 중 전위가 높은 곳과 그 이유를 쓰시오. 또한, 두 점 P, Q 사이의 전위차 $\triangle V$를 구하시오.

1) 전위가 높은 곳과 그 이유:

2) 전위차 $\triangle V$:

2020-B09

31 그림 (가)는 홀 효과(Hall effect)를 이용하여 반도체에서 다수 전하 운반자(majority charge carrier)의 종류와 단위 부피당 개수 n을 측정하기 위한 구조를 나타낸 것이다. 반도체는 길이 L, 폭 W, 높이 H 인 직육면체 모양이다. 균일한 자기장 $\vec{B}=B_0\hat{z}$ 내에서 x축 방향으로 전류가 흐르면 반도체 내의 전하 운반자가 y축 방향으로 이동하여 홀 전위차 V_H가 형성된다. 그림 (나)는 V_H가 형성된 후, 반도체 내에 서 전하량이 q인 전하 운반자가 일정한 유동 속력 v_d로 움직이는 정상 상태를 나타낸 것이다. 이때 전류 의 크기는 I이다.

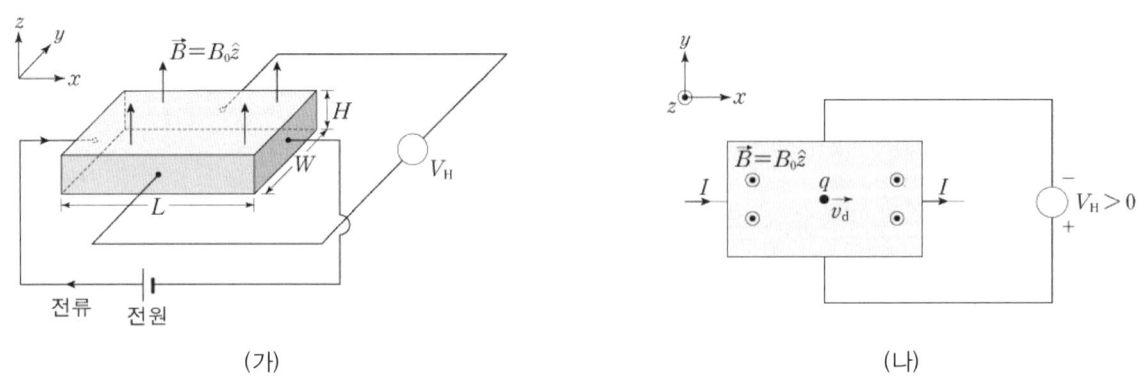

(가) (나)

(나)에서 $V_H>0$인 경우, 이 반도체의 다수 전하 운반자가 무엇인지 쓰고, v_d를 풀이 과정과 함께 구하 시오. 또한 n을 B_0, I, q, H, V_H로 나타내시오. (단, 소수 전하 운반자에 의한 전류는 무시한다.)

7 레이저

2011-37

32 그림은 4준위계 고체 레이저에서 증폭 매질의 원자 에너지 준위 E_0, E_1, E_2, E_3을 나타낸 것이다. 레이저광은 원자 상태가 E_2준위에서 E_1준위로 바뀔 때만 나온다. 원자 상태가 높은 에너지 준위 E_i에서 낮은 에너지 준위 E_j로 바뀔 때, 수명 τ_{ij}는 E_i 준위의 원자수가 초기 원자수의 e^{-1}배가 되는 데 걸리는 시간이다. $(i, j = 0, 1, 2, 3)$

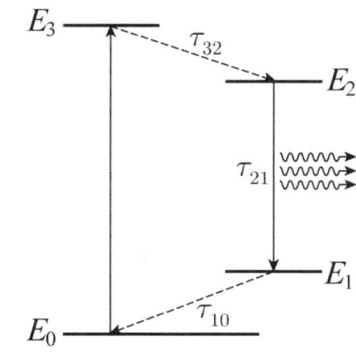

이에 대한 설명으로 옳은 것만을 〈보기〉에서 모두 고른 것은? (단, h는 플랑크 상수이고, 레이저광은 연속적으로 나온다.)

┤ 보기 ├
ㄱ. τ_{32}는 τ_{21}보다 작다.
ㄴ. E_2 준위의 원자수가 E_1 준위의 원자수보다 작다.
ㄷ. 레이저광의 진동수는 $\dfrac{E_2 - E_1}{h}$이다.

① ㄱ   ② ㄷ
③ ㄱ, ㄷ   ④ ㄴ, ㄷ
⑤ ㄱ, ㄴ, ㄷ

8 X선 및 전자의 회절

2006-23

33 그림은 전위차 V로 가속한 전자다발 (electron beam)을 금속 단결정에 조사한 후, 산란되어 나오는 전자다발을 측정하는 실험이다. 전자의 질량을 m, 전하량의 절대값을 e, 플랑크 상수를 h라 할 때, 가속된 전자들의 드브로이(de Broglie) 파장 λ를 구하시오. 또, 입사다발과 산란다발 사이의 검출각을 변화시키며 측정하여 각이 ϕ가 되었을 때 산란되어 나오는 전자의 다발밀도가 뾰족한 극대값을 보였는데, 이는 그림과 같이 결정면들에서 반사되는 드브로이파의 1차 보강 간섭의 결과로 이해할 수 있다. 결정면 사이의 간격 d를 구하시오.

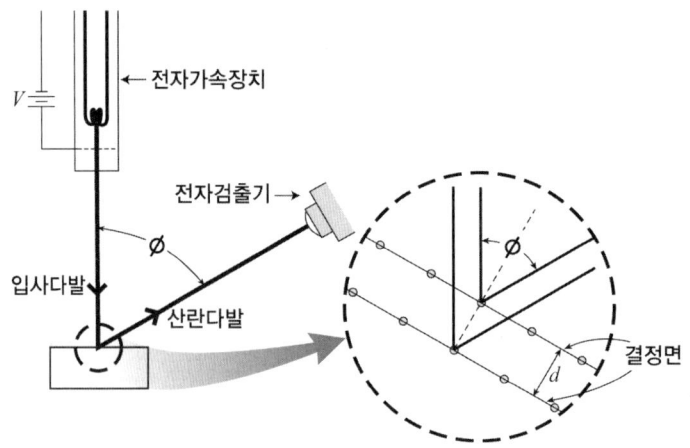

1) 드브로이 파장 λ :

2) 결정면 사이의 간격 d :

2009-30

34 그림 (가)는 콤프턴 산란 실험 장치를 도식화한 것이며, 그림 (나)는 산란각 θ에 장치한 X선 분광기로부터 얻은 측정값을 나타낸 그래프이다.

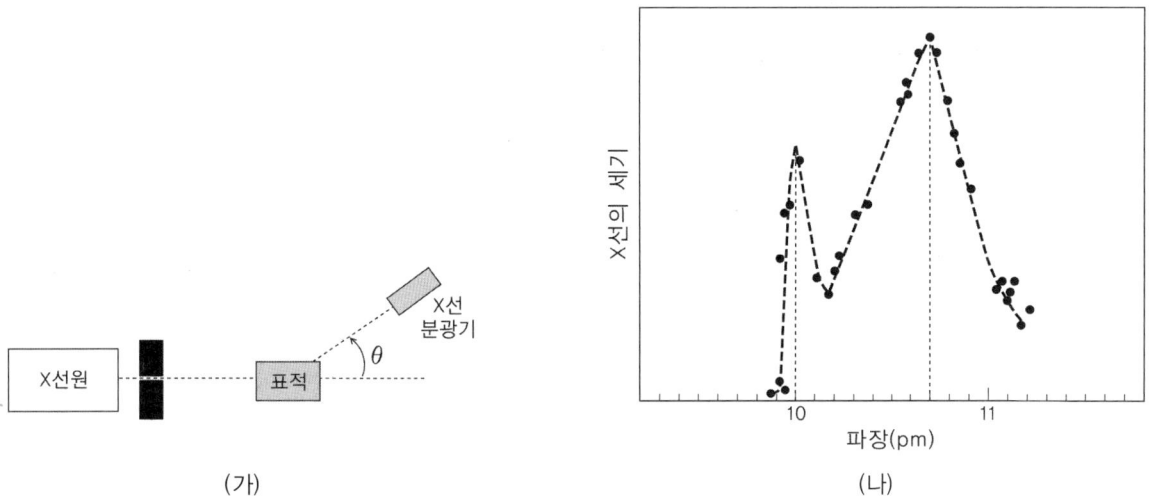

(가) (나)

거의 정지해 있던 전자가 산란각 θ로 X선을 산란시킬 때 전가가 얻은 운동 에너지에 가장 가까운 값은?
(단, $1\text{eV} = 1.6 \times 10^{-19}\text{J}$, $1\text{pm} = 10^{-12}\text{m}$, $h = 6.6 \times 10^{-34}\text{J} \cdot \text{s}$, $c = 3.0 \times 10^{8}\text{m/s}$, $hc = 1240\text{keV} \cdot \text{pm}$ 이다.)

① 10eV   ② 100eV

③ 1keV   ④ 10keV

⑤ 100keV

2012-38

35 그림은 니켈 단결정에 전자 빔을 조사(irradiation)하여 회절된 빔을 측정하는 것을 나타낸 것이다. 전자의 운동 에너지가 $49\,eV$일 때, 회절 각 $\theta = 30°$에서 회절 피크(peak)가 관측되었다. 전자 빔 원을 중성자 빔 원으로 교체하고 중성자 검출기를 사용하여 이전과 동일한 시편을 같은 배치로 놓고 실험을 반복하였더니 회절 각 $\theta = 45°$에서 회절 피크가 관측되었다. 격자면과 입사 빔 사이의 각과 격자면과 회절 빔 사이의 각(회절각)은 θ로 서로 같다.

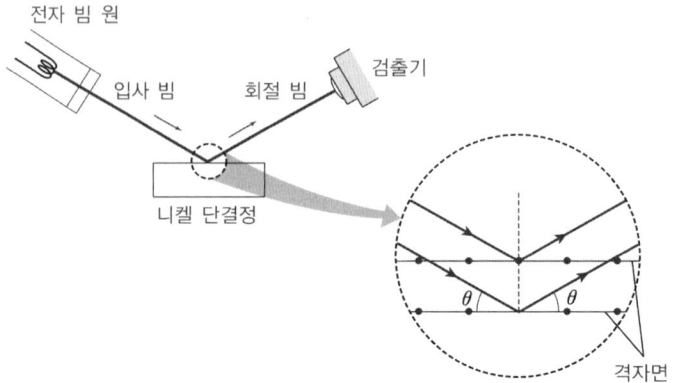

중성자의 운동 에너지에 가장 가까운 것은? (단, 1차 보강 간섭만을 고려하고 중성자의 질량은 전자 질량의 2,000배로 가정한다. 실험 중 전자와 중성자의 에너지는 변하지 않는다.)

① 0.00081eV   ② 0.012eV

③ 0.57eV   ④ 25eV

⑤ 49eV

36 2018-A07

그림은 데이비슨(C. Davisson)과 거머(L. Germer)가 드브로이(de Brogile) 가설을 검증한 실험을 개략적으로 나타낸 것이다. 그림 (가)와 같이 전자빔을 단결정 니켈에 입사시켰을 때, 산란된 전자 개수의 분포가 특정 각도에서 극댓값을 가지게 되면, 이는 니켈의 결정면에서 산란되는 전자빔의 회절 현상으로 설명할 수 있다.

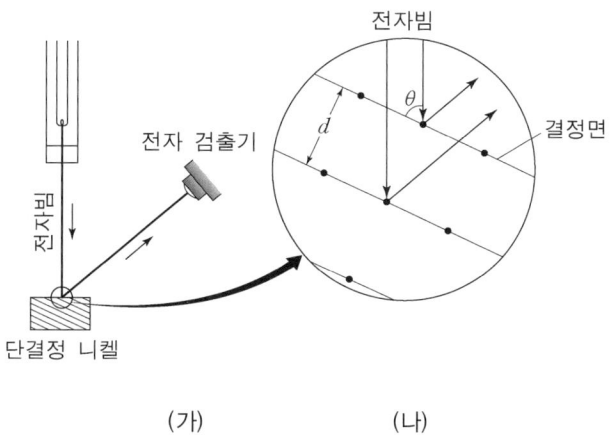

(가)   (나)

그림 (나)와 같이 간격이 d인 니켈의 결정면에 대해 단일 에너지를 가진 전자빔을 각 θ로 입사시켰을 때, 전자의 1차 회절무늬가 뚜렷하게 관측되었다. 이때, 입사된 전자의 파장 λ와 운동 에너지 K를 구하시오. (단, 플랑크 상수는 h, 전자의 정지질량은 m_e이고, 운동 에너지 K는 전자의 정지 질량 에너지에 비해 매우 작다.)

37 2024-A01

그림과 같이 전압 V로 가속한 전자빔을 단결정에 입사시켰을 때, 결정면에서 산란된 전자 개수 분포가 특정 각도 θ에서 1차 회절무늬에 의한 극댓값을 갖는다. 전자의 드브로이 파장 λ를 구하고, 결정면 사이의 간격 d를 θ와 λ로 구하시오. (단, 전자의 전하량은 e, 질량은 m이고, 플랑크 상수는 h이다. 상대론적 효과는 무시한다.)

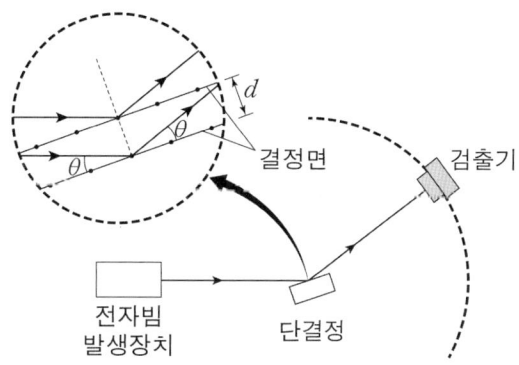

9 방사성 붕괴

2003-07

38 어떤 물질에 방사성 원소가 포함되어 있다. 이 원소의 개수가 원래 개수 N_0의 절반인 $\frac{1}{2}N_0$로 줄어든 순간부터 $\frac{1}{8}N_0$가 될 때까지 20시간이 걸렸다.

1) 이 원소의 반감기를 구하시오.

2) 이 물질의 방사성 원소가 원래 개수 N_0로부터 $\frac{1}{64}N_0$가 될 때까지 걸리는 시간을 구하시오.

2010-26

39 그림은 $^{12}_{5}\text{B}$와 $^{12}_{6}\text{C}$ 핵의 에너지 준위를 나타낸 것이다. 불안정한 $^{12}_{5}\text{B}$ 핵은 과정 (가)를 거쳐 $^{12}_{6}\text{C}$ 핵의 바닥상태가 되거나, 과정 (나)와 같이 $^{12}_{6}\text{C}$ 핵의 들뜬상태인 $^{12}_{6}\text{C}^{*}$로 붕괴한 뒤, 과정 (다)를 통해 $^{12}_{6}\text{C}$ 핵의 바닥상태로 전이한다. 이 붕괴 과정을 1분 동안 관찰했다.

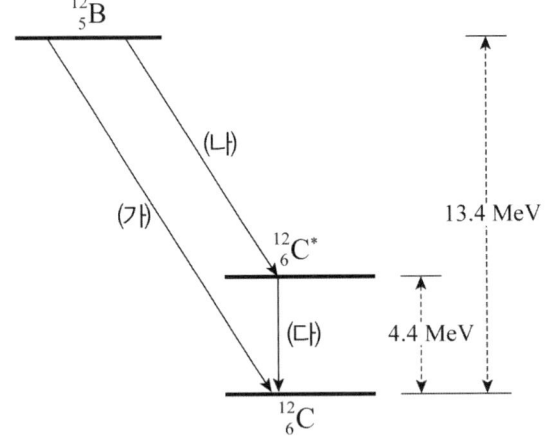

이에 대한 설명으로 옳은 것을 〈보기〉에서 모두 고른 것은?

┌─ 보기 ├───
ㄱ. (가) 과정에서 방출되는 입자는 양전자(e^{+})와 중성미자(ν)이다.
ㄴ. (나) 과정에서 방출되는 전자들의 에너지는 모두 같다.
ㄷ. (다) 과정에서 방출되는 입자는 전하를 띠지 않는다.
──

① ㄱ   ② ㄴ
③ ㄷ   ④ ㄱ, ㄷ
⑤ ㄴ, ㄷ

2025–B02

40 그림은 질량수 A, 원자 번호 Z인 원자핵 X가 Y^*를 거쳐 Y로 붕괴하는 과정을 나타낸 것이다. Y^*는 Y의 들뜬상태이다. E_1은 X와 Y^* 사이의 에너지 간격이고 E_2는 X와 Y 사이의 에너지 간격이다.

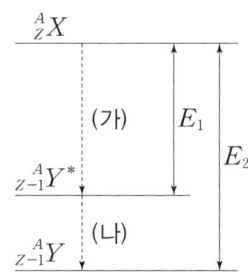

(가)에서 중성미자와 함께 방출되는 입자가 무엇인지 쓰고, (나)에서 방출되는 감마선의 파장 λ를 E_1, E_2, h, c로 구하시오. (단, h는 플랑크 상수이고, c는 빛의 속력이다.)

2010–35

41 그림은 운동하던 한 개의 중성 파이온(π^0)이 두 γ선들로만 붕괴되는 과정을 나타낸 것이다. 두 γ선들이 중성 파이온의 운동 방향에 대해 동일한 각도 θ를 가지고 방출되었다. 중성 파이온의 정지질량은 m_π이고 총 에너지는 E이다.

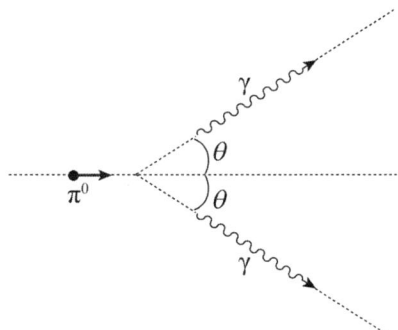

γ선이 중성 파이온의 운동 방향과 이루는 각 θ는? (단, c는 빛의 속력이다.)

① $\sin^{-1}\left(\dfrac{m_\pi c^2}{E}\right)$ ② $\cos^{-1}\left(\dfrac{m_\pi c^2}{E}\right)$

③ $\sin^{-1}\left(\dfrac{2m_\pi c^2}{E}\right)$ ④ $\sin^{-1}\left(\dfrac{m_\pi c^2}{2E}\right)$

⑤ $\cos^{-1}\left(\dfrac{m_\pi c^2}{2E}\right)$

42 2013-39

그림은 서로 다른 반감기를 가진 방사선 핵종 A, B의 방사능 (붕괴율, activity) R의 자연로그 $\ln R$를 시간 t에 따라 각각 나타낸 것이다.

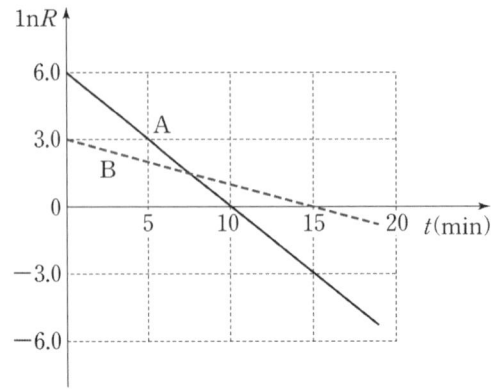

A와 B의 반감기가 각각 T_A와 T_B일 때, $\dfrac{T_A}{T_B}$는?

① $\dfrac{1}{3}$ ② $\dfrac{1}{2}$

③ $\dfrac{3}{2}$ ④ 2

⑤ 3

43 2019-A14

밀폐된 용기에 채워져 있는 $^{220}_{86}\mathrm{Rn}$이 입자 (가)를 방출하며 다음과 같은 과정을 통해 붕괴한다.

$$^{220}_{86}\mathrm{Rn} \rightarrow {}^{216}_{84}\mathrm{Po} + (가)$$

$^{220}_{86}\mathrm{Rn}$의 반감기는 56초이고, $t = 0$에서 $^{220}_{86}\mathrm{Rn}$의 붕괴율(활성도) $R_0 = 3 \times 10^{16}\mathrm{Bq}$이다. $t = 0$과 $t = 168$초일 때 용기 속의 $^{220}_{86}\mathrm{Rn}$핵의 수는 각각 N_0과 N이다. 이 붕괴 과정이 α붕괴인지 β붕괴인지 쓰고, N_0과 N을 풀이 과정과 함께 구하시오. (단, $^{220}_{86}\mathrm{Rn}$은 주어진 과정을 통해서만 붕괴한다. $1\mathrm{Bq} = 1$붕괴/초이고, $\ln 2 \simeq 0.7$이다.)

2018-A10

44 자유 공간에서 전자와 양전자 한 쌍이 소멸되면서 2개의 광자(γ)가 생성되는 과정은 아래와 같이 표현된다.

$$e^- + e^+ = 2\gamma$$

이러한 쌍소멸 과정에서 광자가 1개만 생성될 수 없는 이유를 보존 개념으로 설명하고, 생성된 광자의 파장을 구하시오. 한 광자가 $+\hat{x}$방향으로 진행할 때, 다른 광자의 운동량의 크기와 방향을 구하시오. (단, 전자와 양전자의 속력과 결합 에너지는 무시한다. 진공에서 빛의 속력은 c이고, 전자의 정지질량은 m_e이며, 플랑크 상수는 h이다.)

2017-A04

45 대기 중에서 ^{12}C 원자 개수에 대한 ^{14}C 원자 개수의 비율은 1.3×10^{-12}이며, 이 비율은 지난 6만여 년 동안 일정하게 유지되고 있다. 살아 있는 생명체에서는 이 비율이 변하지 않으나 죽은 후에는 ^{14}C의 핵붕괴에 의해 비율이 점차 줄어들게 된다. 어떤 죽은 동물의 뼈에서 ^{12}C 원자 개수 N_1에 대한 ^{14}C 원자 개수 N_2의 비율이 $\dfrac{N_2}{N_1} = 2.6 \times 10^{-13}$으로 측정되었다. ^{14}C의 반감기를 5730년이고, 핵붕괴 식은 $N(t) = N_0 e^{-\lambda t}$이다. ^{14}C의 붕괴상수 λ를 구하고, 이 동물이 측정 시점으로부터 몇 년 전에 죽었는지를 구하시오. (단, ^{12}C는 새로 생성되거나 소멸되지 않는다고 가정하며, 로그값은 계산하지 않는다.)

2020-A10

46 중간자(meson) π^+가 두 경입자(lepton) μ^+와 ν_μ로 붕괴하는 과정은 $\pi^+ \rightarrow \mu^+ + \nu_\mu$이고, π^+, μ^+, ν_μ의 정지 질량은 각각 m_π, m_μ, m_ν이다. π^+가 정지해 있고, $m_\nu = 0$일 때, μ^+의 운동 에너지 K_μ를 구하고, ν_μ의 운동량의 크기 p_ν를 풀이 과정과 함께 구하시오. 또한 ν_μ의 전하량을 쓰시오. (단, c는 빛의 속력이다.)

┤ 자료 ├
π^+가 정지해 있고 $m_\nu = 0$이면, μ^+의 총 에너지는 $E_\mu = \left(\dfrac{m_\pi^2 + m_\mu^2}{2m_\pi} \right) c^2$이다.

2026-A04

47 그림은 어떤 무거운 핵의 알파(α) 붕괴에 대한 알파(α) 입자의 퍼텐셜 에너지 함수 $V(r)$를 나타낸 것이다.

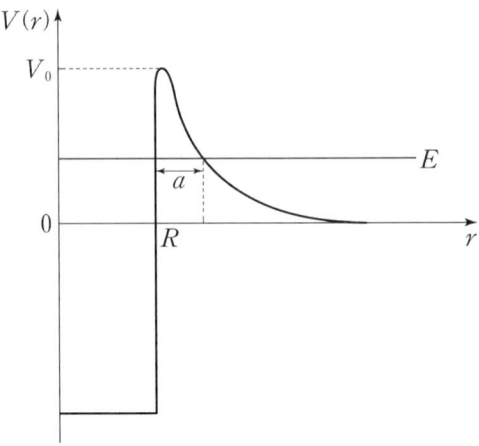

r는 원자핵 중심으로부터의 거리, R는 원자핵의 반지름이다. 에너지가 E인 알파 입자가 퍼텐셜 장벽에 한 번 충돌할 때의 투과 확률은 다음과 같다.

$$T = \exp\left[-\frac{2\sqrt{2m(V_0 - E)}}{\hbar}a\right]$$

m은 알파 입자의 질량, V_0는 퍼텐셜 장벽의 높이, a는 퍼텐셜 장벽의 두께이다. $0 \leq r \leq R$에서 알파 입자의 속력이 v일 때, 알파 입자가 단위 시간당 장벽에 충돌하는 횟수 N을 구하고, 단위 시간당 알파 입자의 투과 확률 P를 구하시오. (단, 알파 입자는 원자핵의 중심을 지름 방향으로 운동한다고 가정한다. $\hbar = \dfrac{h}{2\pi}$, h는 플랑크 상수이다.)

10 표준 모형

2009-40

48 쿼크 모형에 의하면 양성자, 중성자, 중간자와 같은 강입자들은 기본 입자인 쿼크들로 구성되어 있다. 쿼크들의 성질은 표와 같다.

입자	중입자수	전하량	기묘도	스핀
u 쿼크	$+\dfrac{1}{3}$	$+\dfrac{2}{3}e$	0	$\dfrac{1}{2}$
d 쿼크	$+\dfrac{1}{3}$	$-\dfrac{1}{3}e$	0	$\dfrac{1}{2}$
s 쿼크	$+\dfrac{1}{3}$	$-\dfrac{1}{3}e$	-1	$\dfrac{1}{2}$

어떤 강입자의 중입자수는 $+1$, 전하량은 0, 기묘도는 -1, 스핀은 $\dfrac{1}{2}$ 이다. 이 강입자의 쿼크 구성으로 옳은 것은?

① uud ② uds

③ uus ④ udd

⑤ dds

2011-19

49 양성자(p), 반양성자($\bar{p}$), 중성자(n), 양전하를 띤 파이온(π^+)은 강입자이고, 전자(e), 양전자(e^+), 전자 중성미자(ν_e)는 경입자이다. 이들 입자의 반응에서는 전하량, 중입자수(baryon number), 경입자수(lepton number)가 보존된다. 이 보존 법칙에 위배되지 않는 반응은? (단, γ는 광자를 나타낸다.)

① $n \rightarrow p + \gamma$ ② $\gamma + n \rightarrow \pi^+ + e + \nu_e$

③ $p \rightarrow \pi^+ + \gamma$ ④ $p \rightarrow n + e^+ + \nu_e$

⑤ $p + \bar{p} \rightarrow n + \gamma$

정승헌
전공물리 기출문제집

초판인쇄 | 2026. 1. 20. **초판발행** | 2026. 1. 26. **편저자** | 정승헌
발행인 | 박 용 **발행처** | (주)박문각출판 **등록** | 2015년 4월 29일 제2019-000137호
주소 | 06654 서울특별시 서초구 효령로 283 서경 B/D **팩스** | (02)584-2927
전화 | 교재 문의 (02) 6466-7202, 동영상 문의 (02) 6466-7201

ISBN 979-11-7519-590-5 | 979-11-7519-589-9(SET)
정가 39,000원(분권 포함)

저자와의
협의하에
인지생략